Baggio-Scheneider, Charton

Manual I - Practitioner em Programação Neurolinguística – A arte de se conectar e influenciar pessoas / Charton Baggio Scheneider – Londrina/PR: Instituto NeuroTech; 2020.

    1. **Neurolinguística : Programação : Psicoterapia**
    2. **Linguagem : Psicologia**
    3. **Programação Neurolinguística : PNL : Psicologia**
    4. **Psicolinguística**
    5. **Hipnotismo : Uso terapêutico : Medicina**
    6. **Neurociência**

www.chartonbaggio.com

Charton Baggio Scheneider
MBA, MPNLP & HEAD COACH

MANUAL I

Practitioner

em Programação Neurolinguística

A ARTE DE SE CONECTAR E INFLUENCIAR PESSOAS

SUMÁRIO

Charton Baggio Scheneider

AGRADECIMENTOS

Descobri a Programação Neurolinguística em 1990 quando Morava em Niterói – RJ, e logo comprei todos os livros que existiam no mercado nacional sobre o tema que me encantou tremendamente, então com meus 22 anos de idade – e já se vão 30 anos desde então; porém, só em 1992 tive a oportunidade de realizer a minha formação formal nesta arte e nesta ciência, através das mãos não menos gabaritadas do o que até hoje consider meu 'grande mestre', o Dr. Nelson Spritzer, então director do Centro Sulbrasileiro de PNL – atual Dolphin Tech, com sede em Porto Alegre – RS, onde tive também o privilégio de participar de sua primeira turma de formação nível Practitioner em PNL, foi maravilhoso, um homem com grande sabedoria, e uma impecabilidade imensurável em tudo que fazia – logo comecei a modelá-lo em sua forma de falar, como pronunciava suas palavras, os gestos, os trejeitos, a forma como contraia seus lábios ao acessar suas informações internas buscando os melhores recursos para prover a medança em cada um de nós – não me contentei com isso, fiz minha formação como Master Practitioner também com ele e ai o mundo se abriu. A ele, minha eterna gratidão por ter me aceito como seu aluno, por ter sido quem foi enquanto eu estava sob sua tutela aprendendo a maestria da mudança e por ter se disposto a prefaciar este livro.

Já treinei com grande nomes nacionais e internacionais da PNL (no Brasil e no exterior), refiz minha formação com outros centros de formação – nenhum me deu o que obtive em minha formação inicial.

Agradeço a Deus, por ter me dado o dom de ensinar, de ajudar as pessoas que se achegam a mim a transformarem suas vidas. E já se vão mais de trinta anos nessa jornada de uma vida curta que complete meio século neste mês ao qual concluo este livro, e ao qual declare aqui o que declaro como minha profissão de fé diariamente: Shema Israel, Adonai Eloheinu, Adonai Echad! (Ouve, Israel, o Eterno, é nosso Deus, o Eterno é Um!)

Agradeço a minha esposa, Camilla por me apoiar, me insentivar, me encorajar, ser meu alicerce em todos os momentos de minha vida, você é o meu presente, a luz que ilumina minha vida pessoal, emocional e professional – te amo!

Agradeço aos meus pais, Antonio[Z''L] e Noemi por serem exemplos de luta, de garra, de integridade, de ética e moral em minha vida.

Agradeço ao meu Rabino, Jacques Cukierkorn, por ser uma fonte de inspiração e apoio para sempre estar buscando novas oportunidades, que mesmo sem saber faz PNL diariamente.

Por fim, agradeço a você leitor por estar se dando a chance de descobrir a PNL da forma como descobri (e procuro mantê-la até hoje – simples e íntegra) e mudou minha vida para sempre. Que este livro lhe leve a descobrir padrões e modelos para se tornar um ser humano melhor.

Charton Baggio Scheneider
Londrina – PR, Outubro de 2020

SOBRE O AUTOR

"Sempre há um espaço em sua vida para pensar maior, empurrar limites, imaginar o inimaginável."

-- Charton Baggio Scheneider

Por mais de duas décadas, Charton Baggio Scheneider vem servindo como conselheiro de líderes em todo o país. Uma autoridade reconhecida na psicologia de liderança, negociações, turnaround organizacional e desempenho máximo. Foi honrado por seu intelecto estratégico e empenho humanitário. Charton marcou diretamente a vida de milhares de pessoas em todo o território nacional através de seus eventos.

O que começou como um compromisso em ajudar os indivíduos a transformarem a qualidade das suas vidas cresceu, fazendo com que Charton seja requisitado por líderes de todas as áreas – presidentes e alta direção de empresas, políticos, atletas, profissionais da saúde, professores, pais.

Charton foi Presidente da Federação Internacional do Comércio – seccional Brasília (uma organização não governamental de âmbito mundial de jovens profissionais e empreendedores com idades entre 18 e 40 anos, os quais buscam, por meio do aprimoramento do indivíduo, as bases para o crescimento pessoal e de suas comunidades), e é membro do conselho de duas outras Fundações/Institutos: o ICPA - Instituto Ciências e Pesquisa Aplicada; e da FEPAT - Fundação de Educação e Pesquisa Aplicada em Tecnologia.

Charton é autor, terapeuta, conferencista, autoridade em saúde, coach de resultados, produtor de sistemas de treinamento em áudio, orador premiado, membro de diversas organizações assistenciais e comunitárias.

Como autor, Charton já escreveu doze livros, onze próprios e um com co-autoria.

Charton é um dos maiores oradores do país. Milhares de pessoas de diversos estados já assistiram a seus seminários. Charton criou um sistema de "imersão total" que produz a educação, estratégias e energização para mudança mensurável e duradoura. Ele também é o fundador da Universidade da Excelência que reúne os principais peritos dos seus respectivos campos no país.

Charton foi honrado por seus feitos como "Jovem Mais Destacado" e "Eficiência Administrativa" da Federação Internacional do Comércio, com sede nos EUA e filiais em mais de 140 países, bem como foi eleito o "Melhor Treinador/Facilitador" do estado do Rio Grande do Sul.

Charton possui uma incrível perspicácia para criar jogos inovadores que levam as pessoas a assimilarem os mais complexos conceitos de vários mercados de forma educativa, energizante e entretida - como o jogo chamado Bank-Game que visa instruir e capacitar as pessoas e organizações para o mercado financeiro.

Charton possui um MBA Executivo Internacional – Latu-Senso, é perito e autoridade nacional na Psicologia de Alta Performance – pessoal, profissional e turnaround organizacional. Tem estabelecido esta identidade pela sua consistente habilidade em alcançar as pessoas e organizações e auxiliá-las a criar constantemente resultados mensuráveis – produzindo mudanças nos indivíduos e organizações para quem trabalha. Sensibilidade humana, senso ético e profissional são constantes nos seus trabalhos.

Charton é altamente respeitado como autoridade de ponta na Psicologia de Alta Performance. Líderes e empreendedores que já estão no ápice do sucesso em todos os campos, têm em Charton um conselheiro estratégico quando precisam enfrentar decisões críticas que requerem uma procura, inclusive de opções criativas, e uma avaliação sistemática de probabilidades e consequências.

Membro de diversas associações de classe mundial, como:

- American Association For The Advancement of Science (AAAS);
- American Society for Training and Development (ASTD);
- Associação Brasileira de Recursos Humanos (ABRH);
- Associacion Latinoamericana de Programacion Neurolinguística;
- Creative Education Foundation;
- Instituto Nacional de Capacitação (INC);
- JCI Training Institute;
- Joseph Campbell Foundation,
- Junior Chamber International (JCI); e,
- New York Academy of Sciences.

Charton formou-se em Terapia e Hipnoterapia Ericksoniana, o qual é certificado pelo The Milton H. Erickson Foundation, Inc. de Phoenix, Arizona/USA. Possui ainda diversos cursos de especialização e atualização na área da terapia e hipnose clínica.

Sua formação inclui ainda os Títulos de Graduação em Programação Neurolinguística (PNL), com a titulação de Practitioner e Master Practitioner. Formado pelos melhores centros e institutos, tais como:

- Centro Sulbrasileiro de PNL (Porto Alegre/RS);

- Eastern NeuroLinguistic Programming Institute (New Jersey/USA);
- Primier Instituto Sudamericano de PNL (Buenos Aires/Argentina); e pela
- The Society of NeuroLinguistic Programming (San Francisco/USA).

... onde teve a oportunidade de treinar com expoentes Internacionais e Nacionais no campo da Neurolinguística, como: **Anthony Robbins, Robert Dilts, M.A. Linda Sommer, Lic. Maria Ana Chren, Dr. Maurício Chrem, Ph.D. Kelly Patrick Gerling, Lic. Beatriz Ces, Ph.D. Jeffrey K. Zeig, Dr. Nelson Spritzer, Dr. Lair Ribeiro, MsC. George V. Szenészi.**

Cursou o programa de Pensar de Alta Performance do Braintechnologies Institute (Colorado/USA).

Charton especializou-se no "Modelo de Comportamento Biopsicossocial do Adulto" e em **"Diagnóstico Empresarial"** pelo National Values Center (Texas/USA) – sendo representante de suas tecnologias no Brasil, e em **"Liderança e Management"** pelo The Leadership Project (Kansas City/USA), tendo participado ainda de um programa de **Transferência de Tecnologia (Desenvolvimento da Capacidade de Comportamento Empreendedor),** promovido pela ONU através do Programa das Nações Unidas para o Desenvolvimento – (PNUD) e pela Agência Brasileira de Cooperação – (ABC), vinculada ao Ministério das Relações Exteriores.

Além de tudo isso, Charton teve a oportunidade de estar junto a experts e mestres no quilate de: **Ph.D. Don Beck, Christopher C.Cowan, Peter Drucker, Hazel Henderson, Hirotaka Takeuchi, Gary Hamel, Richard Barrett, Warren Bennis, Margaret J. Wheatley, Dudley Lynch, Peter Senge, William Ury, Michael E. Porter, Oscar Motomura,** entre outros.

É o criador do Sistema Result Coaching onde atua a 30 anos comprovando a eficácia do método exclusivo com clientes de diversos segmentos empresariais, educacionais e governamentais.

Já atuou como professor-convidado no curso de Pós-Graduação Executivo em Tecnologia nas cadeiras de Recursos Humanos e Jogos Empresariais e no curso de Gerência de Projetos em Engenharia de Software na cadeira de Alta Performance, ambos da Universidade Estácio de Sá em Brasília/DF, e nas cadeiras de Negociação, Comunicação e Gerenciamento da Comunicação em Projetos do Curso MBA em Gerência de Projetos da Universidade Cândido Mendes.

Entre outras, já realizou trabalhos para **empresas/organizações do governo federal, estadual e municipal, empresas do setor hoteleiro, automobilístico, atacadista, agrobusiness, educacional, empresarial, industrial e comercial, clubes de serviços e organizações não**

11

governamentais, além de associações de classe em trabalhos fechados e abertos nos **estados do RS, PR, MS, MT, GO, DF, TO, SP, RJ, MG e MA.**

Palavras que melhor o descrevem: Visionário, líder, filantropo, estrategista, aventureiro, apaixonado, treinador, amigo.

Charton quer ser lembrado como alguém que deixou este mundo como um lugar melhor para se viver.

A lição mais importante que Charton aprendeu é que *"se estamos no rio da vida, iremos bater em algumas pedras. Quem corre imobilizado, não se abate por ter um fracasso. A chave é se lembrar que não há nenhum fracasso na vida, só resultados. Se você não adquiriu os resultados que você quis, aprenda com a experiência de forma que você tenha referências sobre como tomar melhores decisões no futuro."*

Perspectiva a se manter: Quando Charton precisa ganhar perspectiva, ele contempla os bilhões de estrelas no céu e pensa em todos os universos lá fora. Isso o ajuda a se lembrar que ele é apenas um homem nesta pequena pedra que nós chamamos terra, e que seu propósito exclusivo é viver sua vida completamente e fazer o seu melhor para tocar tantas pessoas quanto ele possa enquanto estiver aqui.

Citação favorita: *"A meta definitiva da indagação não deve ser nem alívio nem êxtase em si mesmo, mas a sabedoria e o poder para servir aos outros. Uma das muitas distinções entre a celebridade e o herói é que o primeiro vive apenas para si, enquanto o outro seus atos redimem a sociedade".* Joseph Campbell

Filosofia empresarial essencial: para mudar o mundo, nós temos de nos mudar primeiro.

Princípio guia: É em seus momentos de decisão que seu destino é moldado. Para alcançar uma qualidade extraordinária de vida, você tem de decidir o que é mais importante para você e então entrar em ação volumosa à cada dia para fazer isto melhor e prioritariamente. De fato, a maior característica que as pessoas extraordinariamente prósperas têm acima da pessoa comum é a sua habilidade para se fazer entrar em ação.

Filosofia para mudança: Mudança normalmente não é uma questão de capacidade; é quase sempre uma questão de motivação.

Melhor modo para manter extremidade competitiva: Aqueles que alcançam à parte extraordinária de sua vida possuem o poder fundamental da coragem. Não à ausência de medo, mas a vontade para penetrar as limitações e agir sobre o planejado. O medo paralisa impedindo muitas pessoas de entrar em ação. O medo do fracasso, o medo do sucesso, o medo da rejeição – inconscientes que nós não percebemos frequentemente, que temos. Para alcançar o verdadeiro sucesso, nós temos de penetrar primeiro o medo. Segundo, nós temos de aplicar estratégias específicas e comprovadas para criar impulso em nossa vida – assim, as coisas que parecem difíceis no princípio, com o passar do tempo, vão se tornando fáceis. E terceiro, nós temos de criar a vitalidade física e energia que precisamos para concluir o que nós aprendemos.

Lições empresariais aprendidas: O sucesso deixa pistas! Nós não precisamos reinventar a roda, especialmente quando alguém já navegou as correntezas antes de nós. Aqueles que alcançaram e contribuíram mais e mais com a sociedade invariavelmente estiveram nos ombros das pessoas que vieram antes deles. Se você quer alcançar o sucesso, tudo o que precisa fazer é achar um modo para modelar esses que já tiveram sucesso.

Meta a ser alcançada: O trabalho de vida de Charton sempre tem sido ajudar as pessoas a criarem uma qualidade extraordinária de vida – agora, seu desafio é achar o melhor veículo para alcançar o maior número de pessoas de modo que se tornem realizadas.

Como melhorar o trabalho: As pessoas têm dentro delas uma força que é tão poderosa que uma vez liberta, não há nada que possa impedi-las de fazer tudo o que elas pretendem na vida. Ajudar as pessoas a transformar os seus sonhos em realidade é sua maior excitação e paixão.

Compromisso, Liderança, Perspicácia e Autorização.

O segredo para o sucesso de Charton é a sua habilidade para modelar as estratégias de alguns dos indivíduos mais prósperos no mundo e comunicar poderosamente estas habilidades a outros. Ele é perito em levar o complexo e sintetizar isto em ferramentas e estratégias imediatamente aplicáveis que simplesmente podem ser utilizadas por qualquer um, para melhorar a sua qualidade de vida. Porém, a vantagem mais competitiva dele é a sua habilidade para entreter. Como Charton diz muitas vezes: *"Nós somos uma cultura de entretenimento, vivendo em uma era de entretenimento. Muitos empreendimentos educacionais não alcançam os resultados que eles desejam por falta de uma ideia simples: A maioria das pessoas seria entretida muito mais que educada. O pedagogo deste século deve ser um Artista extraordinário que Educa as pessoas com as melhores ferramentas e as Autoriza a agir nelas. Esta é a chamada filosofia E-Cubo - Educação-Entretenimento-Energização."*

O compromisso de Charton é para com a sua filosofia de Melhoria Constante e Incessante, (MCI), o que o compromete a se encontrar e modelar alguns dos maiores líderes de nossos dias.

Charton criou um sistema de "imersão total" que produz educação, estratégias e impulso para mudança mensurável e duradoura. Charton também é o fundador da Universidade da Excelência que reúne os peritos dos principais campos de conhecimento do país.

Charton já foi vinculado em diversos meios de comunicação (rádios AM e FM, emissoras de TV e jornais) de todo o país dando entrevistas sobre os mais diversos temas.

Como um catalisador reconhecido de sistemas em desenvolvimento e estratégias para transformações aceleradas e duradouras em indivíduos e organizações, Charton agora também é constantemente procurado por psicólogos e psiquiatras para treiná-los.

O compromisso de Charton é criar um legado duradouro que marcará o mundo que só é ultrapassado pela sua paixão pela família como um pai dedicado aos seus filhos e um marido amoroso para sua esposa.

POR ONDE JÁ ANDEI

Nestes anos de trabalho e dedicação total aos meus clientes, tive a oportunidade de estar presente em uma variedade de empresas e organizações em uma extensiva gama de segmentos, e de prover nossos recursos para que eles pudessem obter práticas extraordinárias. O seguinte é uma amostragem dos clientes que ajudei a ter realização nos seus objetivos:

Charton Baggio Scheneider

PREFÁCIO DO DR. NELSON SPRITZER

Nos anos 1990, no Brasil, praticamente não havia ninguém que praticasse ou ensinasse uma nova ferramenta de mudanças que surgira nos anos 1970, na Califórnia – EUA, através da genialidade de dois parceiros em descobertas: Richard Bandler e John Grinder.

Um resumo do contexto no qual eu me encontrava naquela época. Eu era um jovem médico, formado em 1978, já bastante prestigiado. Em 1983, após concluir meu mestrado, ganhei um prêmio internacional de Cardiologia, na cidade de Vancouver-Canada, por descobrir que pessoas com pressão alta tendem a sentir menos o paladar ao sal. Em seguida, após concluir meu doutorado, fui o responsável pela introdução *Monitorização Ambulatorial da Pressão Arterial* (MAPA) no Brasil e um dos pioneiros no estudo da fração proteica do veneno da jararaca para baixar a pressão arterial.

Por tudo isso era palestrante e convidado frequente em diversos eventos científicos internacionais. Num desses eventos tomei contato com a Programação Neurolinguística (PNL). Dali em diante foi uma sucessão de encontros, descobertas e mudanças que transformaram minha carreira e minha vida. Um caminho nem sempre fácil e cheio de armadilhas.

Em 1991, após consolidar formação e experiência razoável em praticar a PNL com diversos pacientes da minha própria clínica resolvi abrir uma escola. O então *Centro Sulbrasileiro de PNL* foi a primeira no sul do Brasil e a segunda do Brasil (havia uma em São Paulo). Com o apoio irrestrito da minha dileta mestra e amiga Linda Sommer, do *Eastern NLP Institute*, e seu marido Joseph Yeager um dos mais profícuos criadores de novos padrões na PNL, estabeleci um modelo de ensino, pratica e atendimento que repercute até hoje com milhares de alunos espalhados pelo mundo.

Nos primórdios da nossa escola, entre os mais inquisidores, inquietos e curiosos alunos que vinham aprender comigo estava um jovem gaúcho, Charton Baggio – na época não incluía o sobrenome Scheneider (curiosamente idêntico ao da minha avó materna). Logo, revelou-se atento, perspicaz, não se satisfazia com qualquer resposta e sempre procurava verificar o que era dito. Terminada a sua formação inicial comigo perdi seu rastro mas nunca permiti a admiração e a amizade por ele.

Recentemen4te graças aos milagres das redes sociais, retomamos contato. Uma oportunidade muito especial pois me permite escrever algumas palavras a mais do que os curtos textos das redes sociais permite.

Ao ler o manual, de cara, duas constatações: é uma empreitada de folego – mais de 700 páginas! e é integro, honesto, procurando retratar aquilo que foi, é e ainda continuará sendo o que é relevante em PNL. Depois de tantos mistificadores e mistificações, que só empobreceram o modelo original porque serviram apenas para propaganda e marketing com pouco impacto na vida das pessoas, a obra de Charton vem resgatar, e na devida ordem como as coisas aconteceram, o que foi o surgimento da PNL, como se sucedeu, seus principais portadores de insights, sua estrutura e suas aplicações.

Trata-se de um manual com uma objetividade necessária para o praticante inicial não se perder, contém exemplos práticos e diagramas e imagens simplificadoras das estruturas mais complexas. Sua leitura é agradável e propõe desde o início que o leitor pratique.

Isso aliás é fundamental enfatizar-se, não há como se adquirir competências em geral, e em PNL em especial, sem que o aluno/leitor pratique tudo o que é ensinado. E só praticar não é suficiente, é preciso um feedback qualificado enquanto se pratica. Sem isso o que fica é apenas o conteúdo, os conceitos. A PNL pode ser entendida mas não adquirida pelo leitor.

O Charton percorreu caminhos muito parecidos com os meus. Foi até a Linda Sommer, no *Eastern NLP Institute*, foi até o Dudley Lynch no *Brain Technology Institute*. Fez sem dúvidas uma sólida formação. Revela-se um escritor ético, congruente e procura ser profundo no que aborda.

Como seu professor e amigo de longa data é uma alegria retomar este valioso contato especialmente através desta honrada oportunidade de prefaciar uma obra tão abrangente e completa sobre a ferramenta que ambos escolhemos como instrumental nas nossas escolhas de carreira e de vida e, portanto, temos muito carinho e cuidado pelo que se faz com ela.

O leitor será brindado com conteúdo honesto e profundo. O praticante será brindado com uma série de ferramentas que tem sua base explicada, sua estrutura detalhada e sua prática estimulada. Os amantes das inovações e os praticantes veteranos da PNL se sentirão em boa companhia ao ler este manual. Algo de bom e de útil foi feito aqui, para servir a todos. Se não por mais, só isso já justifica dizer parabéns Charton, valeu muito a pena!

- Dr. Nelson Spritzer

Porto Alegre, Maio de 2018.

O Dr. Nelson Spritzer, é Diretor-Presidente do Grupo Dolphin Tech. É reconhecido nacionalmente como um palestrante motivador, consultor de mudanças de grande impacto, coach e criativo desenvolvedor de processos de mudança tanto para indivíduos como para empresas e grupos.

É formado em medicina; Mestre em Cardiologia (UFRGS) e Doutor em Nefrologia (Escola Paulista de Medicina-UFESP) especialista de renome nacional nas áreas da Hipertensão Arterial Sistêmica e do Estresse Humano; formado em Tecnologia de Ensino Superior (UFRGS) e em Medicina do Trabalho (Fundacentro/FFFCM), acumula longa experiência nestas áreas. Tem inúmeros trabalhos científicos apresentados e publicados no País e exterior, ganhador de vários prêmios científicos nacionais e internacionais.

É autor de muitos produtos para desenvolvimento humano, entre os quais os livros: *"Pensamento e Mudança - Desmistificando a Programação Neurolinguística"*, *"O Novo Cérebro - Como Obter Resultados Inteligentes"*, *"Ler Pessoas"*, *"Mapa da Mina"*, editados em 1993, 1995, 2006 e 2007 respectivamente ambos pela editora Dolphin Tech Edições, Porto Alegre, Rio Grande do Sul.

TREINANDO PULGAS E ELEFANTES

Para se treinar uma pulga é muito simples, mas exige esforço. A primeira coisa a se fazer é se conseguir uma pulga saudável que se destaca das demais, então, coloca-se esta pulgas dentro de um vidro com tampa.

No início elas irão saltar feitos doidas querendo sair e ultrapassar aquela barreira imposta. Porém, depois de algum tempo, o ímpeto vai diminuindo, diminuindo, até que um dia, depois de muito tentar, elas somente saltam na altura exata da tampa ou um pouco menos para não correr o risco de se machucarem.

Assim, você poderá retirar a tampa do vidro e elas não irão sair. Por quê? Simples! Elas estarão condicionadas a saltar exatamente na altura que antes havia um obstáculo, mas que agora não existe mais.

Para treinarmos um elefante o processo é um pouco diferente, porém o princípio é o mesmo ao que foi usado com a pulga. O treinador pega um elefante enquanto ele ainda é bebê, então passa uma corda em seus pés e o amarra numa árvore. O elefantinho tenta sair, mas a árvore é pesada, forte, e ele não consegue. Depois de tentar várias vezes, ele desiste. Aí ele cresce, vai para o circo, e a única coisa que o palhaço tem que fazer para prendê-lo é amarrá-lo com uma corda na perna de um tamborete. O elefante continuará pensando que está amarrado numa árvore.

Em síntese, tanto a pulga, quanto o elefante se tornaram criaturas limitadas, que acreditam que não podem ir além do que seus limites mentais os permitem ir, devido ao seu condicionamento prévio. Porém, você não precisa sair em busca de pulgas ou para ver elefantes presos num tamborete com uma corda. Olhe no espelho, e verá em sua frente a imagem de uma pessoa limitada, condicionada pela vida a acreditar que a vida é assim mesmo.

PARA REFLETIR

Às vezes, as correntes que nos impedem são mais mentais do que físicas. Pense, pois muitas vezes amarram você em nada e você acredita!!!

Quantas vezes agimos como pulgas? Vamos até um determinado limite de nossas vidas, paramos e achamos que não dá mais. Inventamos mil desculpas: idade, situação sócio econômica, local, despreparo, falta disso ou daquilo... e deixamos de ultrapassar limites. Ficamos presos às tampas que a vida e o mundo nos apresentam.

Quantas vezes agimos como elefantes presos por uma corda num tamborete, que apesar de toda a nossa força física, e intelectual ficamos presos em pensamentos limitantes, procrastinamos, vivemos indecisos, nos sentimos sem recursos, que a vida é difícil, que a situação não está pra peixe?

Este livro foi escrito com muito afinco para lhe dar as ferramentas para que você ULTRAPASSE OS LIMITES. VOCÊ PODE, VOCÊ CONSEGUE. AFINAL, VOCÊ NÃO É UMA PULGA CERTO, NEM MESMO UM ELEFANTE PRESO A UM TAMBORETE, NÃO É MESMO?

CONTEÚDO DOS QUATRO VOLUMES

TEMAS ABORDADOS NO LIVRO I

"Com o sinal adequado se pode dizer qualquer coisa, com o sinal adequado, nada vale. Acertar sinal é o essencial."
– George Bernard Shaw

DESCOBRIMENTO, INCREMENTO E INCORPORAÇÃO DE CAPACIDADES E HABILIDADES CHAVES E ESSENCIAIS PARA UMA COMUNICAÇÃO EXCELENTE

RAPPORT

O rapport é um modo de criar um vínculo com o outro, outros e consigo mesmo. O rapport produz um estado de afinidade, sintonia, empatia, confiança, segurança e sensação de ser acompanhado, de ser escutado e de ser compreendido. RECONHECIMENTO E PRÁTICA DA LINGUAGEM CORPORAL, TONAL E VERBAL, que os excelentes comunicadores utilizam naturalmente e geralmente em forma não consciente, o que uma boa comunicação requer.

INTERAÇÃO COMUNICACIONAL

PERCEPÇÃO DE RESULTADOS GERADOS POR NOSSAS INTERAÇÕES VISTOS COMO FEEDBACK POSITIVO, para conduzir nossa interação em direção aos resultados desejados, sejam estes persuadir, influir, motivar, mudar ou comunicar. "O significado da comunicação é a resposta que esta provoca, independente da intenção do comunicador."

INFORMAÇÃO ESPECÍFICA E RELEVANTE

DETECÇÃO DE ESTRUTURAS SUPERFICIAIS E PROFUNDAS DE LINGUAGEM APRENDENDO A ESCUTAR "ENTRE LINHAS" E FORMULAR AS PERGUNTAS CERTAS PARA TRAZER AO CONSCIENTE, PORÇÕES ESSENCIAIS (INCONSCIENTES) INCLUÍDAS NO DISCURSO. Treinamento minucioso da observação de chaves mínimas de apreciação de conduta das pessoas e suas reações às nossas intervenções, podendo assim se detectar os pontos chaves mais importantes.

VALORES

CRENÇAS, CRITÉRIOS E MODOS DE AVALIAÇÃO DA REALIDADE que determinam o que é o mais importante para cada um. Cada ser humano, mesmo que compartilhe valores semelhantes, tem seus modos individuais e muito particulares de avaliar distintos aspectos da realidade. Geralmente se supõe que os outros têm os nossos mesmos critérios. Esta crença produz maus

entendimentos e desacordos. Descobrir os próprios critérios e saber diferenciá-los dos critérios dos outros é outro elemento essencial a se ter em conta na comunicação humana.

ESTE MÓDULO CORRESPONDE A 25% DO PROGRAMA ANUAL COM DIPLOMA DE NÍVEL PRACTITIONER 2.0 EM PNL.

TEMAS ABORDADOS NO LIVRO II

"O que fazemos com nós mesmos AGORA é o mais importante para amanhã. Se não fazemos nada para mudar nossa atitude e nosso modo de atuar, amanhã parecerá ontem exceto pela data."
— Moshe Feldenkrais

O PODER DO NOSSO ESTADO

Os disparadores e sinais relevantes. A fisiologia. Exploração das limitações e sua superação para se alcançar metas.
ESTADO PRESENTE, sua estrutura, disparadores e sinais relevantes (quádruplos).

PROGRAMAÇÃO DO ESTADO E DA AÇÃO EXITOSA

A ATITUDE, O ESTADO DESEJADO. Definição e condição de boa forma para se conseguir alcançar os objetivos. Desafios de relevância. Técnicas de "Como se".
ANCORAGEM, tipos, técnicas para instalação de âncoras e auto ancoragem. Encadeamento, CÍRCULO MÁGICO.
ATRAVESSANDO A FRONTEIRA DA MUDANÇA, GERANDO NOVAS CONDUTAS.

REPROGRAMAÇÃO DE ESTADOS PSICOFÍSICOS E ATUITUDES NEGATIVAS

MUDANÇA DE ATITUDE
RESIGNIFICAÇÃO EM SEIS PASSOS. ANCORAGEM: Colapsar e Dissolver. Re-ancorar.
INTRODUÇÃO ÀS SUBMODALIDADES: Descobrindo O PODER DA ESTRUTURA DOS NOSSOS MAPAS. Exercício Mental para reeducar nossa mente e conseguir maior domínio mental.

APLICAÇÃO EM DIFERENTES CONTEXTOS

ESTE MÓDULO CORRESPONDE A 25% DO PROGRAMA ANUAL COM DIPLOMA DE NÍVEL PRACTITIONER 2.0 EM PNL.

TEMAS ABORDADOS NO LIVRO III

"Dado que o comportamento das pessoas depende dos mapas que seus cérebros usam, compreender como as pessoas criam seus próprios mapas do mundo é uma parte muito importante para se poder compreender o porquê e o como as pessoas fazem o que fazem."
– Robert Dilts

ESTRATÉGIAS DE EXCELÊNCIA E MODELAGEM

INTRODUÇÃO ÀS ESTRATÉGIAS DE EXCELÊNCIA

Utilização da premissa básica da PNL de que há uma redundância entre os padrões macroscópicos observáveis de comportamento humano (p.ex.: o fenômeno linguístico e paralinguístico, movimentos oculares, posição das mãos e do corpo, etc.) e os padrões de atividade neuronal subjacentes que governam este comportamento.

DEFINIÇÃO

TIPOS DE ESTRATÉGIAS: As sete estratégias primárias

ESTRUTURA DA ESTRATÉGIA: Distintos modelos e o modelo da PNL

EXTRAÇÃO DA ESTRATÉGIA:

A. Preparação
B. Procedimentos
C. Métodos

INCORPORAÇÃO DA ESTRATÉGIA

ESTRATÉGIA PARA TRANSFORMAR O FRACASSO EM FEEDBACK

INTRODUÇÃO À MODELAGEM

"Convido-te a mirar na vida dos homens como um espelho e a pegar dos demais o exemplo para ti mesmo".
– Terencio

IDENTIFICANDO OS PADRÕES E FATORES INTERVENIENTES

A FISIOLOGIA: O corpo como um dial.

AS ESTRATÉGIAS: A sequência e a estrutura que "fazem a diferença"

AS CRENÇAS: Poderosas comportas da mente.

A AÇÃO: Um passo inadiável

APLICAÇÃO EM CONTEXTOS GRUPAIS E ORGANIZACIONAIS

ESTE MÓDULO CORRESPONDE A 25% DO PROGRAMA ANUAL COM DIPLOMA DE NÍVEL PRACTITIONER 2.0 EM PNL.

TEMAS ABORDADOS NO LIVRO IV

"... E minha voz irá contigo. E minha voz se converterá na voz de teus pais, teus amigos, teus companheiros... e quero que te vejas... uma menina pequena que sente contente por algo... algo que tu te esquecestes faz muito tempo."
– Milton H. Erickson

A LINGUAGEM DA MUDANÇA

INTRODUÇÃO AO MODELO ERICKSONIANO

ESTADOS DE CONSCIÊNCIA:
A. Vigília
B. Transe
C. Hipnose

PADRÕES LINGUÍSTICOS E PARALINGUÍSTICOS

TÉCNICAS INTRODUTÓRIAS ÀS ESTRATÉGIAS PARA MUDAR ESTADOS DE CONSCIÊNCIA

PRÉ-INDUÇÃO
INDUÇÃO
PÓS-INDUÇÃO

A METÁFORA

DEFINIÇÃO
TIPOS: Desenhos, isomórficas, sequências de resposta, encaixe na estrutura, contos e histórias óbvias
ESTRUTURA
CONSTRUÇÃO, ARMAÇÃO E UTILIZAÇÃO
AS METÁFORAS DE MILTON ERICKSON

MUDANÇAS GENERATIVAS

RE-ESTRUTURAÇÃO E MUDANÇA DE HISTÓRIA
RE-ESTRUTURAÇÃO DE TRAUMAS E FOBIAS
INTEGRAÇÃO DE PARTES DISSOCIADAS OU EM CONFLITO

APLICAÇÕES EM DIFERENTES CONTEXTOS

ESTE MÓDULO CORRESPONDE A 25% DO PROGRAMA ANUAL COM DIPLOMA DE NÍVEL PRACTITIONER 2.0 EM PNL.

Embasamento Histórico & Conceitual

A HISTÓRIA DA LINGUÍSTICA

Vamos começar por ver a evolução das ciências linguísticas através de um resumo das contribuições de linguistas famosos que coletivamente formaram a base para a estrutura de linguagem da Programação Neurolinguística (PNL). Essas grandes mentes estão listadas na ordem cronológica aproximada de suas contribuições. Vamos conhece-las brevemente:

Sapir, Edward. *[1921]. Língua. Charleston, S.C. Bibliobazaar.*

Este linguista e antropólogo ofereceu insights sobre a relação entre pensamento e mecanismos de linguagem. Ele observou como a linguagem trabalhava para produzir uma terminologia local única para construções comuns em várias populações e idiomas. A hipótese de Sapir-Whorf descobriu que as pessoas reagirão à mesma experiência do mundo real de maneira diferente (por exemplo, a experiência do tempo) através da organização de sua arquitetura de linguagem. Se não houver tempo futuro no seu idioma, sua resposta a incentivos persuasivos será diferente de alguém que tenha um tempo futuro. Os comunicadores devem projetar suas persuasões de acordo.

Hayakawa, S. I. *[1933]. Linguagem em pensamento e ação (5ª ed.). Orlando, FL: Harcourt Brace Jovanovich.*

Seu trabalho oferecia ferramentas práticas para analisar e gerenciar as comunicações. Uma de suas ferramentas mais conhecidas é a "Escada da Abstração", que mapeia o fato de que, em uma única sentença falada, por exemplo, existem, simultaneamente, múltiplas camadas de características linguísticas ocorrendo naquele momento. Depois de mapeadas, as camadas determinam como as comunicações afetarão melhor o público. Esse recurso da linguagem é um elemento importante ao projetar mensagens.

Korzybski, Alfred. *[1933]. Ciência e Sanidade: Uma introdução aos sistemas não-aristotélicos e à semântica geral. Instituto de Semântica Geral.*

Ele usou o modelo experimental da ciência nas comunicações cotidianas. Ele demonstrou que as pessoas experimentam o mundo através de suas "abstrações", ou seja, seus mapas mentais do mundo, através de impressões não-verbais e indicadores verbais expressos dentro da linguagem. A Semântica Geral foi usada com algum sucesso para tratar veteranos da Segunda Guerra Mundial.

Whorf, B. L. *(1956). Linguagem, pensamento e realidade: escritos selecionados de B. L. Whorf. Nova Iorque: John Wiley.*

Um engenheiro praticante, ele é conhecido por documentar que a experiência é percebida como impressões que devem ser organizadas pelos sistemas linguísticos de nossas mentes. Se você alterar o idioma, poderá alterar a experiência e as opções associadas. Ele ilustrou como a escolha de palavras inocentemente criou uma situação perigosa. Em um caso, os tambores de gasolina "vazios" estão cheios de fumaça explosiva. Os trabalhadores que pensavam que "vazio" significava "seguro", criaram um desastre. A hipótese de Sapir-Whorf ligava a linguagem e o pensamento, e como a estrutura da linguagem organiza a percepção, a escolha e a tomada de decisão.

Osgood, C.E., *Succi, G.J. & Tannenbaum, P. H. (1957). A medição do significado. Urbana, IL: University of Illinois Press.*

Osgood desenvolveu o diferencial semântico que media o significado dos conceitos de linguagem por trás de fenômenos como atitudes. Ele interligou a psicologia e a linguística ao investigar como as pessoas usam a linguagem para descrever a experiência subjetiva, assim como a outra. Ele identificou temas implícitos e de ordem superior dentro de padrões de linguagem, como bom versus mau, forte versus fraco e ativo versus passivo. Suas estratégias de quantificação superficial limitaram a utilidade de suas descobertas.

Skinner, B.F. *(1957). Comportamento verbal. Acton, MA. Copley Publishing Group.*

Skinner analisou o comportamento verbal das pessoas como elas realmente faziam a fala. Ele usou métodos experimentais de causa e efeito, na tradição de Ivan Pavlov, para demonstrar que o comportamento linguístico pode ser analisado através do condicionamento operante, isto é, conectando os pontos entre uma experiência e suas consequências. Ele mergulhou em contingências de recompensa e punição como forças baseadas em regras que mudam escolhas e decisões.

McClelland, D. *(1961). A sociedade que alcança. Princeton: Van Nostrand.*

McClelland, um psicólogo de Harvard, desenvolveu métodos transculturais de análise de conteúdo de linguagem para identificar motivações como afiliação, realização e poder. Como muito do que acontece no marketing hoje, seu trabalho foi limitado descrevendo apenas o conteúdo do que as pessoas dizem. Ele não conseguiu identificar as características subjacentes e inconscientes da linguagem que predizem e modificam as escolhas que as pessoas fazem.

Chomsky, N. *(1968). Linguagem e Mente Nova Iorque: Harcourt.*

Chomsky é conhecido por seu trabalho sobre estrutura profunda linguística e gramática gerativa, ou seja, as regras que predizem o comportamento da linguagem. Ele teve uma influência cultural significativa e controversa em assuntos relacionados a comunicações, mudanças e tomada de decisões. Ele mostrou que existem mecanismos universais na linguagem que impulsionam o comportamento. Seu trabalho deixou claro que os processos de linguagem automáticos, fora de consciência, impulsionam a percepção, os motivos e as decisões.

Bateson, Gregory. *(1972). Passos para uma ecologia da mente: Ensaios coletados em antropologia, psiquiatria, evolução e epistemologia. Imprensa da Universidade de Chicago.*

Bateson via a linguagem e o comportamento em termos de informação e sistemas cibernéticos. Ele mapeou características de comportamento como competição, dependência e os efeitos dos ciclos de feedback. Seu trabalho se mesclou com os primórdios da análise de sistemas, da teoria da informação aplicada e da cibernética. Uma abordagem de sistemas ajudou a mover a linguagem e o comportamento de aplicativos teóricos para reais.

A História da Programação Neurolinguística

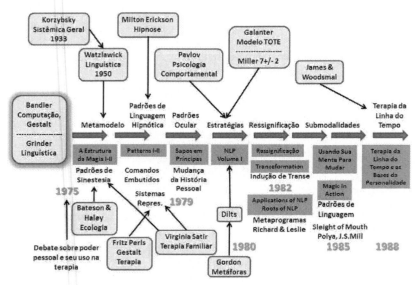

Um dos grandes expoentes da Programação Neurolinguística, Steve Andreas em seu livro "PNL - A Nova Tecnologia do Sucesso", *"A história da PNL é a história de uma sociedade improvável que criou uma inesperada sinergia que resultou em um mundo de mudanças."*

A PNL desenvolve-se no seguimento do estudo que seus cocriadores fizeram de psicoterapeutas de renome da época. E tudo isso acontece quando os *"hippies"*, uma parte do movimento da contra cultura dos anos 60, está a chegar ao fim e entram em cena os *yuppies*, o que faz da PNL uma certa mistura. Por um lado, encontram-se tendências como "paz e amor", "ser verdadeiro", "si mesmo", "contato com o sentir interior" e "tudo é possível". Por outro lado, o "pragmatismo", "prestar", "algibeira cheia" dos seguidores da moda do *Young Urban Professional*.

No início dos anos 70, o futuro cofundador da PNL, Richard Bandler, estudava matemática na Universidade da Califórnia, em Santa Cruz. No princípio, ele passava a maior parte do seu tempo estudando computação. Inspirado por um amigo de família que conhecia vários dos terapeutas inovadores da época, ele resolveu cursar psicologia.

Bandler redigia então, como *part-time*, textos de workshops e discursos do psicoterapeuta Frits Pearls e é influenciado por ideias como a vivência do aqui e agora, a luta contra os papéis sociais corretos e a tomada de auto responsabilização pelo nosso próprio comportamento. Com base no que via nos vídeos, Bandler começou ele mesmo a experimentar com grupos de colegas estudantes.

Após estudar cuidadosamente alguns desses famosos terapeutas, Richard descobriu que, repetindo totalmente os padrões pessoais de comportamento deles, poderia conseguir resultados positivos similares com outras pessoas. Essa descoberta se tornou a base para a abordagem inicial de PNL conhecida como Modelagem da Excelência Humana.

Depois, ele encontrou outro cofundador da PNL, o dr. John Grinder, professor adjunto de linguística e grande conhecedor da gramática transformacional de Chomsky e da semântica de Korzybski. A carreira de John Grinder era tão singular quanto a de Richard. Sua capacidade para aprender línguas rapidamente, adquirir sotaques e assimilar comportamentos tinha sido aprimorada na Força Especial do Exército Americano na Europa nos anos 60 e depois quando membro dos serviços de inteligência em operação na Europa. O interesse de John pela psicologia alinhava-se com o objetivo básico da linguística – revelar a gramática oculta de pensamento e ação.

No começo, nas noites de terça-feira, Richard Bandler conduzia um grupo de terapia Gestalt formado por estudantes e membros da comunidade local. Ele usava como modelo o seu fundador iconoclasta, o psiquiatra alemão Fritz Perls. Para imitar o dr. Perls, Richard chegou a deixar crescer a barba, fumar um cigarro atrás do outro e falar inglês com sotaque alemão. Nas noites de quinta-feira, Grinder conduzia um outro grupo usando os modelos verbais e não verbais do dr. Perls que vira e ouvira Richard usar na terça. Sistematicamente, eles começaram a omitir o que achavam ser comportamentos irrelevantes (o sotaque alemão, o hábito de fumar) até descobrirem a essência das técnicas de Perls - o que fazia Perls ser diferente de outros terapeutas menos eficazes. Haviam iniciado a disciplina de Modelagem da Excelência Humana.

Descobrindo a semelhança de seus interesses, eles decidiram combinar os respectivos conhecimentos de computação e linguística, junto com a habilidade para copiar comportamentos não verbais, com o intuito de desenvolver uma "linguagem de mudança".

Encorajados por seus sucessos, eles passaram a estudar um dos grandes fundadores da terapia de família, Virginia Satir, e o filósofo inovador e pensador de sistemas, Gregory Bateson. Richard reuniu suas constatações originais na sua tese de mestrado, publicada mais tarde como o primeiro volume do livro *The Structure of Magic* (A Estrutura da Magia). Bandler e Grinder tinham se tornado uma equipe, e as suas pesquisas continuaram a ser feitas com determinação.

O cocktail Bandler e Grinder produz, entre 70 e 80, os elementos que formarão a base da PNL: a vivência do aqui e agora, os modelos do mundo e as relações da linguagem com a experiência, padrões linguísticos modelados de Virginia Satir (o modelo Meta com as suas omissões, generalizações e distorções) e Milton Erickson (o modelo da linguagem de transe), o acento na auto responsabilização (primeiro pelo próprio comportamento, mais tarde pelo nosso total modelo do mundo), a modelagem, e um número de técnicas para atingir objetivos. A partir de Virginia Satir, para além do Meta Modelo de linguagem, desenvolvem o modelo das partes, os aspetos relacionais e o rapport.

O que os diferenciava de muitas escolas de pensamento psicológico alternativo, cada vez mais numerosas na Califórnia naquela época, era a busca da essência da mudança. Quando Bandler e Grinder começaram a estudar pessoas com dificuldades variadas, observaram que todas as que sofriam de fobias pensavam no objeto de seu medo como se estivessem passando por aquela experiência no momento.

Quando estudaram pessoas que já haviam se livrado de fobias, eles viram que todas elas agora pensavam nesta experiência de medo como se a tivessem vendo acontecer com outra pessoa- semelhante a observar um parque de diversões à distância.

Com esta descoberta simples, mas profunda, Bandler e Grinder decidiram ensinar sistematicamente pessoas fóbicas a experimentarem seus medos como se estivessem observando suas fobias acontecerem com uma outra pessoa à distância. As sensações fóbicas desapareceram instantaneamente. Uma descoberta fundamental da PNL havia sido feita. Como as pessoas pensam a respeito de uma coisa faz uma diferença enorme na maneira como elas irão vivenciá-la.

Ao buscar a essência da mudança nos melhores mestres que puderam encontrar, Bandler e Grinder questionaram o que mudar primeiro, o que era mais importante mudar, e por onde seria mais importante começar. Por sua habilidade e crescente reputação, rapidamente conseguiram ser apresentados a alguns dos maiores exemplos de excelência humana no mundo, incluindo o Doutor Milton H. Erickson, M.D., fundador da Sociedade Americana de Hipnose Clínica e amplamente reconhecido como o mais notável hipnotizador do mundo.

Doutor Erickson era uma pessoa tão excêntrica quanto Bandler e Grinder. Jovem e robusto fazendeiro de Wisconsin, na década de 1920, ele foi atacado pela poliomielite aos dezoito anos. Incapaz de respirar sozinho, ele passou mais de um ano deitado dentro de um pulmão de aço na cozinha da sua casa. Embora para uma outra pessoa qualquer isso pudesse ter significado uma sentença de prisão, Erickson era fascinado pelo comportamento humano e se distraía observando como a família e os amigos reagiam uns aos outros, consciente e inconscientemente. Ele construía comentários que provocariam respostas imediatas ou retardadas nas pessoas a sua volta, o tempo todo aprimorando a sua capacidade de observação e de linguagem.

Recuperando-se o suficiente para sair do pulmão de aço, ele reaprendeu a andar sozinho, observando sua irmãzinha dar os primeiros passos. Embora continuasse precisando de muletas, participou de uma corrida de canoagem antes de partir para a faculdade, onde acabou se formando em medicina e depois em psicologia. Suas experiências e provações pessoais anteriores o deixaram muito sensível à sutil influência da linguagem e do comportamento. Ainda estudando medicina, ele começou a se interessar muito por hipnose, indo mais além da simples observação de pêndulos e das monótonas sugestões de sonolência. Ele observou que seus pacientes, ao lembrarem de certos pensamentos ou sensações, entravam naturalmente em um breve estado semelhante a um transe e que esses pensamentos e sensações poderiam ser usados para induzir estados hipnóticos. Mais velho, ele se tornou conhecido como o mestre da hipnose indireta, um homem que podia induzir um transe profundo apenas contando histórias.

Na década de 1970, o dr. Erickson já era muito conhecido entre os profissionais da medicina e era até assunto de vários livros, mas poucos alunos seus conseguiam reproduzir seu trabalho ou repetir seus resultados. Dr. Erickson frequentemente era chamado de "curandeiro ferido", visto que muitos colegas seus achavam que seus sofrimentos pessoais eram responsáveis por ele ter se tornado um terapeuta habilidoso e famoso mundialmente.

Quando Richard Bandler ligou pedindo uma entrevista, aconteceu de o dr. Erickson atender, pessoalmente, o telefone. Embora Bandler e Grinder fossem recomendados por Gregory Bateson, Erickson respondeu que era um homem muito ocupado. Bandler reagiu dizendo, "Algumas pessoas, dr. Erickson, sabem como achar tempo", enfatizando bem "dr. Erickson" e as duas últimas palavras. A resposta foi, "Venha quando quiser", enfatizando também as duas últimas palavras em especial.

Embora, aos olhos do dr. Erickson, a falta de um diploma de psicologia fosse uma desvantagem para Bandler e Grinder, o fato de esses dois jovens talvez serem capazes de descobrir o que tantos outros não haviam percebido o deixou intrigado. Afinal de contas, um deles havia acabado de falar com ele usando uma de suas próprias descobertas de linguagem hipnótica, hoje conhecida como um comando embutido. Ao enfatizar as palavras "dr. Erickson, achar tempo", ele havia criado uma frase separada dentro de uma outra maior que teve o efeito de um comando hipnótico.

Bandler e Grinder chegaram no consultório/casa do dr. Erickson em Phoenix, no Arizona, para aplicar suas técnicas de modelagem, recentemente desenvolvidas, ao trabalho do talentoso hipnotizador. A combinação das legendárias técnicas de hipnotização do dr. Erickson e as técnicas de modelagem de Bandler e Grinder forneceram a base para uma explosão de novas técnicas terapêuticas. O trabalho deles junto com o dr. Erickson confirmou que haviam encontrado uma forma de compreender e reproduzir a excelência humana.

Do contato com Gregory Bateson nasce o conceito da ecologia e o modelo Tote, um modelo para comportamento direcionado a atingir um objetivo. De Milton Erickson, para além do modelo linguístico com o fim de criar a sugestão indireta e das metáforas, vem a ideia de recursos e a calibragem de comportamentos não-verbais como manifestação de experiências internas.

Em 1975 Bandler e Grinder escrevem *"A estrutura da magia: vol. 1"*[1] Usando linguística, matemática e observações literais da linguagem pretendida para mudança, eles demonstraram insights que mudam o jogo em como os recursos de comunicação, como fala, emoção e imagem refletem os mapas linguísticos da experiência pessoal e da tomada de decisões. Eles desenvolveram uma coleção de métodos duradouros para alterar os mapas de linguagem. Eles identificaram mecanismos linguísticos que alteram os mapas, o que, por sua vez, mudaria as escolhas feitas pelas pessoas.

E assim nasce a PNL – Programação Neurolinguística.

Nesta época, as turmas da faculdade e os grupos noturnos conduzidos por Grinder e Bandler estavam atraindo um número crescente de alunos ansiosos por aprenderem esta nova tecnologia de mudança. Nos anos seguintes, vários deles, inclusive Leslie Cameron-Bandler, Judith DeLozier, Robert Dilts e David Gordon dariam importantes contribuições próprias.

Oralmente, esta nova abordagem de comunicação e mudança começou a se espalhar por todo o país. Steve Andreas, na época um conhecido terapeuta da Gestalt, deixou de lado o que estava fazendo para estudá-la. Rapidamente, ele decidiu que a PNL era uma novidade tão importante que, junto com a mulher e sócia, Connirae Andreas, gravou os seminários de Bandler e Grinder e os transcreveu em vários livros.

O primeiro, *Frogs into Princes* (Sapos em Príncipes - Summus), se tornaria o primeiro best-seller sobre PNL. Em 1979, um extenso artigo sobre PNL foi publicado na revista *Psychology Today*, intitulado "*People Who Read People*". A PNL deslanchava.

---

[1] Palo Alto, CA: Livros de Ciência e Comportamento.

BASES DA PROGRAMAÇÃO NEUROLINGUÍSTICA

PREMISSA BÁSICA

A premissa básica da PNL é que há uma redundância entre os padrões macroscópicos observáveis no comportamento humano (por exemplo, o fenômeno linguístico e paralinguístico, movimentos oculares, posições das mãos e do corpo, etc...) e os padrões de atividade neuronal subjacentes que governam este comportamento.

OBJETIVO

O objetivo da PNL é integrar a informação macroscópica sobre a experiência e o comportamento humano que podemos obter através de nossa experiência sensorial com a informação microscópica não observável da experiência e o comportamento neurofisiológico dentro de um modelo cibernético.

CARACTERÍSTICAS

Está baseada no conceito **"HOLONÔMICO"** de aprendizagem e memória (Pribram, 1973/1977), isto é, aprendendo a aprender: aprender a maneira de aprender a receber sinais.

Também é **PSICODINÂMICA**, pois se concentra na integração de processos internos (partes) e a resolução de conflitos entre programas de comportamento.

Porque se baseia na **CIBERNÉTICA**, a PNL toma o ser humano como um sistema global no qual cada parte afeta e é afetada pelas demais partes do sistema.

PNL é **HUMANISTA** ao pressupor que cada indivíduo possui os recursos de que necessita para mudar.

NUTRE-SE DE:

| (Nahum Chomsky) Psicolingística | (Alfred Korzybski) Neurolinguística e Neurosemântica | (Gregory Bateson) A nova ciência da comunicação sistêmica Universidade Invisível (Jackson/Watzlawick). | (Virginia Satir) Terapia Familiar | (Milton Erickson) Técnicas Hipnóticas | (Fritz Perls) Gestalt Terapia |

(John Grinder)
Linguística

(Richard Bandler)
Matemática

Criadores da PNL

Mais...

- As últimas investigações em neuro e psicocibernética que estudam o funcionamento do cérebro como um sistema de comunicação biológico e social.

- Abordagens psicoterapêuticas: Psicosíntese, Terapias Cognitivas e Análise Transacional.

Os Magos da Mudança

Fritz Perls   *Virginia Satir*   *Milton Erickson*

FRITZ PERLS (1983-1970)

"É incorreto falar de representação dos instintos. Nunca se pode reprimir os instintos, são expressões únicas. [...] A expressão é substituída com a pretensão, o palavreado, a hipocrisia, a projeção..."

Fritz PerlsFriedrich Solomon (Fritz) Perls (1893-1970) e sua esposa, Laura, foram os criadores da terapia Gestalt. Perls foi treinado como psicanalista freudiano e, depois foi influenciado por Wilhelm Reich antes de desenvolver suas próprias ideias e redigir a psicologia Gestalt. Seus escritos incluem Ego, Hunger and Aggression (1947), que foi compilado e editado por John O. Stevens (também conhecido como Steve Andreas, que mais tarde se tornou um conhecido escritor, trainer e desenvolvedor de PNL). O livro Eyewitness to Therapy (1973), editado por Richard Bandler, um dos criadores da PNL, foi compilado a partir das anotações de Perls.

Perls foi um dos três grandes terapeutas modelados por Bandler e Grinder na criação da PNL. A ênfase da PNL na experiência sensorial, pistas não verbais, o reconhecimento da incongruência, marcação espacial, trabalho com partes e polaridades, e o foco nas perguntas 'como', tudo isso têm suas raízes no trabalho de Perls. De fato, muito do Metamodelo foi derivado da modelagem dos padrões das perguntas feitas por Perls durante as sessões de terapia.

VIRGINIA SATIR (1916-1989)

"A vida não é o que deveria ser. É o que é. A maneira como você lida com isso é o que faz a diferença."

Virginia Satir (1916- 1989) é por muitos considerada como uma das figuras mais importantes dos métodos modernos da 'terapia' sistêmica familiar. Aclamada internacionalmente como terapeuta, palestrante, trainer e escritora, Satir foi uma das pessoas do grupo original de terapeutas excepcionais modeladas por Bandler e Grinder a fim de criar o Meta Modelo e outras técnicas básicas da PNL. Seu primeiro livro, *Conjoint Family Therapy*, publicado em 1964, permanece um clássico no seu campo e já foi traduzido em diversas línguas. Ela escreveu e participou em outros onze livros, entre eles *Peoplemaking* (1972) e *Changing with Families* (1976), em coautoria com os criadores da PNL Richard Bandler e John Grinder.

Satir começou suas atividades trabalhando com famílias no *Dallas Child Guidance Center* e por quatro anos no *Illinois State Psychiatric Institute*. Em 1959, Virginia foi convidada para juntar-se a Don Jackson, Jules Raskin e Gregory Bateson para começar o prestigioso *Mental Research Institute* em Palo Alto, na Califórnia. Juntos, eles criaram o primeiro programa nacional em Terapia Familiar.

Como terapeuta e professora, Satir era conhecida por sua simpatia especial e por seu extraordinário insight na comunicação humana e autoestima. Por volta dos anos 70, Satir viajava e ensinava as pessoas ao redor do mundo através dos seus livros, workshops e seminários de treinamento.

A primeira vez que Richard Bandler encontrou Virginia Satir foi no início da década de 70, quando ele estava trabalhando com a editora dela, Science and Behavior Books, editando as anotações de Fritz Perls para o livro Eyewitness to Therapy. A companhia editora decidiu lançar um livro similar sobre o trabalho de Satir, e contratou Bandler para gravar um workshop dela no Cold Mountain Institute, perto de Vancouver. De acordo com Bandler, ele não prestou atenção consciente para o que Satir estava ensinando, se concentrando na gravação. (Conta a lenda que Bandler controlava o nível do som da gravação num ouvido, enquanto ouvia Pink Floyd no outro.) Entretanto, no final do workshop, quando Satir estava testando e supervisionando os participantes com relação ao que eles haviam incorporado do trabalho dela, Bandler se deu conta que ele sabia muito mais do que qualquer outro participante. Ele a tinha modelado "implicitamente" ao distrair sua mente consciente com a gravação. Impressionada com as habilidades dele, Satir começou a trabalhar para que Bandler se tornasse um terapeuta.

Junto com John Grinder, Bandler modelou explicitamente os métodos terapêuticos de Satir, descrevendo-os nos livros *A Estrutura da Magia*, volumes

I e II (1975-1976) e *Changing with Families* (1976). Algumas das mais importantes técnicas da PNL, como predicados verbalmente combinados do sistema representacional, ressignificação e negociação entre partes foram diretamente inspiradas nas habilidades e procedimentos terapêuticos de Satir.

Uma marca registrada do trabalho de Satir, por exemplo, era treinar as pessoas para contatar e interagir com as partes internas delas mesmas, especialmente as partes modeladas dos membros familiares. Ela desenvolveu a técnica de realizar uma "festa das partes" na qual uma pessoa poderia designar outras pessoas para 'tomar o lugar' das várias partes dele ou dela mesma. Cada jogador representaria as características da 'parte' particular que ele ou ela estava apresentando. As chamadas "posturas de Satir" (Acusador, Apaziguador, Congruente e Evasivo) foram utilizadas como modelo para treinar as pessoas a representar e melhor entender os aspectos importantes das suas partes e dos membros familiares. O grupo de 'partes' iria realizar as reuniões e ficar comprometido com os diálogos sobre tópicos ou decisões particulares, treinados por Satir. Essas reuniões das partes também implicariam na escolha de um tipo de "presidente" cujo papel era facilitar a reunião ao estar em "meta posição" em relação a eles.

Em 1977, Virginia Satir reuniu um grupo de associados para formar uma organização para lhe auxiliar a expandir e a propagar os princípios básicos do seu trabalho. Ela chamou a organização de AVANTA, que significa "mover para frente" em latim. Atualmente Avanta tem 250 membros em cerca de 18 países, bem como 13 grupos afiliados. Oriundos de diversos campos profissionais e estilos de vida, eles suportam a missão da Avanta com o seu tempo, energia e recursos.

MILTON H. ERICKSON (1902-1980)

"Não há dor que dure para sempre, após a chuva vem o sol."

Nas últimas décadas, as brilhantes e inovadoras estratégias do Dr. Milton H. Erickson, MD (1902 - 1980) para a psicoterapia, a hipnose e a comunicação se tornaram o tema de numerosos congressos e conferências internacionais. Durante sua vida, Erickson foi conhecido como o principal practitioner mundial da hipnose médica. Ele foi o presidente fundador da Sociedade Americana da Hipnose Clínica bem como fundador e editor do jornal desta sociedade. O registro clínico de Erickson foi surpreendente pelo número de diferentes tipos de problemas médicos e psiquiátricos de que foi capaz de tratar com sucesso - tanto com como sem o uso da hipnose. A criatividade de Erickson e o seu poder de observação foram legendários e suas técnicas formaram a base de todo um estilo de procedimentos terapêuticos e hipnóticos.

Os trabalhos de Erickson formam a base de muitos dos princípios e técnicas da PNL. Erickson foi um dos três terapeutas modelados por Richard Bandler e John Grinder a fim de criar as primeiras técnicas da PNL. Muitas habilidades e técnicas fundamentais da PNL têm sua origem nas habilidades e procedimentos hipnóticos praticados por Erickson. O Modelo Milton, por exemplo, é um conjunto de padrões verbais associados com linguagem e sugestão hipnótica que foi assim chamada em honra de Erickson. Um grande número das principais técnicas da PNL também foram inspiradas pelo trabalho hipnótico de Erickson, incluindo a dissociação V-C (uma técnica usada por Erickson tanto para a indução do transe como para o controle da dor), ressignificação (falando para a parte inconsciente da pessoa), ancoragem (estabelecendo pistas pós-hipnóticas), mudança da história pessoal (a partir das técnicas de regressão hipnótica) e ponte ao futuro (derivada da técnica hipnótica da pseudo-orientação no tempo). De fato, muitos desses procedimentos começaram como processos usados em associação com o estado de transe induzido formalmente. Também foi descoberto, mais tarde, que tais processos trabalhavam efetivamente se a pessoa estivesse oficialmente "em transe" ou não.

A estratégia mais fundamental e importante empregada por Erickson era o processo de 'compassar e conduzir'. Erickson era um mestre em encontrar seus clientes em seus próprios modelos empobrecidos do mundo, compassando seu modo de pensar e então, elegantemente, os conduzindo para uma maneira mais útil para organizar as suas experiências. É óbvio que essa estratégia tem muito a oferecer no nosso contexto do dia a dia. Gerentes, professores, vendedores e pais têm muito a ganhar se adotarem a estratégia de Erickson de compassar e conduzir.

OS PAIS DA PNL

Richar Dandler   John Grinder

RICHARD BANDLER (1950-)

"Quando, como comunicador, você não consegue a reação que quer, mude o que estava fazendo."

Richard Wayne Bandler (1950-) nasceu em Nova Jersey, EUA, em fevereiro de 1950. Mudou-se para a Califórnia, onde viveu grande parte de sua vida. Atualmente reside na Irlanda. É cocriador da PNL - Programação Neurolinguística em parceria com John Grinder. Considerado a figura principal no desenvolvimento da PNL, é criador também de *DHE - Human Design Enginnering*, segundo Carolyn Sikes "uma forma de organizar a PNL enquanto se vai mais além".

Bandler interessou-se inicialmente pela física, computação, programação de sistemas, linguagem computacional e matemática. Mas tarde envolveu-se com a psicologia e a filosofia, caminho que, a sua maneira, continua trilhando, desenvolvendo modelos e técnicas visando aprimorar a criatividade humana.

Robert Spitzer, editor de "*Science and Behaviour Books*" contratou Bandler, então estudante universitário na Califórnia, para analisar e catalogar vídeos demonstrativos de sessões de Fritz Perls, criador da chamada gestalt-terapia. Pearls falecera um pouco antes de Bandler iniciar esse trabalho. Bandler detectou certos padrões na atuação de Perls. Dominou-os de tal forma que, aplicando as técnicas aprendidas nos vídeos, num grupo de estudos terapêuticos, conseguiu resultados idênticos ao de Fritz Perls, ou até melhores.

Após debate com um professor de psicologia da Universidade da Califórnia, campus de Santa Cruz, foi-lhe dada oportunidade de formar um grupo em que ensinaria gestalt-terapia. (Nas universidades brasileiras certamente jamais teria conseguido tal autorização). A universidade exigiu que Bandler fosse supervisionado por um professor. John Grinder, então professor da Universidade, especialista em linguística transformacional, aceitou a missão de supervisionar o universitário Richard Bandler.

Grinder ficou encantado com os resultados obtidos por Bandler que tinha, então, apenas 22 anos. Ele se propôs a determinar os padrões linguísticos que geravam as mudanças e, em contrapartida, pediu a Bandler que o ensinasse a utilizá-los. Grinder se dedicou durante vários meses a estudar Bandler, enquanto este contatava e modelava Virginia Satir, Gregory Bateson, e tantos outros cientistas. Depois de um tempo iniciaram o que chamaram "grupo espelho", onde Grinder fazia experiência com os padrões linguísticos que iam obtendo.

Robert Spitzer, editor e amigo, apresentou Bandler a Virginia Satir, considerada a maior autoridade em terapia familiar. Bandler modelou suas habilidades de manejo e solução de problemas familiares bastante sérios.

Bandler relacionou-se e plantou uma amizade com Gregory Bateson, antropólogo britânico, especialista em comunicação e teoria de sistemas, então casado com Margareth Mead, também antropóloga reconhecida mundialmente. Bandler era vizinho de Bateson e, segundo algumas fontes, reunia-se com frequência com Bateson para jogar partidas de xadrez, regadas a uísque escocês e vinho californiano. Foi Bateson quem colocou Bandler em contato com Milton Erickson, o famoso hipnoterapeuta americano. Bandler visitou-o diversas ocasiões, modelando suas habilidades.

Richard Bandler estudou e aprendeu o desempenho de pessoas muito habilidosas em seus campos de ação, criando equações que geram forma a um modelo de padrões específicos reproduzíveis para qualquer pessoa.

Tais modelos estão baseados num denominador comum entre diferentes pessoas possuidoras de uma mesma habilidade (Pearls, Satir, Erickson), ou seja, criar técnicas com mínimo de elementos ou variáveis, que permitissem obter um mesmo resultado. Mas Bandler foi mais além do que simplesmente determinar padrões linguísticos e reproduzir as habilidades de outros. Bandler demonstrou que se pode imaginar um modelo "matemático" do comportamento humano.

Tendo publicado dezenas de livros, como autor e/ou coautor, em português, espanhol e inglês encontramos os seguintes títulos:

- *A Estrutura da Magia (Vol. 1)*
- *Sapos em Príncipes*

- *Resignificando*
- *Usando sua Mente*
- *Atravessando*
- *Hora de Mudar*
- *Engenharia da Persuasão*
- *Tenha Agora a Vida que Quer*
- *La Magia em Acción*
- *La Estructura de la Magia II, Editorial Cuatro Vientos*
- *Structure of Magic II*
- *Programación Neuro-Lingüística, Vol 1*
- *Insiders Guide to Sub Modalities*
- *Patterns of the Hypnotic Techniques of Milton H. Erickson, Vol. 1*
- *Patterns of the Hypnotic Techniques of Milton H. Erickson, Vol. 2*
- *Adventures of Anybody*
- *Changing With Families*

JOHN GRINDER (1939-)

"Toda comunicação é hipnose."

John Thomas Grinder (1939 -) é cocriador com Richard Bandler da PNL – Programação Neurolinguística. Tendo se graduado na Universidade de São Francisco em filosofia no começo da década de 60, Grinder entrou para o serviço militar dos Estados Unidos onde serviu como Boina Verde durante a Guerra Fria na Europa. Como resultado do seu talento em aprender línguas, também passou um tempo como operador para uma bem conhecida agência de inteligência dos EUA. Ao retornar para a faculdade no final dos anos 60, Grinder estudou Linguística, pelo qual recebeu seu Ph.D. na Universidade da Califórnia, em San Diego.

Como linguista, Grinder se distinguiu na área de sintaxe, patrocinando as teorias de gramática transformacional de Noam Chomsky. Depois de estudar com o criador da ciência cognitiva George Miller na Universidade Rockefeller, Grinder foi selecionado como professor de linguística no campus recém criado da Universidade da Califórnia em Santa Cruz. Seus trabalhos na área de linguística incluem *Guide to Transformational Grammar* (junto com Suzette Elgin, Holt, Rinehart e Winston, Inc.,1973) e *On Deletion Phenomena in English* (Mouton & Co.,1976).

Na *Universidade da Califórnia* em Santa Cruz, Grinder encontrou Richard Bandler, que era um estudante de matemática. Algum tempo depois, Bandler começou a estudar psicoterapia e convidou Grinder para participar nos seus grupos de terapia. Grinder ficou fascinado com os padrões linguísticos usados pelos verdadeiros terapeutas e, em 1974, em parceria com Bandler criou um modelo, formulado a partir da teoria da gramática transformacional, e dos padrões de linguagem usados pelo criador da Terapia da Gestalt, Fritz Perls, a terapeuta de família Virginia Satir e pelo hipnoterapeuta Milton H. Erickson. Durante os sete anos seguintes, Grinder e Bandler continuaram a modelar os vários padrões cognitivos e de comportamento desses terapeutas, os quais foram publicados nos seus livros *A Estrutura da Magia* volume I e II (1975, 1976), *Patterns of the Hypnotic Techniques of Milton H. Erickson*, volumes I e II (1975, 1977) e *Changing with Families* (1976). Esses livros se tornaram a base fundamental da Programação Neurolinguística.

Grinder é coautor de muitos outros livros sobre PNL e suas aplicações, incluindo *Sapos em Príncipes* (1979), *NLP Volume I* (1980), *Atravessando* (1981), *Resignificando* (1982), *Precision* (1980) e *Turtles All The Way Down* (1987).

Além da sua habilidade em identificar e modelar padrões complexos de linguagem e comportamento, Grinder é conhecido pela sua presença e seu poder pessoal como apresentador e trainer. Em anos recentes, Grinder trabalhou principalmente como consultor, aplicando os métodos da PNL e princípios em empresas e corporações.

O QUE É PROGRAMAÇÃO NEUROLINGUÍSTICA (PNL)

A PNL é uma disciplina que se desenvolveu a partir da tarefa de responder à seguinte pergunta:

❖ COMO ESPECIFICAMENTE TERAPEUTAS CONSIDERADOS MESTRES EM COMUNICAÇÃO CONSEGUIAM, DE FORMA CONSISTENTE E EXITOSA, OS OBJETIVOS TERAPÊUTICOS QUE SE PROPUNHAM?

E, através desta busca, se chegou a uma pergunta ainda mais fundamental:

❖ QUAL É A ESTRUTURA DA EXPERIÊNCIA SUBJETIVA NOS SERES HUMANOS?

A resposta a estas duas perguntas fundamentais provocaram o desenvolvimento de poderosas e efetivas ferramentas de comunicação e mudanças de extrema utilidade na área da psicoterapia, na educação, nas organizações empresariais e institucionais e em qualquer profissão cuja atividade tenha a ver com comunicação.

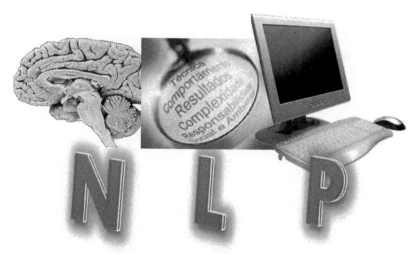

A PNL é uma revolucionária forma de utilização da comunicação humana. Podemos definir a PNL definindo cada uma das palavras que a compõem. Do nome:

❖ PROGRAMAÇÃO: **Programar. Refere-se ao processo de organização dos componentes de um sistema, neste caso, o dos** sistemas representacionais sensoriais, mediante o qual a gente pensa, aprende, se motiva, muda. É a habilidade para descobrir e utilizar os programas que nós usamos (nossa comunicação para conosco e para com os outros) em nosso sistema neurológico para alcançarmos nossos resultados específicos e desejados.

a) NEURO: Neurônios, Sistema Nervoso. Derivado do grego *"neurón"* = nervo, indica o princípio fundamental de que toda a conduta também é o resultado de um processo neurofisiológico (quer dizer que o Sistema Nervoso participa). Refere-se ao sistema dos processos internos, conscientes e inconscientes, através dos quais toda a experiência é recebida e processada – nossos cinco sentidos: Visual, Olfativo, Auditivo, Gustativo, Cinestésico (sensação e emoção)

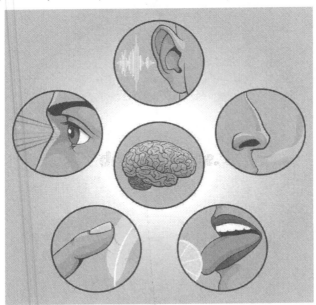

❖ LINGUÍSTICA: Linguagem, comunicação. Derivada do latim "língua" = linguagem, indica que este processo neurológico é representado, ordenado e codificado em sequências específicas formando modelos e estratégias através da linguagem. O idioma e outros sistemas de comunicação não-verbais pelos quais nossas representações neurais são codificadas, ordenadas e determinado seu significado. Inclui: Imagens, Sons e Sentimentos dos... sabores, cheiros e palavras (self-talk).

Programação Neurolinguística significa programar o sistema nervoso através da linguagem, da comunicação para se conseguir os resultados que se quer. PNL não é somente um conjunto de técnicas, é, sobretudo, **UMA ATITUDE.** Essa atitude se relaciona com curiosidade, com querer saber sobre as coisas, de querer inteirar-se das coisas, como decidir influenciá-las de maneira que valha a pena...

Em outras palavras, PNL é como usar o idioma da mente para alcançar constantemente nossos resultados específicos e desejados.

❖ CURIOSIDADE PARA VER A VIDA COMO UMA OPORTUNIDADE SEM PRECEDENTES PARA APRENDER.

É o primeiro modelo que detecta e descreve a relação de como processamos as informações externas e internas e seus efeitos nos nossos comportamentos, emoções e relações. PNL é simplesmente mudança orientada para metas objetivas, para resultados, aplicável para qualquer sistema humano: famílias, grupos, empresas, comunidades, países etc., ou simplesmente para um ser humano. PNL é um caminho para a busca da excelência humana.

❖ TAMBÉM PODEMOS DIZER QUE A PNL É:

O estudo da estrutura da experiência subjetiva, na qual se pode descobrir como uma pessoa organiza sua realidade que não é A REALIDADE: **"O MAPA NÃO É O TERRI TÓRIO".** Como Alfred Korzybski fez notar em seu *Sience & Sanity, "As características importantes dos mapas devem ser notadas. Um mapa não é o território que ele apresenta, mas, se estiver correto, tem uma estrutura similar ao território, o que é válido para sua utilização".*

Um modelo sobre como funciona nossa mente, como a linguagem influi nela e como usar este conhecimento para programar e/ou reprogramar a nós mesmos ou sermos facilitadores da mudança que outras pessoas querem fazer. O primeiro modelo detecta e descreve a relação entre como processamos neurologicamente a informação e seus efeitos em nossas emoções, estados e comportamentos. A ênfase está posta na experiência interna e como esta experiência interna afeta também nossa experiência externa e nossa interação com outras pessoas.

E, finalmente, podemos dizer que a PNL é um modelo único da experiência subjetiva. Apesar de seu nome soar a tecnologia, **O CONJUNTO DE PRESSUPOSIÇÕES, INSTRUMENTOS PERCEPTUAIS E**

TÉCNICAS DA PNL FAZEM OS MODELOS SUBJETIVOS EXPLICITAMENTE RECONHECÍVEIS e aplicáveis em qualquer contexto aonde a comunicação tenha lugar.

O QUE É REALMENTE A PNL?

- Uma atitude
- Curiosidade
- Vontade para experimentar
- Uma Metodologia de Modelagem
- Denominalização
- Experimentação ininterrupta
- Um rastro de técnicas
- As técnicas que são ensinadas como PNL

EM QUE CONTEXTOS SE UTILIZA A PNL?

Hoje a PNL se desenvolveu muito e já está consolidada em praticamente todos os países do primeiro mundo. As técnicas se desenvolvem cada vez mais e se pode aplicar a PNL em várias áreas da experiência humana. Como a PNL é essencialmente uma atitude de busca da excelência humana, seja em que área for, hoje pode-se usar PNL para melhorar o...

- **Desempenho de atletas olímpicos** (como os da equipe olímpica dos EUA),
- **Perícia de atiradores de elite** (exército americano),
- **Produtividade e liderança** (Fiat, Coca-Cola, IBM, Apple, etc.)
- **Vendas** (inúmeras empresas),
- **Educação** (escolas que aplicam a PNL alfabetizam crianças em menos de dois meses),
- **Criatividade,**
- **Longevidade,**
- **Saúde,** etc.

Na **área pessoal,** usa-se a PNL como **instrumento de mudança rápidas e duradouras** que vão desde:

- **Abolir hábitos indesejados (roer unhas, fumar, comer em excesso,** etc.)
- **Fobias, medos, inseguranças,**
- **Ansiedade**

Passando por mudanças mais profundas em situações mais graves:

- **Depressão,**
- **Paranoia,**
- **Personalidade múltipla, neuroses,**
- **Psicoses,**
- **Síndrome do pânico,** etc.

Quanto ao corpo, a PNL tem se revelado poderosa aliada dos médicos no manejo de doenças que "ligam" corpo e mente:

- **Hipertensão arterial,**

- **Diabete,**

- **Câncer,**

- **Doenças imunológicas** – alergias, asma, urticárias, artrites, colagenoses, AIDS,

- **Doenças psicossomáticas**, entre outras.

Os limites não foram sequer tocados.

ÁREAS DE APLICAÇÃO DA PNL

I - COMUNICAÇÃO

Desde que a comunicação é um fenômeno universal, nosso método contribui com eficácia e funciona bem virtualmente em qualquer situação. Sua aplicação abarca o individual, o grupal, os trabalhos de equipe, grandes auditórios, desenvolvimento de programas, reorganizações, assuntos interdepartamentais, planejamento ou crises diversas. Usamos a comunicação como meio para conseguir um amplo espectro de objetivos ou metas na atividade humana com velocidade, certeza e confiabilidade.

II - PSICOTERAPIA

A Programação Neurolinguística é um escalão superior no qual se fez até o momento, no campo da psicoterapia, uma abordagem de alteração da experiência subjetiva e de como fazer para alcançar objetivos desejados.

Averiguar como o paciente consegue provocar o sintoma, e descobrir a necessidade encoberta nos dá a possibilidade de utilizar esta necessidade bem como decidir a favor de novas opções.

III - EDUCAÇÃO

A dinâmica ensino-aprendizagem requer uma comunicação efetiva. A PNL tem estudado a inter-relação entre o processo de comunicação que sucede entre o professor e o aluno, e como esta comunicação influi no processo interno daquele que aprende e vice-versa. As técnicas de aprendizagem dinâmica foram desenvolvidas utilizando métodos da PNL que modelam estratégias de pensamento, não somente de aprendizes eficientes como de professores e treinadores eficazes. Investigações realizadas em distintas áreas do aprendizado mostram que os bons e os maus professores e alunos usam estratégias diferentes para conseguir seus objetivos. A PNL pode colocar estas estratégias em procedimentos que guiam passo a passo o caminho para se alcançar bons resultados. Com as habilidades que a PNL proporciona, os treinadores e mestres poderão avaliar e reconhecer estratégias naturais de seus alunos (sejam crianças, adolescentes ou adultos) e utilizá-las para melhorar a comunicação e o rendimento escolar.

IV - ORGANIZAÇÕES EMPRESARIAIS E INSTITUCIONAIS

As organizações se ocupam de assuntos relacionados com gente, tais como: comunicação interpessoal, produtividade, cooperação intra e interdepartamentais e outros aspectos gerenciais e na área de recursos humanos. A PNL proporciona métodos e tecnologia feitos para lidar com o fator humano e produzir mudanças positivas de comportamento. A gama de aplicações vai desde a resolução de situações críticas em indivíduos, grupos, equipes de trabalho ou grandes audiências, até o desenvolvimento de programas de treinamento para aumentar o rendimento, a produtividade e as vendas, aplicando reestruturações e mudanças organizacionais.

OS QUATRO PILARES DA PNL

A primeira coisa para entender é que PNL é baseada sobre quatro pilares.

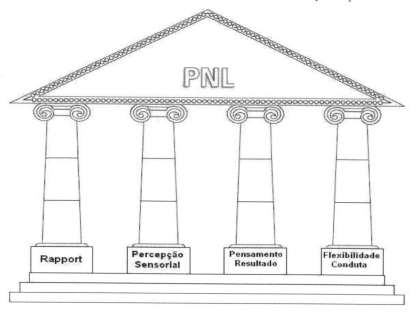

1. RAPPORT: **Como você constrói uma relação com os outros e com você. Esta é, provavelmente, o presente mais importante que PNL dá à maioria das pessoas. Um grande rapport é capaz de fazer com que você possa dizer 'nada' e ainda assim reter amizades ou relações profissionais.**

Nos referimos aqui especificamente àquela qualidade de confiança mútua e sensibilidade no relacionamento conhecida como Rapport.

Independentemente de qualquer coisa que você faz ou qualquer coisa que você queira, ser bem-sucedido irá envolver se relacionar ou influenciar outras pessoas. Assim, o primeiro pilar da PNL é estabelecer rapport com você mesmo e depois com os outros.

2. PERCEPÇÃO SENSORIAL: **Como o famoso detetive Sherlock Holmes você começa a notar como seu mundo é mais rico quando você presta atenção com todos os sentidos que você tem.**

Use os seus sentidos, olhando, ouvindo e sentindo o que está acontecendo na verdade com você. Somente então você irá saber se está no **caminho da sua meta** e pode usar esse feedback para **ajustar o que está fazendo** se for necessário.

3. PENSAMENTO DE RESULTADO: **Você ouvirá a palavra 'resultado' mencionada muitas vezes ao longo deste curso. O que isto significa é que começará a pensar no que é que você quer em vez de se apegar a um modo negativo de problema. Os princípios de uma aproximação de resultado podem ajudá-lo a tomar as melhores decisões e escolhas.**

Saiba o que você quer. A chave para o sucesso é ser **preciso**. Quanto mais preciso você for ao saber o que é que você quer e o porquê, é mais provável que você consiga exatamente aquilo que deseja. E o mais provável é que você **saberá quando você atingiu a sua meta**.

É toda uma maneira de pensar e agir. Pergunte consistentemente a si mesmo e aos outros **o que você e eles querem.**

4. FLEXIBILIDADE COMPORTAMENTAL: **Isto significa como fazer algo diferente quando o que você está fazendo atualmente não está funcionando. Ser flexível é fundamental a um praticante de PNL.**

Tenha muitas **opções de ação**. Quanto mais escolhas você tiver, terá mais **chances de sucesso**.

Se fizermos sempre a mesma coisa, vamos obter sempre o mesmo resultado. Fique mudando o que você faz até obter o que quer.

O PENSAR SISTÊMICO

O que vamos abordar agora é baseado em grande parte nos trabalhos e estudos do antropólogo britânico que se especializou em comunicação e na teoria de sistemas, chamado Gregory Bateson. Os "Sistemas" (o cérebro, nós, as famílias e as sociedades) funcionam da seguinte forma de reativa: Os sistemas reagem de acordo com as coisas que existem no "Ambiente". Então, a primeira coisa que a gente faz é se preocupar em sobreviver, esta é a função básica do cérebro mais primitivo (segundo os estudos do neuropsicólogo Paul MacLean, que formulou a Teoria Triuna do Cérebro onde o nível mais antigo corresponde as formas puramente reflexas, chamado de cérebro "reptiliano", que é destinado à coordenação das ações e reações - realizadas basicamente pelas estruturas do tronco cerebral, com poucas conexões corticais.); para poder fazer o que nós estamos fazendo hoje, é certo que tivemos que nos alimentar, beber, e uma série de outras coisas para o cérebro ficar seguro de nossa sobrevivência.

Se estivéssemos em guerra e bombas estivessem caindo por toda parte, você não estaria aí parado lendo este livro agora, e sim, nós estaríamos reagindo a esta condição básica do ambiente.

"O aspecto mais triste da vida de hoje é que a ciência ganha em conhecimento mais rapidamente que a sociedade em sabedoria."

- ISAAC ASIMOV

Então, o ambiente é o primeiro nível que nosso cérebro funciona. O ambiente também é o primeiro nível que as empresas funcionam, e nós podemos fazer um paralelismo para qualquer sistema. A empresa que se preocupa só com o ambiente é uma empresa que é muito, muito primitiva, ela realmente está reagindo as mínimas coisas, ela quer saber primeiro do mercado, ela quer saber da localização geográfica que está a loja ou a fábrica instalada. Então, este é o lugar onde está a preocupação da pessoa em relação ao ambiente.

Quando nós queremos saber de ambiente nós fazemos duas perguntas. Nós perguntamos "Onde?" e "Quando?". Sempre que nós perguntamos onde e/ou quando; nós estaremos obtendo informações do ambiente do sistema ao qual estamos sondando.

Acima do "ambiente" (em escala hierárquica superior), existe um nível chamado de "Comportamento". O nível dos comportamentos é um nível mais sofisticado, é o nível em que nós fazemos as coisas, nós não só reagimos para sobreviver como aqui também nós queremos pegar uma cadeira para sentar e vamos lá e sentamos. Com isto, nós temos um comportamento. Quando queremos conversar com alguém de uma maneira persuasiva, de uma forma especial, a gente tem um jeito de falar - falamos e produzimos resultados.

Para podermos ter comportamentos, nós necessitamos de "Capacidades" - e, este é o terceiro nível hierárquico sistêmico. As capacidades são as estratégias em linguagem neurolinguística. É o processo; o seja, é o conjunto de estratégias que nós vivemos acumulando para nós fazermos as coisas que nós fazemos.

Nenhum de nós é mais inteligente que o outro, nenhum de nós tem mais "gens" do que o outro - nós todos temos o mesmo número de "genes" - estes têm qualidades diferentes, agora eles não determinam realmente se a pessoa vai conseguir fazer alguma coisa na vida ou não vai. Os "genes" determinam se nós vamos sobreviver - basicamente eles são feitos para isto. O resto são estratégias que nós fomos habilmente acumulando ao longo de nossa vida. Se nós, ao longo da vida, tivemos oportunidades, foi-nos criado um espaço para nós conseguirmos muitas habilidades - com isto, vamos ter mais capacidades que os outros seres humanos.

Agora; nosso semelhante (o ser humano) também possui "genes", também tem condições primárias; só que ele não teve as oportunidades para adquirir estratégias. Com a tecnologia de alto desempenho que dispomos hoje, pode-se transferir as estratégias de um sistema para o outro, o que nos indica que nós podemos fazer com que qualquer ser humano tenha as capacidades que nós temos. Se um ser humano é muito capaz, ele pode ensinar para outro que não o é.

A pergunta que se faz para saber sobre as capacidades é "Como?". "Como" você faz? Quero saber o jeito que você faz isto? Quando se trabalha com estratégias, devemos sempre buscar o como (o processo). Acima das "capacidades", está um nível mais importante chamado de "Crenças & Valores". As crenças e os valores são as estruturas mentais que fazem com que nós adquiramos ou não alguma coisa.

As crenças e os valores são estruturas mentais que regem as capacidades que nós vamos ou não se envolver. Em outras palavras, se acreditamos que podemos ou não ser capazes de fazer alguma coisa - nós estamos absolutamente certos. Então, as crenças são permissivas em relações estratégicas - as capacidades. As crenças são a motivação para aprender. Veja como isto é importante, pois podemos desenvolver qualquer capacidade - não existe limite. O limite nós damos pelas nossas crenças e valores.

Como é que nós ficamos sabendo sobre crenças e valores? Nós perguntamos "Porquê", aqui neste nível começa a aparecer as questões do "porque". Quando nós queremos saber o que a pessoa pensa a respeito de alguma coisa, nós elaboramos uma pergunta de estrutura "por quê" - assim nós entramos na estrutura que permitiu a estratégia entrar em ação.

As crenças são somente um sentido de certeza. Nem todas as crenças estimulam seu bem-estar ou sucesso. Qualquer crença que possuamos são limitações.

Sabendo disto, se uma crença os limita em algum contexto - **adote uma nova crença**. Conscientemente manejar os limites é o instrumento mais poderoso que nós temos para alcançar os resultados.

Níveis Lógicos

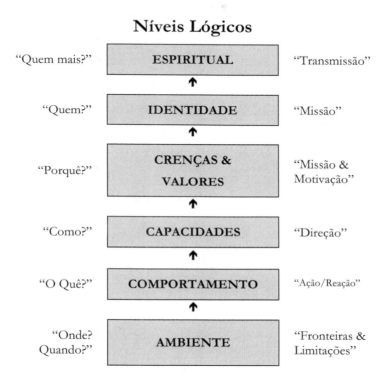

Todas as nossas crenças são verdadeiras e absolutas mentiras, que podem nos atrapalhar ou nos ajudar - dependendo do que fazemos com elas. As nossas crenças mudam conforme a quantidade de informação que nós possuímos - elas não são estáticas. Elas mudam.

Num nível muito mais elevado nós encontramos a nossa "Identidade". Quem somos nós? Afinal quem sou eu? Para que eu existo? A pergunta óbvia "Quem?". Acima do nível de identidade existe "Espírito". Quem mais eu sou. Aqui entramos no mundo onde encontramos a "Missão" - descobrimos a "Transmissão" - ou seja, a missão que conecta as pessoas.

Pressuposições da Programação Neurolinguística

O MAPA NÃO É O TERRITÓRIO

Nós seres humanos não temos realidade, porque nós possuímos nossos limites neurológicos. Nós percebemos o que os nossos sistemas, os nossos aparatos sensoriais permitem que percebamos; e, o nosso cérebro decodifica.

Quando dentro de uma sala, por exemplo, nós não temos a verdadeira sala. Nós temos sim a imagem que a sala provoca na nossa retina (ou estímulo fotoelétrico que ela provoca no nosso glóbulo occipital do campo visual), para que com sinais neurológicos me façam um mapa neuroquímico. Então, nós não temos a sala - nós não temos a sala e sim um mapa neurológico/neuroquímico que foi a partir da sala que estimulou nossos órgãos. Órgãos que são deficientes.

Vemos as coisas de um jeito, um touro as vê de outro, todas as espécies veem de jeitos diferentes. Uma águia veria detalhes que nós não percebemos, e; com certeza ela também está perdendo muito. Ela também tem um órgão neurológico. Nós não ouvimos tudo o que deveríamos ouvir. Nós ouvimos sim, o que o nosso sistema filtrador neurológico permite que entre e fique decodificado na estrutura cerebral. Nós sentimos sensações dentro e fora (internas e externa) de nosso corpo. No entanto, certamente não estamos sentindo todas as sensações que nós poderíamos ou gostaríamos de sentir. Nós sentimos as sensações que nosso corpo limitado permite que sintamos.

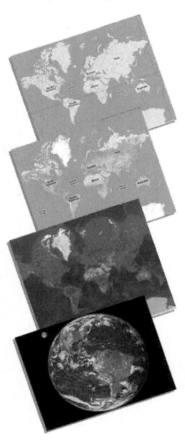

Então nós temos assim um mapa neurológico, mas não temos a "realidade". Como nós não temos a realidade, e sim, um mapa da realidade; nós devemos ter essa consciência de que nós vivemos a vida através de mapas e não através de realidade. Essa crença nos permite mudar os mapas. Podemos expandir os mapas, podemos encurtá-los, ou ainda; podemos transformá-los. Podemos inventar um novo mapa, podemos ter três mapas, podemos fazer o que quisermos quando se trata de mapas.

O que nos limita é o modo como que nós interpretamos a realidade. São os mapas que causam as reações e não a realidade. Para que nós possamos perceber melhor os mapas que as pessoas usam, nós contamos com uma ferramenta muito valiosa.

As pessoas respondem às suas próprias percepções da realidade. Toda pessoa tem o seu próprio mapa de mundo. Nenhum mapa individual de mundo é mais "real" ou "verdadeiro" que qualquer outro.

O significado de uma comunicação com outra pessoa é a resposta que se obtém daquela pessoa, independente da intenção do comunicador.

Os mapas "mais sábios" e mais "compassivos" são aqueles que permitem mais riqueza e maior número de escolhas, em vez de ser o mais "real" ou "preciso".

As pessoas já têm (ou potencialmente têm) todos os recursos de que precisam para agir efetivamente.

As pessoas fazem as melhores escolhas disponíveis a elas dentro das possibilidades e das capacidades que percebem como disponíveis em seu modelo de mundo. Qualquer comportamento, não importa quão mau, louco ou estranho possa parecer, é a melhor escolha disponível para a pessoa naquele momento - se for oferecida uma escolha mais apropriada (dentro do contexto de seu modelo do mundo) a pessoa provavelmente a tomará.

A mudança ocorre quando se lança o recurso apropriado, ou se ativa o recurso em potencial, em um determinado contexto particular, que enriqueça o mapa de mundo de uma pessoa.

Nós seres humanos não temos contato direto com a realidade, temos sim através da representação mental da realidade. Incorporamos, processamos e emitimos informações acerca de nós mesmos e do mundo através de uma **CODIFICAÇÃO SENSORIAL (VAKO/G).** A esta linguagem sensorial chamamos **SISTEMAS REPRESENTACIONAIS**.

Então também dizemos:

1. **Não há substituto melhor do que canais abertos e limpos.**
2. **Todas aquelas distinções que os seres humanos são capazes de fazer com respeito ao meio (interno e externo) e às nossas condutas, podem ser vantajosamente representadas através de imagens visuais, percepções auditivas, cinestésicas, gustativas e olfatórias.**

3. Qualquer habilidade, destreza ou talento humano pode ser reconhecido em sua estrutura. Esta estrutura tem uma **SEQUÊNCIA ESPECÍFICA** de representações sensoriais que nós chamamos **ESTRATÉGIAS**. A ordem desta sequência determina o resultado como a ordem das palavras numa frase determina seu sentido.

4. A linguagem verbal é uma experiência comparada à não-verbal, reveladora da representação sensorial referente.

CORPO E "MENTE" SÃO PROCESSOS SISTÊMICOS

Mente e Corpo são partes de um mesmo sistema - incluem-se mutuamente. Estamos entrando numa era que vive cada vez mais neste paradigma da Física Quântica-Relativística. Ela é uma teoria sistêmica de explicação da experiência subjetiva. Ela se insere dentro do paradigma Quântico-Relativístico.

A separação mente e corpo é uma separação feita pelo modelo cartesiano. Renné Descartes, no século XVII foi quem fez esta separação. O método científico explica o corpo e não a mente. No entanto, este método vem durando já a muito tempo; nós estamos hoje no século XX, batendo na porta do século XXI e ainda a medicina atual funciona pelo método cartesiano. Nós ainda separamos a mente do corpo, ainda existem médicos que tratam do corpo e outros que tratam da mente como se as coisas fossem separadas.

Os processos que ocorrem internamente em cada pessoa, e entre as pessoas e os seus ambientes, **são sistêmicos**. Nossos corpos, nossas sociedades e nosso universo formam sistemas e subsistemas integrados interagindo e mutuamente influenciando-se uns aos outros.

Não é possível isolar completamente uma parte de um sistema do restante. **As pessoas não podem não influenciar umas às outras**. Interações entre pessoas formam um *loop* de *feedback* - de tal forma que uma pessoa será afetada pelo resto que as suas ações têm sobre outras pessoas. Sistemas são "auto organizadores" e naturalmente buscam estados de equilíbrio e estabilidade. **Não há fracassos, só *feedbacks*.**

Nenhuma reação, experiência ou comportamento é significativo fora do contexto no qual foi estabelecido ou da reação que provoca. Qualquer comportamento, experiência ou reação pode servir como um recurso ou limitação, dependendo de como isso se encaixa com o restante do sistema.

Nem todas as interações em um sistema estão no mesmo nível. **O que é positivo em um nível pode ser negativo em outro.** É útil separar comportamento do "eu" - separar a intenção positiva, função, crença etc. que gera o comportamento do próprio comportamento.

Em um nível (ou em algum momento) **todo comportamento é positivamente intencionado.** É ou foi percebido como apropriado dentro do contexto no qual foi estabelecido, do ponto de vista da pessoa a quem o comportamento pertence. É mais fácil e mais produtivo responder à intenção do que à expressão de um comportamento problemático.

Ambientes e contextos mudam. **A mesma ação não produzirá sempre o mesmo resultado.** Para se adaptar com sucesso e sobreviver, um membro de um sistema necessita ter certa flexibilidade. Essa flexibilidade deve ser proporcional à variação no restante do sistema. **À medida que um sistema fica mais complexo, mais complexidade, mais flexibilidade é requerida.**

Se o que você está fazendo não está dando resultado, você deve então continuar variando seu comportamento até que alcance o resultado desejado.

A MENTE E CORPO SÃO PARTE DO MESMO SISTEMA E INFLUEM-SE MUTUAMENTE

Os seres humanos refletem sua representação interna não somente através de palavras, mas também através de **SINAIS MÍNIMOS** expressados pela linguagem gestual e tonal.

TODA A CONDUTA TEM UM PROPÓSITO ADAPTATIVO POSITIVO CUJA INTENÇÃO É MANTER O EQUILÍBRIO DO SISTEMA

Cada pessoa dá sempre a melhor resposta que pode ante cada situação. Simplificando, as nossas partes interiores possuem uma intenção positiva. Todas as nossas partes interiores, estão neste momento tentando fazer o melhor possível para nós. O tempo todo.

TODA A PESSOA TEM OS RECURSOS QUE NECESSITA PARA CONSEGUIR AS MUDANÇAS QUE ELA DESEJA

Deve-se dinamizar o processo aqui e agora e recuperar estruturas experienciais de referência. As pessoas que estão tendo problemas, já possuem dentro delas a solução e não sabem; ou então, não sabem como acessar a solução. Todas as pessoas têm dentro de si partes que tem boas intenções. Elas possuem todos os recursos de que necessitam para conseguir o que elas queiram.

O VALOR POSITIVO DE CADA UM COMO PESSOA SE MANTÉM CONSTANTE, APESAR DE PODER-SE QUESTIONAR O VALOR DAS CONDUTAS INTERNAS OU EXTERNAS

Você não vale pelo que faz, você vale pelo que você é. Nós não devemos valorizar o comportamento; e sim, valorizar a "intenção". O comportamento é simplesmente uma manifestação passível de calibrar.

"O SIGNIFICADO DE SUA COMUNICAÇÃO É O RESULTADO QUE VOCÊ OBTÉM."

A resistência é a explicação da inflexibilidade do comunicador.

NÃO EXISTE RESISTÊNCIA, EXISTE COMUNICADOR INCOMPETENTE.

A responsabilidade é de quem quer mudar! É a pessoa quem diz o que ela quer mudar, quando ela quer mudar, e quanto ela quer mudar.

Nós não fazemos mudança, e sim; criamos um vácuo psicológico que puxa a pessoa/sistema para dentro da mudança. É criado um clima, um ato psicológico e as pessoas simplesmente são atraídas para dentro. Elas se sentem atraídas. Quem quiser entrar entra, quem não quiser não entra.

AS CONDUTAS BÁSICAS DE UM BOM COMUNICADOR SÃO:

1. **Clara representação da meta.**

2. **Agudeza perceptual.**

3. **Flexibilidade de conduta.**

Para tanto, consideramos que:

a. **O significado da comunicação é dado pela resposta que esta provoca, independente da intenção do comunicador.**

b. **A resistência é a explicação da inflexibilidade do comunicador.**

CONVICÇÕES VANTAJOSAS DA *PNL*

As pressuposições da PNL (ou convicções de essência) são as diretrizes mais importantes para aprender e fazer PNL, e para se ser próspero na vida. A palavra pressuposição significa algo que você pode não poder provar, mas que você fundamenta seu comportamento.

1. O "mapa"não é o "território".
2. As pessoas respondem de acordo com os seus mapas internos.
3. O significado opera no contexto-dependência.
4. Mente-e-corpo afetam-se um ao outro. Mente-e-corpo são um só sistema.
5. Habilidades individuais funcionam por desenvolvimento e sequenciamento dos sistemas representacionais.
6. Nós respeitamos o modelo do mundo de cada pessoa.
7. A pessoa e o comportamento descrevem fenômenos diferentes.
8. Todo comportamento tem utilidade e é útil em algum contexto.
9. Nós avaliamos a mudança de comportamento em termos de contexto e ecologia.
10. Nós não podemos não nos comunicar.
11. O modo como nós comunicamos nossa percepção afeta a recepção.
12. O significado de sua comunicação é a resposta que você obtém.
13. O que fixa a armação da comunicação controla a ação.
14. Não há fracasso/erro, só resultado.
15. A pessoa com a maior flexibilidade exercita a maior influência no sistema.
16. Resistência indica falta de concordância/rapport.
17. As pessoas têm todos os recursos internos que elas precisam para ter sucesso.
18. O ser humano tem a habilidade para experimentar a aprendizagem num instante.
19. Toda a comunicação deveria aumentar as escolhas.
20. As pessoas fazem as melhores escolhas possíveis quando elas agem.
21. Como pessoas responsáveis, nós podemos acessar nosso próprio cérebro e podemos controlar nossos resultados.
22. Noventa e três por cento da comunicação é não-verbal.
23. A experiência tem uma estrutura.
24. Qualquer pessoa pode fazer qualquer coisa.
25. As pessoas têm todos os recursos de que necessitam.

26. Se fizer o que sempre fez conseguirá o que sempre conseguiu.
27. Nossas partes interiores sempre têm intenções positivas.
28. Podemos confiar no inconsciente.
29. A natureza do universo é mudança.

AS ATITUDES DO PROGRAMADOR

Um programador neurolinguístico necessita ter as seguintes atitudes de maneira constante, como parte de sua própria identidade para poder levar seu trabalho a contento e fazer a "magia" acontecer.

São elas:

Curiosidade	Humor
Atenção	Iluminação
Confiança	Reverência
Competência	Responsabilidade
Compaixão	Flexibilidade
Amor Incondicional	Integralidade
Intencionalidade	Impecabilidade

Charton Baggio Scheneider

CRIANDO DESOBSTRUIDORES DA AUTO-CONFIANÇA

Há três modos primários de você poder criar autoconfiança em qualquer momento: o primeiro modo, e o mais rápido é fazer uma mudança radical em sua fisiologia: mudanças intensas e radicais em sua respiração, gestos, movimentos, expressões faciais.

A confiança é algo que você cria. Existem três maneiras principais pelas quais você pode criar autoconfiança. A mais rápida de todas, é fazer uma **mudança radical em sua fisiologia**: mudando a sua respiração, seus gestos, movimentos e expressões faciais. Outra forma é **controlar o seu foco mental**. E, a *terceira maneira* para fazermos, isto é, **mudando nossas crenças**.

Lembre-se da frase, "Se você diz que você pode ou diz que você não pode, **você está certo!**" Assim que você diz que você **não pode** fazer algo, a quantia de potencial latente que você tem para entrar em ação será drasticamente reduzida ("Se vai ter que fazer, por que não acreditar?"). As **crenças são um sentimento de certeza.** Nem todas as crenças apoiam seu bem-estar ou seu sucesso. Todas as crenças são limitações. Você tem a escolha de aceitar os limites ou ter novas crenças. Se uma crença o limita, adote uma nova crença e veja o que acontece. Conscientemente lidar com suas crenças é a mais poderosa ferramenta que você tem para conseguir seus objetivos.

> *"As pessoas que vão para a frente neste mundo são as que levantam e procuram as circunstâncias que querem. Se não as encontram, criam-nas."*
>
> – GEORGE BERNARD SHAW

O segundo modo é através do controle seu foco mental [*veremos detalhadamente este tema posteriormente*]. Um modo de mudar o que você está focando, é mudar as perguntas que você está se fazendo. Mude o, "O que acontece se eu falhar nisto?" ou "Por que eu sempre estrago estas coisas?" para **"Qual a melhor maneira para eu conseguir isto e desfrutar o processo?"** Caso ainda tenha dúvidas sobre este assunto, reporte-se novamente ao segundo pilar da felicidade. E, por último, mudar as suas crenças de essência. Mude de "Eu nunca fiz isto assim antes e não vejo como eu poderia fazer isto agora!" para **"Se eu posso imaginar isso, eu posso consegui-lo"**.

Confiança é algo que você cria. É um estado fisiológico ao qual você expressa um senso de certeza ao qual todos querem ter; e, a única maneira pelo qual você pode experimentar sistematicamente este estado é através do poder da fé.

Tenha mais confiança, deixe de se analisar e focalize em como você pode contribuir para com os outros. Comece agora mesmo, evite deixar para depois.

"A crença das pessoas sobre suas habilidades causa efeito profundo nessas mesmas habilidades."

– ALBERT BANDURA (PSICÓLOGO – STANFORD UNIVERSITY)

O Ciclo do Sucesso

As pessoas que têm sucesso têm impulso. Quanto mais bem-sucedidas, mais elas querem ter sucesso e, mais elas acham um modo para tê-lo. Igualmente, quando alguém estiver falhando, a tendência é seguir uma espiral descendente que pode se tornar até mesmo uma profecia auto realizadora. Todo o mundo está em um Ciclo de Sucesso.

Observe o diagrama abaixo, e considere a relação entre **Crenças, Potencial, Ação e Resultados. QUAL É O POTENCIAL DE QUALQUER SER HUMANO? <u>Ilimitado.</u>** Muitos de nós acreditamos que temos potencial ilimitado – intelectualmente.

O potencial realmente está lá. A maioria dos resultados das pessoas, porém, não conduz aquele potencial. Parte da razão desta falta de resultados é a falta de ação. Quanto potencial ilimitado nós deixamos por não entrar em ação?

Quando você só leva um pouco ação, os resultados são pequenos ou nenhum. E quando você adquire poucos resultados, seu cérebro diz, "veja" em uma voz sarcástica, e então você acaba acreditando menos, entra menos em ação, adquire menos resultados prósperos, etc. – uma espiral descendente.

Brevemente você estará fazendo muito mais para sobreviver – em vez de poder muito bem viver. Isso é como o pobre que fica mais pobre. Afortunadamente, há um oposto, uma direção que seu cérebro pode viajar. Às vezes acontecem eventos que lhe dão a crença que você tem um tremendo potencial, assim você entra em ação e adquire grandes resultados – talvez até mesmo através de um acidente. Então, seu cérebro diz, **"Veja! Você <u>pode</u> alcançar grandes coisas. Eu sempre soube que você era capaz"** Isso causa uma espiral ascendente fazendo-o ficar mais forte, mais saudável, mais confiante, entrando mais em ação, tendo melhores resultados, acreditando mais em você, etc.

Estas (as crenças) têm que ver com o futuro. **A função das crenças tem a ver com a ativação de nossas capacidades e comportamentos.** Nós podemos ter muitas capacidades, no entanto, nós nunca as usamos porque nós não acreditamos que nós podemos. O potencial das pessoas é quase ilimitado. Mas, a maioria dos resultados das pessoas reflete o nível de potencial que eles têm?

Qual direção *você* vai?

Ciclo Descendente:	Ciclo Ascendente:
Você acredita que você limitou seu potencial. Assim você entra pouco em ação, seus resultados são limitados, e reforça sua convicção. *"Veja. Eu sabia que eu não podia fazer isto!"*	Você acredita sem sombra de dúvida que você pode adquirir o resultado que você quer. Você pode não saber exatamente como, mas você acredita que o potencial está lá, assim você atinge o que você acredita que o seu potencial está lá, assim você atinge isto com ação volumosa e potencial. Você tende a adquirir resultados bem excelentes, enquanto reforça sua convicção. *"Veja, eu sabia que eu podia fazer isto!"* Agora você está ainda mais inspirado, você acredita até mesmo mais em seu potencial, você entra mais em ação e, você adquire até maiores resultados! O ciclo continua.

O único modo para romper a espiral descendente e voltar ao Ciclo de Sucesso é adquirir resulta com antecedência.

VOCÊ TEM QUE TER UMA VISÃO PODEROSA

Lembre-se, você pode mudar suas ações, mas se você não pensa que vai funcionar, você não entrará em ação de qualidade. você tem que mudar suas convicções criando uma visão poderosa para sua vida.

O sucesso verdadeiro é um processo contínuo de se tornar melhor como ser humano; sabendo que você está continuamente maximizando e está ampliando suas capacidades e, fazendo o que você pressentiu para sua vida em vez de seguir as expectativas de outra pessoa.

Líderes têm que criar a sua própria visão

O padrão pelo qual você tem que viver é ser *outstanding*.

- **Se você fizer um trabalho pobre, você não adquire nenhuma recompensa.**
- **Se você fizer um trabalho bom, você adquire recompensas pobres.**
- **Se você fizer um trabalho excelente, você adquire recompensas boas.**
- **Se você fizer um trabalho extraordinário, você adquire todas as recompensas.**

As recompensas são desproporcionais ao nível outstanding – e outstanding é apenas um pequeno entalhe acima do excelente.

Se 99.9% é bom o bastante, então . . .

- **Dois milhões de documentos serão perdidos pelo SRI este ano.**
- **22.000 cheques serão deduzidos de contas bancárias erradas nos próximos sessenta minutos**
- **12 bebês serão dados aos pais errados a cada dia.**
- **2.488.200 livros serão transportados com a cobertura errada nos próximos 12 meses.**
- **Duas aterrissagens de avião diariamente no O'Hare International Airport em Chicago serão inseguras.**
- **5.515.200 cascos de refrigerantes produzidos nos próximos 12 meses serão engarrafados sem nada dentro.**

107 médicos serão processados por procedimentos incorretos até o final do dia de hoje.

Lembre-se, outstanding não é apenas habilidade, é coração.

PARADIGMAS – OS MODELOS DE PERCEPÇÃO DO MUNDO

Thomas S. Kuhn (filósofo e historiador) em seu livro publicado em 1962 intitulado de *"The Structure of Scientific Revolutions"* (A Estrutura das Revoluções Científicas) considera **"paradigmas"** *"...as realizações científicas universalmente reconhecidas que, durante algum tempo, fornecem problemas e soluções modelares para uma comunidade de praticantes de uma ciência."*

Em *The Aquarian* Conspiracy (Conspiração Aquariana), 1980, Marlyn Ferguson relata que *"um paradigma é uma estrutura de pensamento (em grego, 'paradigma' tem o significado de 'modelo'). Um paradigma é um esquema para a compreensão e a explicação de certos aspectos da realidade...",* e mais adiante continua; *"... novos paradigmas são quase sempre recebidos com frieza, até mesmo com zombaria e hostilidade. Suas descobertas são atacadas como heresia. (Como exemplos históricos, basta lembrarmos Copérnico, Galileu, Pasteur, Mesmer.) De início, a ideia pode parecer bizarra, até mesmo vaga, porque seu descobridor deu um salto intuitivo e ainda não dispõe de todos os dados."*

Observe a figura abaixo em rapidamente diga quantos quadrados você está vendo?

Se você disse estar vendo dezesseis quadrados, fique tranquilo, você está junto de muitos amigos. Já, se você disse que haviam dezessete quadrados, você pode começar a se considerar membro de um grupo seleto de pessoas.

Porém vejamos realmente quantos quadrado existem nesta figura: Se contarmos os quadrados isolados temos 16 quadrados, e se olhar um pouco

além, poderemos dizer que existe um grande quadrado, formado pela junção de todos eles, e assim vamos para 17 quadrados.

Se pegarmos os quadrados centrais (números 6, 7, 10 e 11) teremos 18 quadrados. Pegando os agrupamentos 1, 2, 5 e 6; 3, 4, 7 e 8; 9, 10, 13 e 14; 11, 12, 15 e 16; vamos para vinte e dois quadrados. Com os agrupamentos 2, 3, 6 e 7; 10, 11, 14 e 15; 5, 6 9 e 10; 7, 8, 11 e 12, passamos para vinte e seis quadrados. Agora se pegarmos agrupamentos não mais de quatro unidade, mas sim, de nove (2, 3 ,4, 6, 7, 8, 10 11 e 12; 5, 6, 7, 9, 10, 11, 13, 14 e 15; 1, 2, 3, 5, 6, 7, 9, 10 e 11; 6, 7, 8, 10, 11, 12, 14, 15 e 16) passamos para a soma de trinta quadrados, isso mesmo trinta.

Aqui existem dois conceitos importantes. Primeiro: uma olhada mais profunda revela muito mais que uma olhada superficial – tanto para os quadrados, como para você, para seu potencial e seu futuro. Segundo, muitos de nós ocasionalmente necessitamos que alguém nos sinalize o óbvio e com mais frequência, o que não o é.

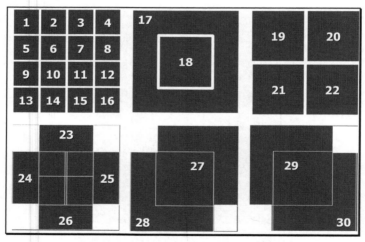

Observe a mesma figura abaixo e agora eu gostaria que você atenha sua visão no espaço entre cada quatro quadrados pretos, você será que aí existe um quadrado cinza, porém se você se fixar em qualquer um deles ele desaparecerá, não é mesmo?

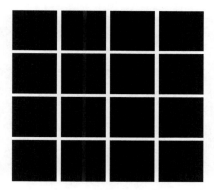

A pergunta que eu tenho para você agora é: estes quadrados cinza são reais ou não, ou seja, eles existem ou não? A resposta para esta questão é, quando eu os estou vendo, eles existem, quando eu os deixo de ver eles não existem – isto pode parecer meio maluco, mas é exatamente isto que nos mostra a questão dos paradigmas aos quais vivemos.

Quando atuando sobre um paradigma, você não consegue ver os demais, porém quando você rompe esta barreira invisível que existe entre eles você deixa de perceber aquilo como uma verdade e passa para outra existência naquilo que você pode perceber.

Responda a outra questão: Se você pegar um pedaço de madeira e o soltar de sua mão, quais das três alternativas apresentadas a seguir é verdadeira? (a) ela irá cair, (b) ela irá subir, ou (c) ela ficará parada.

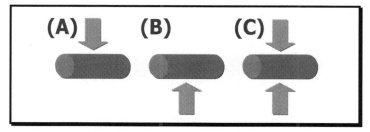

A resposta correta para esta pergunta é depende. Pois o importante, aqui não é a ação em si (soltar o pedaço de madeira), mas sim, pensar em qual contexto esta ação está sendo executada, pois se nós estivermos na terra, a gravidade a puxará para baixo e aí teremos a alternativa "A" como correta. No entanto, se estivermos submersos, a madeira irá emergir e assim teremos a alternativa "B"

como correta. E, se estivermos flutuando no espaço a madeira simplesmente ficará imóvel – sendo que aqui a alternativa correta passa a ser a "C".

Este é outro fato que precisamos nos ater, ou seja, antes de pensarmos nas ações que tomaremos precisamos ter ciência do contexto ao qual ela será tomada, pois este é que irá influenciar o resultado. Lembre-se: a mesma ação em um contexto diferenciado produzirá resultados diferentes.

ISAAC NEWTON – O MODELO CARTESIANO

"A realidade objetiva existe e pode ser conhecida subjetivamente."

- Isaac Newton

A criação do método científico é atribuída a René Descartes, mas tem suas raízes um pouco mais profundas em dois pensadores de nomes semelhantes: Roger e Francis Bacon. Roger Bacon (1220-1292) foi o primeiro a defender a experimentação como fonte de conhecimento.

Francis Bacon (1561-1626) foi, porém, quem terminaria por fixar a base do que Descartes transformaria no moderno método científico. A nova abordagem de Francis Bacon foi fortemente influenciada por descobertas de cientistas como Copérnico e Galileu Galilei que o levaram a propor uma nova abordagem da investigação científica através do pensamento indutivo em contraposição ao pensamento dedutivo que desde Aristóteles predominava sobre as ciências. Francis Bacon é considerado um dos fundadores da ciência moderna sendo responsável por desenvolver o método empírico de pesquisa científica, onde a razão fica subordinada a experimentação. Bacon propõem o raciocínio indutivo ou indução, que vai do particular para o geral e onde o objetivo dos argumentos é levar a conclusões cujo conteúdo é muito mais amplo do que o das premissas nas quais se basearam[2].

Foi na obra *Discurso do Método* que René Descartes (1596-1650) lançou de fato, os fundamentos do método científico moderno. Descartes transcende o pensamento de Francis Bacon ao propor uma instrumentalização da natureza, a explicação matemática e racional dos fenômenos e das coisas e a sua mecanização. Descartes defendia a tese de que basta compreender as partes para compreender o todo. O pensamento indutivo proposto por Bacon sai de cena para dar lugar à dedução cartesiana onde as experiências servem apenas para confirmar os princípios gerais delineados pela razão.

Segundo René Descartes, o método científico compreende duas abordagens do conhecimento complementares: a empírica (indutiva) e a racional (dedutiva). Na abordagem indutiva, empregada em ciências descritivas como biologia, anatomia e geologia, extraem-se princípios gerais a partir da análise de dados coligidos através da observação e da experimentação.

---

[2] LAKATOS, E. M. e MARCONI, M. de A. *Metodologia científica.* São Paulo: Atlas, 1991

As principais características do método indutivo foram defendidas pelo inglês Francis Bacon, que considerava os dados provenientes da experiência sensória como bases do conhecimento. Na abordagem dedutiva, empregada na matemática e na física teórica, as verdades são derivadas de princípios elementares. O método dedutivo foi formulado no século XVII por René Descartes.

Em *Discurso do método* (2005), sua principal obra, Descartes expressou seu desapontamento com o saber de sua época. Grande parte daquilo em que ele acreditava se revelara falso. Descartes resolveu então, buscar somente o conhecimento que pudesse encontrar dentro de si mesmo ou na natureza. Empenhou-se em encontrar uma verdade irrefutável que servisse como princípio elementar do conhecimento.

René Descartes considerava o método matemático como o caminho mais seguro para se chegar ao conhecimento. Aplicando o raciocínio matemático aos problemas filosóficos, podemos alcançar a mesma certeza e clareza evidenciadas na geometria. O método dedutivo cartesiano complementa com perfeição a abordagem indutiva de Bacon, que ressalta a observação e a experimentação. As realizações cientificas dos tempos modernos tiveram origem na habilidosa sincronização dos métodos indutivo e dedutivo.

Isaac Newton (1643-1727) foi o grande sintetizador das obras de Copérnico, Kepler, Bacon, Galileu e Descartes, desenvolvendo uma formulação matemática da concepção mecanicista da natureza. A partir dele estava plenamente estabelecido o paradigma mecanicista ou newtoniano-cartesiano.

Com relação ao método científico, Newton, agrega o método empírico-indutivo e o racionalista-analítico-dedutivo, e vai além. Antes de Newton, duas tendências opostas orientavam a ciência:

1) o método empírico, indutivo, representado por Bacon; e,
2) o método racional, dedutivo, representado por Descartes.

Ultrapassando Bacon em sua experimentação sistemática e Descartes em sua análise matemática, Newton unificou as duas tendências. Assim, estava montado o modelo de ciência que vigora até o presente momento, que foi um dos grandes responsáveis pelos avanços e retrocessos, pelos benefícios e malefícios que a sociedade moderna atual vive até o presente momento. Foi Newton quem deu vida ao sonho de Descartes completando a Revolução Científica.

Como a ciência é um campo em constante mudança, o método científico de Descartes passa a ser questionado no início do século XX, após as descobertas de Einstein sobre a relatividade e de Niels Böhr sobre a física quântica que colocam em xeque um dos preceitos fundamentais do modelo mecanicista de Descartes.

Até o início do século XX predominava na ciência o método científico baseado no modelo mecanicista proposto por René Descartes em seu *Discurso do Método* (2005). O modelo mecanicista de Descartes por muito tempo serviu aos princípios a que se propunha e possibilitou o desenvolvimento de diversos campos da ciência.

A maioria de nós fomos educados (em várias áreas de nossas vidas) no "Modelo" (Paradigma) Cartesiano. O Modelo Cartesiano é baseado no que o físico Isaac Newton formulou durante o século 17, em suas descrições das forças mecânicas previsíveis que finalmente explicariam todas as coisas em termos de trajetória, gravidade e força.

O paradigma que então emergiu, era segundo Newton que *"...a realidade objetiva existe e pode ser conhecida subjetivamente."* Se eu vejo uma cadeira, eu sei que ela é real, que ela existe; e eu posso conhecê-la, eu posso ter uma ideia dela. Isso foi o que Newton nos ensinou. Então, tudo o que existe – é possível saber-se que é real pois nós podemos ver, ouvir e sentir – a Realidade existe!

ALBERT EINSTEIN – A TERORIA DA RELATIVIDADE

"Se existe uma realidade, ela não pode ser conhecida sem se considerar o ato de percebê-la."

- Albert Einstein

Com o decorrer do tempo foram surgindo novos pesquisadores científicos, entre ele um físico alemão, nascido em Ulm no ano de 1879, chamado Albert Einstein. Com a formulação da "Teoria da Relatividade Geral", Einstein "complicou" as coisas. Ele **mudou** toda a Física e provou que: *"Se existe uma realidade, ela não pode ser conhecida sem se considerar o Ato de Percebê-la."*

Entretanto as teorias da relatividade de Albert Einstein (1879-1955) e a mecânica quântica de Niels Böhr (1885- 1962) puseram em xeque alguns dos pilares do modelo cartesiano. Teoria da Relatividade é um conjunto de estudos feitos pelo físico alemão Albert Einstein, que definem uma relação entre o espaço e o tempo, sendo ambos de caráter relativo e não estático.

Resumidamente, a Teoria da Relatividade afirma que o tempo não é igual para todos, podendo variar de acordo com a velocidade, a gravidade e o espaço.

A Teoria da Relatividade de Einstein é formada pela junção de duas outras teorias: a da Relatividade Restrita ou Especial (publicada pela primeira vez em 1905) e da Relatividade Geral (em 1915).

A principal ideia da Relatividade Restrita é que a velocidade da luz é uma constante igual para todo o universo. Este conceito também afirma que o espaço e o tempo não são grandezas absolutas, mas totalmente subjetivas.

Entre os seus principais pressupostos, a teoria da Relatividade Geral afirma que a gravidade nada mais é do que a distorção que determinada massa provoca no "tecido" do espaço.

Quando determinado objeto se movimenta a grande velocidade pelo espaço, criam-se as chamadas Ondas Gravitacionais.

Um exemplo bastante famoso e que ajuda a esclarecer alguns dos princípios da Teoria da Relatividade é o Paradoxo dos Gêmeos. Este exemplo descreve dois irmãos gêmeos na Terra, sendo que um deles é posto numa aeronave em direção a um local distante na galáxia e viajando na velocidade da luz, enquanto o outro permanece no planeta.

Quando regressar à Terra, o irmão que viajou estará muitos anos mais jovem do que o outro.

O tempo passa mais rápido quando um corpo permanece em inércia, no entanto, este tempo vai diminuindo proporcionalmente a velocidade que determinado objeto se move.

Quando se atinge a velocidade da luz (aproximadamente 1,07 bilhão de Km/h), o tempo simplesmente deixa de passar.

As descobertas de Einstein e Böhr provaram a impossibilidade de determinar até mesmo a realidade dos resultados de uma observação, derrubando o preceito de que "para conhecer o todo, basta conhecer as partes" ao demonstrar que muitos fenômenos não possuem explicação se não encarados dentro de uma situação ou sistema e, sobretudo, derrubaram o preceito de que o objeto é separado e independente do observador, mostrando que o que conhecemos daquilo que acreditamos ser o objeto real é apenas o resultado de nossa intervenção nele e não o objeto em si.

A nova concepção mostrou também a impossibilidade de se estruturar conceitos universais e absolutos uma vez que nosso próprio conhecimento é limitado, resultando em uma mudança para um modelo onde existem apenas leis probabilísticas.

Einstein demonstrou isso na Física, de que quando nós estamos observando algum fenômeno - o observador está no sistema. Quando Einstein falou isto, provocou uma revolta em grande parte da comunidade científica, que, no entanto, com o decorrer do tempo, foi provado por uma série de experimentos que sua Teoria estava certa. Na época as pessoas resistiram ao que ele falava, porque se isso que ele estava pregando era verdadeiro muitas coisas teriam que ser mudadas.

Por exemplo, em pesquisas de laboratório - os pesquisadores até hoje fazem muitos experimentos na área Biológica/Biomédica, e; nunca levaram em conta o sujeito do jaleco branco. Era o que o ratinho fazia que importava. E o sujeito do jaleco branco; não tem nada a ver com isso? Ele é o "observador", ele está dentro do sistema, ele interage com o rato. Então, Einstein provou isso na Física, mas na Biologia, isso repercute de uma maneira "devastadora"; pois, põe em cheque tudo o que nós sabemos sobre Biologia.

Com Einstein, se aprimoram os estudos da chamada de Mecânica Quântica que descreve como se comportam as menores unidades da matéria que se conhecem - o quantum e as partículas subatômicas, como elétrons, prótons e outras. Mas o entendimento da Mecânica Quântica também envolve o uso de uma nova teoria.

WERNER HEISEMBERG – O PRINCÍPIO DA INCERTEZA

"Sempre que tentamos medir algo, nós o modificamos."

- Werner Heisenberg

Esta surge uma outra autoridade na área da Física, também na linha de Einstein, o alemão Werner Heisenberg.

O Princípio da Incerteza de Heisenberg é uma das ideias mais famosas (e provavelmente incompreendidas) na física. Diz-nos que há uma confusão na natureza, um limite fundamental para o que podemos saber sobre o comportamento das partículas quânticas e, portanto, as menores escalas da natureza. Dessas escalas, o máximo que podemos esperar é calcular probabilidades de onde as coisas estão e como elas se comportarão. Ao contrário do universo de relógios de Isaac Newton, onde tudo segue leis claras sobre como se mover (e fazer previsão é fácil se você conhece as condições iniciais), o princípio da incerteza consagra um nível de confusão na teoria quântica.

A ideia simples de Werner Heisenberg nos diz por que os átomos não implodem, como o sol consegue brilhar e, estranhamente, que o vácuo do espaço realmente não está vazio.

Uma encarnação precoce do princípio da incerteza apareceu em um artigo de 1927 de Heisenberg, um físico alemão que trabalhava no instituto de Niels Böhr em Copenhague na época, intitulado *"On the Perceptual Content of Quantum Theoretical Kinematics and Mechanics"*. A forma mais conhecida da equação veio alguns anos mais tarde, quando ele tinha refinado ainda mais seus pensamentos em palestras e artigos posteriores.

Heisenberg estava trabalhando com as implicações da teoria quântica, uma estranha nova maneira de explicar como os átomos comportaram-se, que tinha sido desenvolvida por alguns físicos, incluindo Niels Böhr, Paul Dirac e Erwin Schrödinger, durante a década anterior. Entre suas muitas ideias contraintuitivas, a teoria quântica propôs que a energia não era contínua, mas em vez disso vem em pacotes discretos (quanta) e que a luz poderia ser descrita como uma onda e um fluxo desses quanta.

Ao desenvolver essa cosmovisão radical, Heisenberg descobriu um problema no modo como as propriedades físicas básicas de uma partícula em um sistema quântico podiam ser medidas. Em uma de suas cartas regulares a um colega, Wolfgang Pauli, ele apresentou os indícios de uma ideia que desde então se tornou uma parte fundamental da descrição quântica do mundo.

O princípio da incerteza diz que não podemos medir a posição (x) e o momentum (p) de uma partícula com precisão absoluta. Quanto mais precisamente conhecemos um desses valores, menos sabemos exatamente o outro. Multiplicando os erros nas medições destes valores (os erros são representados pelo símbolo do triângulo na frente de cada propriedade, a letra grega delta) tem que dar um número maior ou igual à metade de uma constante chamada "h-barra". Isto é, igual à constante de Planck (normalmente escrito como h) dividido por 2π. A constante de Planck é um número importante na teoria quântica, uma forma de medir a granularidade do mundo em suas menores escalas e tem o valor 6.626 x 10-34 joule segundos.

Uma maneira de pensar sobre o princípio da incerteza é como uma extensão de como vemos e medimos as coisas no mundo cotidiano. Você pode ler essas palavras porque partículas de luz, os fótons, ressaltaram da tela ou papel e atingiram seus olhos. Cada fóton nesse caminho traz consigo algumas informações sobre a superfície da qual ele saltou, à velocidade da luz. Ver uma partícula subatômica, como um elétron, não é tão simples.

Você pode similarmente fazer um fóton saltar para fora dele e esperar, então, detectar esse fóton com um instrumento. Mas as chances são que o fóton vai transmitir algum momentum para o elétron quando ele bate nele e muda o caminho da partícula que você está tentando medir. Ou então, dado que as partículas quânticas muitas vezes se movem tão rápido, o elétron pode não estar mais no lugar onde estava quando o fóton originalmente saltou dele. De qualquer maneira, sua observação de posição ou momentum será imprecisa e, mais importante, o ato de observação afeta a partícula que está sendo observada.

O princípio da incerteza está no cerne de muitas coisas que observamos, mas não podemos explicar usando a física clássica (não quântica). Tomemos átomos, por exemplo, onde elétrons negativamente carregados orbitam um núcleo positivamente carregado. Pela lógica clássica, poderíamos esperar que as duas cargas opostas se atraíssem, levando tudo a colapsar em uma bola de partículas. O princípio da incerteza explica por que isso não acontece: se um elétron se aproximar muito do núcleo, então sua posição no espaço seria precisamente conhecida e, portanto, o erro em medir sua posição seria minúsculo. Isso significa que o erro na medição de seu momentum (e, por inferência, sua velocidade) seria enorme. Nesse caso, o elétron poderia estar se movendo rápido o suficiente para sair completamente do átomo.

A ideia de Heisenberg também pode explicar um tipo de radiação nuclear chamada decaimento alfa. As partículas alfas são dois prótons e dois nêutrons emitidos por alguns núcleos pesados, como o urânio-238. Normalmente, estes são ligados dentro do núcleo pesado e precisaria de muita energia para romper as ligações que os mantêm no lugar. Mas, como uma partícula alfa dentro de um núcleo tem uma velocidade muito bem definida, sua posição não é tão bem definida. Isso significa que há uma chance pequena, mas não zero, de que a partícula possa, em algum ponto, encontrar-se fora do núcleo, embora tecnicamente não tenha energia suficiente para escapar. Quando isso acontece — um processo metaforicamente conhecido como "tunelamento quântico", porque a partícula que escapa tem que cavar seu caminho de alguma forma através de uma barreira de energia sobre a qual ela não pode saltar — a partícula alfa escapa e vemos a radioatividade.

Um processo semelhante de tunelamento quântico acontece, no sentido inverso, no centro do nosso sol, onde os prótons se fundem e liberam a energia que permite que a nossa estrela brilhe. As temperaturas no núcleo do Sol não são altas o suficiente para que os prótons tenham energia suficiente para superar sua repulsão elétrica mútua. Mas, graças ao princípio da incerteza, eles podem abrir caminho através da barreira energética.

Talvez o resultado mais estranho do princípio da incerteza seja aquele sobre os vácuos. Vácuos são muitas vezes definidos como a ausência de tudo. Mas não é assim na teoria quântica. Existe uma incerteza inerente na quantidade de energia envolvida nos processos quânticos e no tempo que leva para que esses processos aconteçam. Em vez de posição e momentum, a equação de Heisenberg também pode ser expressa em termos de energia e tempo. Novamente, quanto mais restrita for uma variável, menor será a restrição da outra. Portanto, é possível que, por períodos de tempo muito, muito curtos a energia de um sistema quântico possa ser altamente incerta, tanto que as partículas podem surgir no vácuo. Essas "partículas virtuais" aparecem em pares — um elétron e seu par de antimatéria, o pósitron, dizem — por um curto tempo e depois se aniquilam. Isso está mais que justificado pelas leis da física quântica, desde que as partículas só existam fugazmente e desapareçam quando seu tempo acabar. A incerteza, então, não é motivo de preocupação na física quântica e, de fato, não estaríamos aqui se esse princípio não existisse.

Heisenberg estipulou o que é chamado de "Princípio da Incerteza" segundo o qual *"é impossível medirmos, simultaneamente e com precisão absoluta, a velocidade com que uma partícula (de luz ou energia) está se movendo e o ponto exato em que se encontra no espaço. Quanto mais certeza tivermos dos valores de uma medição, menor será a certeza que teremos da outra."* Ou seja, sempre que tentamos medir algo, nós o modificamos.

Olhe só que loucura! Isso os pesquisadores das ciências médicas estão cansados de saber - só que não levam em consideração. Por exemplo, se for medida a pressão de uma pessoa e ela está 12 X 8 - Epa! Espera aí! Foi esquecido que eu como medidor da pressão desta pessoa estou interagindo! Não é a pressão desse sujeito, é sim, a pressão dessa pessoa medida por mim.

Então, é um fenômeno complexo. Se eu sair da operação, muda a pressão! De 35% à 40% das pessoas que pensam que possuem pressão arterial alta - NÃO A TEM! Elas só possuem pressão alta quando elas estão sendo medidas.

É a interação chamada de o "Paradoxo do Jaleco Branco". Então, daqui para frente temos que saber que a "Realidade" é o produto da nossa interação como observadores da realidade. Quando nós medimos algo, nós o modificamos.

Em "partículas subatômicas" isso é fantástico. Os físicos no seu estudo - quando tentam observar os "quarts", os "mésons" e os "pósitrons", estes só aparecem onde o sujeito estiver olhando. Mas como? Não é um aparecimento é uma chance estatística de localização. Conforme o observador, há uma maior chance de aparecer uma partícula subatômica, muda-se de observador e a chance muda de localização.

NIELS BÖHR

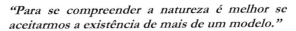

"Para se compreender a natureza é melhor se aceitarmos a existência de mais de um modelo."

- Niels Böhr

E aí um outro físico de origem dinamarquesa e destacada figura do pensamento científico do século XX, chamado Niels Böhr. Bohr dizia que "para se compreender a natureza é melhor se aceitarmos a existência de mais de um modelo."

Bem, já que nós não temos a realidade, nós temos sim uma realidade que imerge conosco; nós somos o observador dela. E, quando nós a observamos, nós a mudamos. Então, nós temos que aceitar que cada um de nós temos o seu próprio modelo. O meu modelo é aquele que eu faço, mas cada um de nós possuímos o nosso próprio modelo.

No ano de 1913, três manuscritos publicados no periódico *Philosophical Magazine*, de autoria do físico dinamarquês Niels Böhr, sob o título *"On the Constitution of Atoms and Molecules"*, iriam estabelecer as sementes para a descrição quantitativa da estrutura eletrônica de átomos e moléculas. Estes trabalhos pioneiros de Böhr iriam impactar a Química em diversos aspectos fundamentais tais como a estrutura eletrônica dos elementos e sua relação com o conceito de valência, a relação entre periodicidade e configuração eletrônica, e nos princípios básicos da espectroscopia. Nada mais oportuno, portanto, do que a iniciativa da *Química Nova* em comemorar o centenário deste marco histórico da ciência e prestar uma homenagem e uma reflexão sobre o legado dos trabalhos de Niels Böhr.

Uma série de resultados experimentais obtidos em diversos laboratórios de Física, principalmente na Europa, nos primórdios do século 20, causaram grande rebuliço científico e desencadearam a busca de modelos adequados para descrever a estrutura da matéria do ponto de vista microscópico. Os primeiros anos do século 20 vivenciaram também o surgimento do que se convenciona chamar a teoria quântica antiga formulada a partir da interpretação da radiação do corpo negro por Planck e da capacidade calorífica de sólidos por Einstein, e da introdução do conceito do fóton. Entretanto, coube a Böhr o grande mérito de propor um modelo teórico para a estrutura eletrônica de átomos, que baseado no modelo planetário introduzido por Rutherford em 1911, era capaz de explicar quantitativamente os espectros de emissão conhecidos na época, notadamente a série de Balmer do hidrogênio atômico, e daqueles que viriam ser observados em anos subsequentes.

A abordagem de Böhr partia de uma análise das condições necessárias para que um sistema de elétrons, girando numa órbita circular em torno de um núcleo fixo contendo cargas positivas, atingisse estabilidade mecânica. Böhr concluiu que as equações da mecânica clássica eram incapazes de prever a estabilidade mecânica destes sistemas, e lançou dois postulados quânticos importantes: i) a existência de estados estacionários associados com a quantização do momento angular orbital do elétron e a introdução do número quântico principal, e ii) um mecanismo discreto para emissão e absorção de radiação eletromagnética associado a transições entre dois estados estacionários (quânticos).

Ao contrário da maioria dos físicos da época, Niels Böhr se interessou em problemas mais diretamente relacionados com Química. Este interesse, frequentemente atribuído à grande amizade com o físico-químico húngaro George de Hevesy (ganhador do Prêmio Nobel de Química em 1943), resultou na extensão da teoria de Böhr não somente para átomos *"hidrogênicos"*, mas também para átomos polieletrônicos. A abordagem de Böhr nesta fase consistiu em analisar o número de elétrons passíveis de serem acomodados em sucessivas orbitas. Apesar do sucesso na descrição do átomo de hidrogênio, o modelo de Böhr para átomos polieletrônicos, e a distribuição de elétrons em sucessivas orbitas, teve que ser ajustado de uma maneira um tanto arbitrária para corresponder a periodicidade e valência dos elementos químicos. Entretanto, as ideias de Böhr foram fundamentais para descrever a tabela periódica dos elementos químicos *em função da configuração eletrônica dos átomos*. A conexão dos trabalhos de Böhr com problemas mais relacionados com a Química também pode ser associada à sua interação frequente com grandes químicos contemporâneos da Dinamarca como Niels Janniksen Bjerrum, que iria aproveitar os conceitos espectroscópicos de Böhr para estudos pioneiros relacionados com vibrações e rotações moleculares, Johannes Nicolaus Brønsted e Jens Anton Christiansen.

Evidentemente, o modelo de Böhr teve o seu maior sucesso na interpretação de espectros atômicos. De um lado, a sua teoria foi capaz de reproduzir o valor exato da constante de Rydberg, e a sua teoria se mostrou muito útil para explicar fenômenos importantes como a variação do comprimento de onda dos raios-X emitidos pelos elementos químicos e sua relação com a carga nuclear corrigida pela blindagem do elétron interno da camada K (lei de Moseley). Este conceito de blindagem pelos elétrons internos foi também utilizado para interpretar os espectros atômicos dos metais alcalinos, e seria eventualmente incluído, algumas décadas depois, por Slater ao propor as chamadas funções monoeletrônicas de Slater utilizadas para cálculos simples de Química Quântica.

Apesar do sucesso do modelo de Böhr em reproduzir de maneira exata o espectro eletrônico do hidrogênio atômico e de átomos semelhantes, os químicos da época não foram imediatamente receptivos às ideias de Böhr. A ênfase no critério de estabilidade mecânica para descrever a estrutura eletrônica do átomo foi considerada muito complicada e pouco familiar para químicos acostumados com uma ciência puramente empírica. Este mesmo tipo de modelo para moléculas, baseado num modelo físico dinâmico, contrastava com o modelo estático introduzido por G. N. Lewis que privilegiava o compartilhamento de um par de elétrons para descrever a ligação química, conceito que iria eventualmente ser amplamente explorado por Pauling. Contudo, os resultados quantitativos dos primeiros cálculos moleculares de Böhr apresentaram grande novidade. Por exemplo, as primeiras experiências de Langmuir, ao redor de 1915, indicavam uma energia de ligação de 84 kcal mol^{-1} para a molécula de hidrogênio, valor não muito distante do valor previsto de 63 kcal mol^{-1} pela molécula de Böhr. A extensão deste modelo para moléculas poliatômicas não foi muito bem-sucedida e a estabilidade prevista por Böhr para a molécula duvidosa de H_3 só iria ser demonstrada espectroscopicamente por Herzberg em 1979 como sendo uma *molécula de Rydberg*, melhor representada como um íon H_3^+ ligado a um elétron num orbital muito distante.

Niels Böhr recebeu o Prêmio Nobel de Física em 1922, mas a sua contribuição para a Química pode ser avaliada pelo fato de ter sido proposto em duas ocasiões, 1920 e 1929, para o Prêmio Nobel de Química por químicos da Alemanha.

A partir da década de 1920, e com o declínio da antiga teoria quântica, Böhr começou a se afastar progressivamente de sua conexão com problemas de natureza química. Esta mudança de interesse teve muito a ver com a sua inclinação pela física teórica rigorosa e pelas inconsistências do modelo físico utilizado por Böhr que incorporava condições artificiais e de difícil justificativa para compatibilizar o conceito de estabilidade de órbitas progressivamente mais complexas com configurações eletrônicas.

Os trabalhos e ideias de Böhr tiveram outras contribuições marcantes na Química, como a derivação do momento magnético do elétron e a formulação da grandeza conhecida como *magnéton de Böhr*, fundamental em fenômenos de ressonância magnética e susceptibilidade magnética. Da mesma maneira, o princípio de correspondência ou a convergência do comportamento quântico para comportamento clássico no limite de números quânticos elevados representou um grande avanço na compreensão da junção suave entre fenômenos quânticos e fenômenos clássicos.

Niels Böhr teve uma atuação intensa durante a Segunda Guerra Mundial, atuando na Dinamarca, na Inglaterra e nos Estados Unidos. As suas preocupações humanísticas e a profundidade dos seus pensamentos estão retratadas em duas excelentes coleções de artigos publicadas em 1934 e 1957 sob os títulos de *Atomic Theory and the Desciption of Nature* e *Atomic Physics and*

Human Knowledge. Nas palavras de cientistas que participaram desta época dourada da ciência, Niels Böhr foi um verdadeiro cavalheiro da ciência.

O legado histórico de Böhr é visível até hoje, e seu modelo planetário do átomo, embora totalmente superado, ainda é utilizado rotineiramente em livros textos de Química como uma introdução a uma visão física da estrutura dos átomos. Esta lembrança histórica e a contribuição à descrição atômica dos elementos químicos fazem parte do legado do Niels Böhr à Química.

Assim é muito importante procurarmos saber qual realmente é o nosso contexto – ou qual é o paradigma ao qual estamos inseridos, para que não caiamos em erros como os relacionados abaixo:

- *"Acredito que há mercado mundial para cerca de cinco computadores."* - Thomas J. Watson, chairman da IBM, 1943.

- *"Não há nenhuma razão para que as pessoas tenham um computador em casa."* - Ken Olon, presidente da Digital Equipment Corporation, 1977.

- *"Não importa o que aconteça, a marinha americana não vai ser pega cochilando."* - Frank Knox, ministro da marinha americana, em 4 de dezembro de 1941, às vésperas do ataque japonês a Pearl Harbor.

- *"Eles não conseguiriam acertar um elefante a esta dist..."* - Últimas palavras do General John B. Sedgwick na batalha de Spotsylvania em 1864.

- *"Não gostamos do som deles. Grupos com guitarras estão em decadência."* - Executivo da Decca Recording rejeitando os Beatles em 1962.

"A coisa mais importante que você pode fazer para caçar o próximo paradigma e descobrir o seu futuro é simplesmente começar a agir. É aí que a maioria das pessoas fracassa. Elas acreditam que o futuro é algo que simplesmente acontece."

– JOEL BARKER

 *Charton Baggio Scheneider*

Lei da Variedade Requerida da Cibernética

A Lei da Variedade Requerida foi, assim designada, por um dos fundadores da Cibernética e Psiquiatra William Ross Ashby, em meados de 1958 a 1979, que por meio de seus estudos, chegou-se à conclusão, em outras palavras que, quanto mais um sistema (máquina ou vivo) amplia seu conhecimento sobre informações diversas, porém selecionadas, maior será o seu controle e poder para tomar decisões assertivas e proativas diante de qualquer situação.

Alguns exemplos disso são: quanto mais uma pessoa tem informações sobre seus talentos e habilidades e sobre si mesmo, maior será a chance de escolher a profissão ou nicho mais adequado para se trabalhar. E ainda, quanto mais informações de qualquer área se tem sobre determinado assunto, mais controle você terá para lidar com as situações que lhe são apresentadas.

Da mesma forma acontece com um sistema computacional, quanto mais variedade de informações programadas sobre inúmeros problemas que possam acontecer e, consequentemente que irá corrompê-lo (máquina), mais rápido haverá alguma ação automática para mantê-lo disponível, em pleno funcionamento, por haver condições de prevê-los e de saber como agir.

Do contrário, quando não se tem uma variedade de informações, haverá uma limitação do controlado, e os riscos de o controlador fracassar se tornam maiores, pois nenhum sistema quer seja vivo ou mecânico, é capaz de tomar decisões assertivas sem um vasto repertório de informações.

Para uma pessoa ter insights, ideias brilhantes e geniais, elas precisam partir de conhecimentos extraídos através de variadas informações. Na verdade, um gênio só é gênio porque agiu de forma assertiva "materializando" informações específicas e variadas, e a partir disso, criou algo de valor que, nunca, ninguém havia pensado em criar anteriormente ao seu feito.

A Lei da Variedade Requerida da Cibernética pode ser aplicada à diferentes disciplinas e especialidades, tais como a psicologia, projetos, educação, medicina, etc.

Em qualquer sistema aberto, a parte do sistema que exibir maior flexibilidade sobrevive e tende a dominar o sistema.

Requisitos do Sistema

Comportamento do Sistema

**Aumento da Variedade
do Controlador**

Opção 1

**Redução da Variedade
do Sistema**

Opção 2

A Lei da Variedade Requerida mostra que quando se quer controlar alguma coisa temos duas opções: dar mais variedade (informação, recursos, estados) ao controlador, ou de outro lado, diminuir a variedade do controlado.

Para que um sistema controle outro sistema é preciso que exista um canal de comunicação com banda de passagem suficiente para troca de informação entre eles e que a variedade do controlador seja maior ou igual à variedade do controlado.

A PSICO-OPOSIÇÃO

Quando falamos em desprender-se de alguma coisa que está firmemente estruturada em nosso ser nós encontramos algo que os psicólogos chamam de psico-oposição. A psico-oposição pode ser descrita da seguinte forma: Nós vivemos confortavelmente dentro do paradigma atuante, este paradigma, possui uma área de abrangência que limita nossa percepção da realidade. Para progredirmos, temos que cruzar as barreiras desta realidade que nos é desconhecida, desconfortável e inconveniente.

© Copyright 2018 - Charton Baggio Coaching Solution

Este tripé (Desconhecido/Desconforto/Inconveniente) faz com que nos acomodamos e que não queiramos mudar, pois sair além destes limites pode ser doloroso e nós seres humanos vivemos nossas vidas ou buscando prazer, ou evitando a dor.

Para burlarmos este tripé de inanição, devemos nos sustentar na "Tensão Criativa", que é o processo de se passar de nosso estado atual (realidade atual) para o nosso estado desejado (visão). No entanto, a brecha entre a realidade e a visão nos causa uma dolorosa consciência (psico-oposição). "Gostaria de possuir meu próprio negócio," mas "não tenho dinheiro para tanto". "Gostaria de trabalhar em algo que realmente gosto," mas "tenho que sustentar minha família".

Estas brechas criam uma psico-oposição prendendo-nos dentro do paradigma vigente. Ela cria a impressão de que uma visão é fantasiosa ou irreal; podendo desiludir ou desgostar-nos.

Porém, esta brecha entre a realidade e a visão é uma energia poderosa. Se não houvesse esta brecha, não haveria a necessidade de uma ação para mover-nos até a visão. Portanto, a psico-oposição (brecha) é uma fonte de "tensão criativa".

A Tensão Criativa

Para descrever melhor a "tensão criativa" podemos imaginar um elástico, estirado entre as mãos afastadas uma da outra na vertical; ao qual, a mão esquerda fica abaixo (e esta fica sendo nossa realidade atual) e a direita acima (sendo nossa visão). Quando se estira, o elástico cria tensão, representando esta tensão entre a realidade atual e a visão. Esta tensão tende a uma de duas coisas: ou a resolução ou a liberação. Existem dois modos possíveis de resolvê-la: impulsionar a realidade até a visão ou impulsionar a visão até a realidade. O que ocorrerá dependerá em muito de nossa aderência a visão.

No entanto existe algo chamado de "Conflito Estrutural". O conflito estrutural são nossas crenças mais profundas que são contrárias ao nosso domínio pessoal; e, com frequência, estas crenças estão abaixo do nível da consciência. Através de inúmeros trabalhos Robert Fritz concluiu que todos nós possuímos "a crença dominante de que não podemos cumprir nossos desejos".

Fritz usa uma metáfora para descrever como as crenças contraditórias subjacentes funcionam como sistema, opondo-se na aquisição de nossas metas. Imagine-se locomovendo-se em direção a suas metas, e que existe uma corda elástica, a qual simboliza a tensão criativa puxando-o na direção desejada. Mas, imagine também uma segunda corda elástica, ancorada na crença de impotência ou de indignidade. Quando a primeira corda elástica começa a puxá-lo na direção de sua meta, a segunda o diz assim a crença subjacente de que você não pode (ou não merece) alcançar a meta. Fritz denomina "conflito estrutural" ao sistema que envolve a tensão de ir na direção da meta e a tensão que nos ancora a nossas crenças subjacentes, porque é uma estrutura de força conflitivas: nos leva até o que desejamos ao tempo que nos afasta dele.

Quanto mais nos aproximamos do logro de nossa visão, mas nos afasta dela a segunda corda elástica. Esta força se pode manifestar de muitas maneiras. Podemos perder nossa energia. Podemos perguntar-nos se realmente queríamos essa visão. "Arredondar o trabalho" pode se tornar cada vez mais dificultoso os obstáculos inesperados nos entorpecem a marcha. Nós nos defraudamos. Tudo isto ocorre porque não somos conscientes do sistema de conflito estrutural, porque se origina em crenças profundas das que somos pouco conscientes. Essa falta de consciência contribui ao poder do conflito estrutural.

Dada a crença em nossa impotência ou indignidade, o conflito estrutural implica a presença de forças sistemáticas que nos impedem de ter êxito *toda vez* que vamos atrás de uma visão. No entanto, as vezes temos êxito, e muitos de nós adquirimos certa atitude para identificar e alcançar metas, ao menos em certos aspectos da vida. Como superamos as forças do conflito estrutural?

Fritz identificou três "estratégias" genéricas para afrontar as forças do conflito estrutural. Uma dessas estratégias é consentir o desgaste de nossa visão. A segunda é a "manipulação do conflito", pela qual tratamos de estimular-nos para ir atrás do que desejamos, criando um conflito artificial, como o de concentrar a atenção em tapear o que não desejamos. A manipulação de conflitos é a estratégia favorita das pessoas que se preocupam sem cessar pelo fracasso...

... A terceira estratégia genérica de Fritz é a "força de vontade", onde simplesmente nos "energizamos" para superar toda a forma de resistência ao logro de nossas metas. Por baixo das estratégias de força de vontade, sugere Fritz, se encontra o simples suposto de que "nos motivamos mediante uma violação aguçada". A força de vontade é tão comum entre as pessoas de êxito que muitos veem suas características como sinônimos do êxito: uma concentração maníaca nos objetivos, a vontade de "pagar o preço", a atitude para superar toda oposição e libertar-se de qualquer obstáculo.

O nosso processo de amadurecimento começa desde a infância quando somos DEPENDENTE dos outros. Nesta fase somos alimentados, limpados,

orientados e sustentados pelos outros. Sem isto não estaríamos aqui hoje - nem você, nem eu. Com o decorrer do tempo vamos adquirindo nossa "vitória interior", e nos tornamos INDEPENDENTES - tanto física, como mental, emocional e financeiramente; assim, chegando ao ponto pelo qual nós conseguimos tomar conta de nós mesmos, e nos tornamos confiantes e seguros de assim o ser.

"Não devemos esperar pela inspiração para começar qualquer coisa. A ação sempre gera inspiração. A inspiração quase nunca gera ação."

- FRANK TIBOLT

Com o passar ainda mais do tempo - crescendo e amadurecendo - começamos a tomar consciência, mais e mais, de todos os processos dentro da natureza universal das coisas. Adquirimos nossa "vitória social" e tornamo-nos INTERDEPENDENTE. Aprendemos que existe um sistema ecológico que rege a natureza e as sociedades que nela pertencem. Sendo assim, começamos a nos dar conta de que o processo existencial da natureza humana é caracterizado pela Interdependência.

O MODELO DE AÇÃO

Quando você olha o Modelo de Ação da PNL 2.0 acima podemos perceber que toda a dinâmica do trabalho que deve ser realizada, onde a base está na **Identidade** do nosso cliente e está sustenta os quatro pilares da Programação Neurolinguística (veja o capítulo sobre este tema), que são: 1) **Rapport**, 2) **Percepção Sensorial**, 3) **Pensamento de Resultado**, e 4) **Flexibilidade de Conduta**.

Como programadores 2.0 devemos estruturar em nosso cliente esta base de sustentação dando-lhe/fazendo-o perceber a sua identidade e capacitá-lo em estar/obter rapport, para isso ele necessita de ampliar sua capacidade de percepção sensorial, mudar a estrutura de pensamento tirando-o de uma estrutura de pensamentos limitantes para uma estrutura de pensamentos com foco nos resultados (aqui é importante o conhecimento e prática dos Padrões de Linguagem – veja o capítulo sobre este tema), e não menos importante, ensiná-lo a ter flexibilidade de conduta.

Assim, começamos por descobrir qual é o **Estado Atual (EA)** que ele apresenta, ou seja, quais são suas limitações, seus problemas, que o levaram a necessitar de uma intervenção para que ele possa conseguir se livrar desta. Bem como, qual é o seu **Estado Desejado** (ED), ou seja, o que ele almeja ter/obter, qual o resultado que ele está buscando.

Como programadores neurolinguístas 2.0, o que nós focamos é na estrutura de resultado (ED) e não na estrutura limitante (EA), porém não focar não é o mesmo que não se necessitar saber quais são os padrões limitantes que a pessoa/casal/família/organização/equipe possui.

Aqui (na estruturação do EA e do ED) nós devemos fazer um levantamento completo de ambas as posições: atual (limitante) e desejada (com/de recursos). Então, nós começamos por levantar qualquer **informação importante sobre nosso cliente, tais como:** Nome, Idade, Estado Civil, N° de Filhos, Médico que encaminhou (se houver), Profissão, Religião, N° Irmãos/Irmãs, Informação relevantes sobre família, infância, adolescência, casamento, relações, sexualidade, se tem Problemas com álcool/drogas, em caso afirmativo qual? a quanto tempo? por quê?, se ele Fuma, e qualquer outra informação que você julgar necessária saber antes de começar o trabalho propriamente dito. Este background prévio lhe servirá de referencial para muitas das intervenções que posteriormente serão executadas para leva-lo a atingir seus resultados.

Bem com o background levantado podemos então partir para a questão propriamente dita do porque ele (nosso cliente) está diante de nós, assim vamos buscar saber qual é o **ESTADO DESEJADO**, que é experiência neurológica e fisiológica global de uma pessoa que se sente cheia de recursos. Em outras palavras, o que ele quer? Para definir o Estado Desejado dele:

a. Faça perguntas sobre o estado desejado, assegurando-se de obter todas as informações relevantes.

b. Qual a fisiologia que ele apresenta enquanto se coloca no Estado Desejado (futuro).

c. Quais estratégias ele apresenta, e quais estratégias ele necessita.

d. Quais recursos ele tem e de quais ele necessitará?

e. Assegure-se de fazer uma checagem ecológica.

f. Encontre as Condições de Boa Forma.

g. Assegure-se de conhecer as submodalidades do ED.

h. Assegure-se de ter acesso aos 4-tuples do ED.

i. Que crenças ela demonstra no ED, e quais crenças precisam ser criadas para dar sustentabilidade ao resultado.

Agora com o Estado Desejado levantado, poderemos focar no **ESTADO ATUAL** de nosso cliente, que em essência este é o ponto em questão. O espaço do problema é definido por elementos físicos e não físicos que criam um problema ou contribuem para isso. As soluções surgem de um "espaço de soluções", rico em recursos e alternativas. Um espaço de soluções precisa ser mais amplo que o espaço do problema, para que possa produzir uma solução adequada. Para definirmos o EA de nosso cliente descubra:

a. **Como o EA se manifesta nesta pessoa.**
b. **Qual a fisiologia ele apresenta enquanto descreve seu problema (passado-presente).**
c. **Submodalidades do EA.**
d. 4-tuples do EA.
e. Disparadores do EA.
f. Quais crenças estão envolvidas.

Assim, tendo levantado tento o Estado Atual como o Estado Desejado da pessoa, poderemos **definir as técnicas para mudança** as quais vamos aplicar, assim necessitamos:

a. Preparação prévia para aplicar a(s) técnica(s) escolhida(s).
b. Que habilidade vai usar para fazer o cliente se sentir confortável.

Procure ter clareza da(s) técnica(s) que vai usar e razão fundamental de sua escolha, pergunte-se, que evidências encontrou que avaliará sua escolha de intervenção?

Então, tendo concluído com os processos de mudança, agora você está pronto para fazer com que a pessoa faça o **Passeio ao Futuro**, que é o ensaio mental de um objetivo para assegurar que o comportamento desejado irá ocorrer. Para isso:

a. Saiba as etapas do procedimento que você usará.
b. Como usará o disparador para a mudança.

A "Ponte ao futuro" é um termo da PNL para o processo de ensaio mental feito por nós mesmos frente a alguma situação futura, a fim de ajudar a garantir que os comportamentos e respostas desejadas irão ocorrer de forma natural e automática nos contextos apropriados.

Desenvolvido pelos fundadores da PNL, Richard Bandler e John Grinder, o objetivo da ponte ao futuro é garantir que as novas habilidades e as mudanças comportamentais persistam fora do contexto em que foram inicialmente estabelecidas. Muitas vezes, as mudanças feitas em um contexto ficam confinadas ao ambiente em que foram aprendidas, em vez de estarem disponíveis nas situações em que são mais necessárias. Sem uma ponte ao futuro adequada, as conquistas de um curso de treinamento, uma sessão de coaching ou um encontro terapêutico seriam, muitas vezes, perdidas. A ponte ao futuro é sempre o último passo em qualquer processo de mudança de PNL.

O método principal da ponte ao futuro é associar um novo comportamento ou resposta a pistas externas que ocorrem naturalmente numa situação futura em que a mudança de comportamento for desejada. Por exemplo, pode-se considerar: "Qual é a primeira coisa que você vai ver, ouvir ou sentir externamente nessa situação que irá lembrá-lo dos seus novos aprendizados ou habilidades?" Quando um item específico é identificado, o indivíduo pode mentalmente concentrar a atenção sobre esse item através da memória ou da imaginação, associando-o ao novo comportamento ou resposta, realizando um ensaio mental. Quando o indivíduo se deparar com a pista ambiental mais tarde, ela irá servir como âncora ou gatilho natural e inconsciente para a reação ou o comportamento desejado.

Por exemplo, a pessoa pode utilizar a ponte ao futuro para obter um estado de confiança e atenção quando tiver uma reunião difícil ligando as sensações e a postura corporal associadas à confiança com a maçaneta da porta de entrada da sala de reuniões, o tamanho e a forma da mesa da sala de reuniões e os rostos e o tom de voz das pessoas presentes à reunião.

Agora estamos prontos para ver a ecologia do sistema. A ecologia para a PNL é sinônimo de harmonia e de equilíbrio, benéfica e útil para a própria pessoa e para o ambiente em que atua, é o que hoje é chamado de Ecologia Humana.

Quando se aplicam as técnicas de PNL se dever ter presente as repercussões das mudanças possíveis que elas produzirão.

A criação da ecologia humana como ciência é atribuída ao Dr. Juan J. Tapia. Com base numa grande quantidade de dados próprios e retirados de outras teorias como Aprendizagem Acelerada, PNL, Física Quântica, Análise Transacional, Psicologia Analítica de Jung entre várias outras.

Para a ecologia humana é fundamental que o homem possa sobreviver com ética e dignidade.

Sendo assim essa ciência desenvolveu teorias e conhecimento com o objetivo de propiciar uma melhor convivência e condições de vida para os indivíduos objetivando que eles possam viver melhor em sociedade.

O grande objetivo da ciência é encontrar uma forma para que os seres humanos possam viver com mais autonomia aproveitando o máximo do seu potencial e tudo o que o ambiente lhes fornece. É necessário que o homem aprenda a como satisfazer as suas necessidades inatas de autoproteção, autorrealização harmonização e auto abastecimento.

A incorporação de novos conhecimentos, aprendizagens, estratégias, supõem, em geral, uma mudança e toda mudança gera resistência. Por isso sempre devemos checar se a mudança proposta é ecológica.

Aqui necessitamos saber que existem quatro Classes de Experiência Humana. Nós sempre achamos um modo para encontrar nossas necessidades. A pergunta é "A que nível de realização? E você fará isto de certo modo que sirva a si, aos outros e a um bem maior a longo tempo?"

Vamos conhecer estas quatro classes:

CLASSE I
1. Tem uma boa sensação
2. É bom para você
3. É bom para os outros
4. Trabalha por um bem maior

CLASSE II
1. **Não se sente bem, mas...**
2. É bom para você
3. É bom para os outros
4. Trabalha por um bem maior

Classe III
1. Tem-se uma boa sensação**, mas...**
2. **Não é bom para você**
3. **Não é bom para os outros**
4. **Não trabalha por um bem maior**

CLASSE IV
1. **Não se sente bem**
2. **Não é bom para você**
3. **Não é bom para os outros**
4. **Não trabalha por um bem maior**

Nossa meta é transformar as experiências de Classe III e IV (i.e., não se sentir bem, não é bom para você, não é bom para outros e não serve para um bem maior) em experiências de Classe I e II (i.e., sentir-se bem, é bom para você, é bom para outros e serve a um bem maior). Então, ao fazer a verificação ecológica pergunte:

1. **Isso tem uma boa sensação para você?**
2. **Isso é bom para você?**
3. **Isso é bom para os outros?**
4. **Isso trabalha/cumpre por/com um bem maior?**

Caso a resposta seja "Sim" para todas as quatro perguntas, você está diante de um Veículo de Classe I, o que é extraordinário, seu trabalho foi bem estruturado

e bem conduzido. Caso haja respostas "Não" volte a estruturar as mudanças para que possa chegar a uma experiência de Classe I ou II.

Assim quando fizer a Ponte ao Futuro e o Teste de Ecologia, certifique-se de:

1. O associar completamente **ao contexto no qual a limitação normalmente emergiria.**
2. Acionar as âncoras e teste a efetividade do novo padrão **neste ambiente.**
3. Testar para estar certo que este novo padrão cumprirá a intenção do velho padrão **com a mesma ou maior intensidade de realização emocional que o velho padrão.**

Bem, agora você pode estabelecer os próximos passos, o **Seguimento** que você dará para levar seu cliente a ter o que ele deseja. Estruture o que você fará no seguimento e certifique-se de saber se seu cliente obteve o resultado que esperava.

Não mencionei aqui as interferências do sistema pois tratarei delas no próximo capítulo.

Antes, vamos ver um exemplo de um caso onde poderá ver todos estes passos:

Descrição do Cliente

O cliente é um homem adulto, com 32 anos de idade, um músico, filho de um músico profissional. O pai do cliente desistiu de ser músico e tornou-se operário metalúrgico. O cliente cresceu ouvindo música, incluindo a prática de seu pai em casa.

Ele frequentou uma escola católica. Testes de audição demonstraram que ele possui uma acuidade acústica acima do normal. Ele começou um curso formal para prática de um instrumento, ao final dos seus 16 anos e continuou com lições de música particulares, intermitentemente, desde aquele tempo.

ESTADO DESEJADO

O cliente queria melhorar suas habilidades musicais e tornar-se capaz de trabalhar numa situação de performance onde a qualidade do desempenho era importante e num nível elevado. Para obter este estado desejado, ele queria ser capaz de aprender a ler a música enquanto tocava só ou em grupo.

ESTADO ATUAL

No estado atual do cliente ele desejava se apresentar em qualquer grupo musical comercial que ele encontrasse. A maioria destes grupos tocava a partir de pautas ou de ouvido e ele se sentia capaz de ouvir a música e acompanhar o que lhe parecia correto.

Desde que ele frequentemente se estressava pela péssima performance de alguns destes grupos, e por um retorno financeiro, ele trabalhava eventualmente como carpinteiro ou pintor, usualmente de forma autônoma. Ele frequentemente diz que *"... você não pode fazer dinheiro como músico."* Ele consequentemente esperava fazer muito pouco dinheiro e trabalhava apenas o necessário para conseguir isso. Ele estava interessado em aprender a tocar sua música enquanto estivesse em transe hipnótico. Entretanto, ele rejeitou, como *"impossível de trabalhar",* quaisquer procedimentos que envolvessem visualizações internas, dizendo que estas lhe recordavam rezas católicas.

PREPARAÇÃO PARA O TRABALHO DE MUDANÇA

Conversando, ficou aparente que foi o pai do cliente quem disse: *"Você não pode fazer dinheiro com música."* De fato, ele dizia isso, quase sempre que via o filho, que o visitava regularmente. Meu trabalho inicial foi de ressignificar este depoimento internalizado. Eu identifiquei o depoimento como sendo do pai sobre ele mesmo. Eu então mostrei muitos exemplos de músicos que fizeram fortunas, e músicos que tocam muito bem e estão satisfeitos com o que fazem enquanto ganham dinheiro fazendo alguma outra coisa.

Desde que este cliente trocava de emprego frequentemente, era fácil para ele, até este ponto, fazer uma mudança. Ele decidiu retornar à escola de música e estava se dispondo a conseguir empréstimos e bolsas para chegar ao seu intento.

Como estudante de música, o cliente veio para ajuda porque seu treinamento musical não estava comparável aos seus colegas de classe. Enquanto seu treino musical era muito mais desenvolvido do que os demais alunos, ele era péssimo em ler pautas e ele queria melhorar esta habilidade rapidamente. De outra forma, ele era considerado um bom aluno.

TÉCNICA 1

Extrair e instalar estratégia. Eu fui com o cliente visitar três músicos a quem o cliente identificou como capazes de tanto fazer música de improviso como ler as pautas musicais.

O cliente entrevistou a cada um sobre seu treino, e eu extrai as estratégias de cada um para fazer improvisação. Esta tarefa foi feita para identificar para o cliente os padrões particulares usados por músicos experientes e capazes, que coincidentemente faziam dinheiro tocando música, assim que ele poderia aplicar estes padrões na formação de seu sistema. Eu, particularmente, enfatizei o componente visual em cada um destes três modelos de estratégias. Eu disse ao cliente, em detalhes, sobre como a PNL usa estratégias para corrigir

101

dificuldades de silabação e/ou leitura e/ou de matemática, simplesmente enfatizando o elemento visual e a importância de identificar símbolos visuais rapidamente. O cliente então, por si mesmo, desenvolveu um método para praticar piano o qual fizesse com que sua velocidade de performance fosse acelerada à medida que lesse as pautas.

TÉCNICA 2

Mudando a História. O cliente disse que acreditava que os músicos que pudessem ouvir bem e pudessem improvisar, tocavam com mais sentimento. E mais, testando como que ele lembrava coisas, eu descobri que ele acreditava que ele recordava coisas se pudesse lembrá-las auditivamente (A^R), ele sabia que algo funcionava se ele pudesse fazer ele próprio (Ke). Quando ele disse que ele não poderia lembrar algo, procurava sempre imagens recordadas (V^R). Eu ancorei os recursos desenvolvidos pelo cliente em desenvolver e utilizar estratégias para aprender a ler. Levei o cliente para trás no tempo, indo para tempos muito remotos quando ele aprendeu que deveria acreditar somente no que ouvia ou no que experimentava por si mesmo. Ele foi capaz de ir a um tempo em que começou a usar óculos. Descobri que necessitava de óculos por muitos anos antes que sua deficiência fosse apropriadamente descoberta. Ele foi capaz de usar seus recursos presentes para mudar aquela experiência em uma que agora dá a ele a capacidade de utilizar o que ele vê diretamente.

SEGUIMENTO

O cliente estudou piano na escola de música e iniciou um negócio. Essa profissão lhe possibilitou o tempo e a flexibilidade para conseguir seus interesses musicais e fazer um bom retorno financeiro. Ele está presentemente praticando muitas horas por dia, aprendendo um novo instrumento, o piano, pela leitura de pautas. Ele não toca mais com grupos se ele não está satisfeito com a qualidade. Ele não está preocupado se ele fará dinheiro como um músico, e ele é capaz de dar sua atenção para desenvolver suas próprias músicas e sua perícia, o que acaba lhe trazendo um bom dinheiro.

O MODELO DAS SETE C'S

O Modelo das Sete C's é um modelo de resolução de problemas desenvolvido por Robert Dilts em 1984 para ajudar as pessoas a navegar melhor seus caminhos até os estados desejados. O Modelo das Sete C's foi formulado por Dilts como uma extensão do modelo de coleta de informações do 'estado atual para o estado desejado' na PNL, a fim de fornecer um conjunto de diretrizes para identificar tipos de interferências para atingir os objetivos.

De acordo com a PNL, o processo básico de mudança envolve:

(1) descobrir qual é o estado atual da pessoa e
(2) adicionar os recursos necessários para levar essa pessoa ao
(3) estado desejado.

Estado Atual + Recurso Apropriado = Meta Desejada

No entanto, à medida que alguém tenta se mover ao longo do caminho até o estado desejado, há várias interferências que podem surgir para impedir o progresso. É de importância crítica identificar e abordar essas interferências para apoiar o progresso da cura. Uma vez identificadas, as interferências podem ser abordadas por vários recursos potenciais. Na PNL esses recursos são classificados sob o modelo das Sete C's.

Os 3 recursos básicos são Crenças, Estratégia e Fisiologia.

Quando você adiciona recursos para obter seus objetivos, com um quadro de ecologia e lidando com todas as 7 classes de interferência, coisas surpreendentes são possíveis.

Este pacote convida você a se aprofundar profundamente, integrar, perceber e operar no mundo a partir e com este incrível modelo de PNL. Você pode instalar profundamente o seu domínio deste modelo a um nível que você não precisa mais pensar sobre isso - simplesmente acontece.

Vejamos:

1. **CRENÇAS** – **Generalizações sobre nós e o mundo.**

    a.   O que é possível? Quais são os limites?

    b.   O que significa? O que é importante/necessário?

    c.   Qual a causa? O que o causa?

    d.   Quem a causa? O que o causa?

2. **FISIOLOGIA** – **Propriedades físicas necessárias para se conseguir alcançar o objetivo (Estado Desejado).**

    a. Sequência específica de conduta para alcançar o objetivo.

    b. Sinais de acesso (ex.: movimentos oculares, postura, respiração, etc...)

    c. Estado físico (função imunológica, nutrição, força, etc...)

3. **ESTRATÉGIA** – **Mapa mental ou programa cerebral que organiza e guia as nossas respostas e condutas físicas (corporais).**

    A. SISTEMA SENSORIAL (VAKO/G).

    b. SUBMODALIDADES: Qualidade da representação sensorial (ex.: intensidade, velocidade, localização, etc...)

    c. Sequência específica dos passos do plano.

4. **OUTROS RECURSOS** – **Habilidades técnicas apropriadas e necessárias para superar as interferências.**

5. **INTERFERÊNCIA** – **Fatores que podem obstruir o caminho para o objetivo desejado: OS SETE "C"**

    a. **CONFUSÃO:** Falta de clareza sobre os objetivos, passos, etc.

    RECURSOS: Habilidades para obter informações (Metamodelo).

    b. **CONTEÚDO:** Guardar material, *imputs*, etc... impróprios, inadequados, inúteis ("Lixo Entra, Lixo Sai").

    RECURSOS: Acuidade Sensorial e filtros de relevância.

    c. **CATÁSTROFES:** Traumas passados e impressões negativas da própria história pessoal.

    RECURSOS: Ancoragem, Dissociação, Re-imprinting.

    d. **COMPARAÇÃO:** Expectativas e critérios inapropriados.

    RECURSOS: Modelagem e Perícia em "Chunking" (Gerador de Novos Comportamentos).

    e. **CONFLITO:** Incongruência, ganho secundário, agendas ocultas, etc...

RECURSOS: Ressignificação, Rapport e habilidades de negociação.

f. **CONTEXTO:** Impedimentos externos.

RECURSOS: Acuidade Sensorial e flexibilidade de conduta.

g. **CONVICÇÃO:** Dúvidas sobre a possibilidade de alcançar o objetivo.

RECURSOS: Passeio ao futuro, estratégias de crenças, padrão de movimento.

6. **ECOLOGIA** – **Fatores do sistema ambiente que necessitam ser considerados ou preservados no objetivo desejado.**

Agora você já pode usar o modelo abaixo como ferramenta:

PASSEIO AO FUTURO

Leve a pessoa a experimentar seus resultados daqui a sete dias? Trinta dias, Seis meses, e um ano. Cheque a congruência.

ESTADO DESEJADO (Definir o que meu cliente quer. Qual é o Resultado?)

CRENÇAS DO CLIENTE
Em que ele crê? O que lhe é possível/impossível?

FISIOLOGIA
Estruture a fisiologia externa e interna

INTERFERÊNCIAS
O que esta interferindo de ter o ED?
Quais são os sabotadores? Agendas Ocultas?

RECURSOS
Que recursos são necessários?

ESTRATÉGIAS
Quais são as capacidades necessárias?

ECOLOGIA (Buscar o SIM as perguntas):
Tem uma boa sensação? É bom para você? É bom para os outros? Trabalha por um bem maior?

ESTADO ATUAL (Definir o que meu cliente tem. Qual é o problema?)

MINHAS CRENÇAS
Porque faço o que faço?
Em que eu acredito?

RAPPORT
Interno (comigo mesmo)
Externo (com o cliente)

PERCEPÇÃO SENSORIAL
Canais Sensoriais Limpos Para
Perceber o Meu Cliente

PENSAMENTO DE RESULTADO
Focar no positivo!

FLEXIBILIDADE DE CONDUTA
Estar Aberto a Novas Escolhas!

ECOLOGIA PESSOAL
Manter a Congruência!

SUA IDENTIDADE (Quem eu sou?)

O Mapa da Estrutura da Experiência Subjetiva

Segundo Richard Bandler a PNL é o *"estudo da estrutura da experiência subjetiva do ser humano e o que pode ser feito com ela."*

Este conceito é baseado na pressuposição de que todo comportamento tem uma estrutura e que esta pode ser descoberta, modelada e mudada (reprogramada).

Um comunicador exitoso utilizar-se-á desta estrutura tendo uma ideia clara da meta, acuidade sensorial e flexibilidade de conduta que o levarão pela passagem de todo o processo de mudança de forma exitosa: rapport – intervenção – recursos – intervenção – passeio ao futuro e passeio ao passado.

O rapport é a porta de entrada e ponto de ligação entre o practitioner 2.0 e o seu cliente (seja um indivíduo, casal, família, empresa ou time/equipe). Como intervenção inicial se fará o levantamento do Estado Atual e do Estado Desejado (positivo), se fará calibragem se utilizará o processo ROLE-BAGLE e o Metamodelo de Linguagem.

Então com o levantamento feito começaremos a dar recursos ao sistema (cliente) tais como: fazê-lo re-rexperienciar eventos passados, lidando com os modelos, a estrutura "como se", ancoragem e tantas outras quanto nos forem necessárias.

Assim, se checará novamente como estamos no processo de leva-lo do EA ao Ed intervindo novamente e se concluirmos que está ok, o levamos a realizar um passeio ao futuro e também podemos leva-lo a um passeio ao passado, para que ele agora possa vivenciar eventos antes limitantes com uma nova percepção e assim fazer uma mudança de representação dos mesmos.

Veja o esquema abaixo:

✓ RE-EXPERIÊNCIAS PASSADAS
✓ MODELOS
✓ COMO SE...
✓ ANCORAGEM

✓ ESTADO ATUAL
✓ ESTADO DESEJADO (+)
✓ CALIBRAGEM
✓ ROLE-BAGLE
✓ METAMODELO

RECURSOS

INTERVENÇÃO

IDÉIA CLARA DA META

COMUNICADOR

INTERVENÇÃO

RAPPORT
Ligar

ACUIDADE SENSORIAL

EXITOSO

FLEXIBILIDADE COMPORTAMENTAL

PASSEIO AO FUTURO &
PASSEIO AO PASSADO

INPUT E OUTPUT – A ESTRUTURA DE PERCEPÇÃO

Em termos comuns, o modelo de comunicação da PNL é sobre como você compreende o seu mundo e os comportamentos que você manifesta como resultado. Assim, vamos entender como você compreende o seu mundo (isto é, como filtra a informação pela deleção, distorção e generalização). Depois como une as suas representações internas – um produto dos seus filtros – com o seu comportamento.

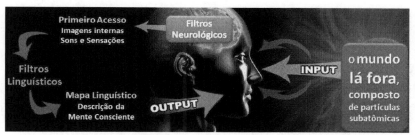

PERCEPÇÃO CONSCIENTE

Estima-se que o seu cérebro receba cerca de quatro bilhões de impulsos nervosos a cada segundo. Dos quatro bilhões de bits de informação, você está conscientemente percebendo cerca de 2.000 bits, ou cerca de 0,00005 por cento de toda a informação potencial. Absorver e processar mais dessa informação iria levá-lo a loucura ou seria uma distração tão grande que você não conseguiria funcionar.

FILTROS

Você já não foi ao cinema com um amigo, sentaram um ao lado do outro, viram exatamente o mesmo filme e um achou que foi o melhor filme que já viu e o outro achou o filme horrível? Como isso pode acontecer? É muito simples. Você e seu amigo filtraram a informação de modo diferente (diferentes crenças, valores, decisões, etc.). Em outras palavras, vocês perceberam o filme de modo diferente e, por essa razão, se comportaram de modo diferente em reação a ele.

Por sinal, quem colocou os seus filtros em prática? Você! – baseado no que aconteceu na sua família enquanto você crescia, nos ensinamentos da sua igreja (ou na ausência de uma religião), nas crenças e nos valores do local onde você viveu, nas decisões que você tomou sobre o mundo (isto é, um local seguro ou perigoso), etc. Se os seus filtros não estão criando os resultados que você deseja,

você é a única pessoa que pode mudá-los. O primeiro passo é perceber conscientemente os filtros que você tem e que tipo de realidade (resultados) eles estão criando para você.

FILTROS – DELEÇÕES, DISTORÇÕES E GENERALIZAÇÕES

Toda informação é filtrada da sua percepção consciente pela **deleção** (a omissão de uma parte de uma experiência, isto é, como você sente a camisa nas suas costas), pela **distorção** (o processo pelo qual algo na experiência interior é representado de maneira incorreta e limitadora, isto é, pela simplificação) ou pela **generalização** (o processo pelo qual uma experiência específica passa a representar toda uma classe de experiências ou todo um grupo de experiências).

Nós podemos fazer afirmações gerais sobre o que acreditamos, como vemos os outros, os nossos valores, etc. Nós ignoramos possíveis exceções ou condições especiais.

A maioria das generalizações são feitas através dos "Quantificadores Universais". Quantificadores universais são situações que podem ter ocorrido uma, duas ou três vezes e a pessoa generaliza como se ocorresse sempre ou nunca. Os quantificadores universais são normalmente palavras como: tudo, cada, nunca, sempre, somente, todos, ninguém, etc. Exemplo: *"Meu chefe nunca me dá crédito pelo o que eu faço."*

Pergunta(s) para recuperar as informações: nós podemos exagerar a generalização ou usar um contraexemplo. "Nunca?" ou "Já houve um tempo em que o seu chefe lhe deu crédito?"

As decisões baseadas em generalizações independentes do contexto são tomadas com informações insuficientes, em relação ao que acontece com as tomadas num contexto específico.

Se você está atento de que contextos diferentes mudam a verdade da afirmação, você está no caminho certo para reconhecer o perigo inerente de que generalizações podem se transformar em crenças limitantes. Então podemos entender porque as generalizações são a base dos preconceitos.

O que você realmente deleta, distorce e generaliza depende das suas crenças, linguagem, decisões, valores, memórias, meta programas, etc. Vamos olhar alguns exemplos para aumentar a sua compreensão de como isso funciona.

CRENÇAS

Suponhamos que você tenha a crença de que "não consigo fazer nada certo". Como você reagiria se alguém se aproximasse de você e dissesse: "Você fez um ótimo trabalho preparando aquele relatório?" Dependendo das circunstâncias, você pode rejeitar, diminuir ou deformar o feedback positivo recebido. Internamente, você pode pensar que ele não olhou detalhadamente, e quando o fizer, irá descobrir algo errado e mudar de opinião. Suponha que todos os dias lhe digam que fez um ótimo trabalho – você realmente escuta? Provavelmente não! E então uma pessoa chama sua atenção para uns erros de ortografia você fez na página 21. Isso repercute em você? Pode apostar que sim! Isso comprova a sua crença sobre você. Na perspectiva do 'filtro', você deletou e distorceu o feedback positivo e focou no negativo. Quais são as crenças que você tem sobre você, sobre os outros, sobre o mundo, que o limitam, acerca de quem você pode ser e do que você pode realizar?

LINGUAGEM (PALAVRAS)

Você pode escolher simplificar (distorcer) como você e sua esposa interagem ao se referir ao 'nosso relacionamento'. As palavras são interessantes. Elas são uma forma de código para representar a sua interpretação de algo. Se você quiser fazer uma brincadeira, junte um grupo de amigos e peça que cada um, de modo independente, escreva cinco palavras que para eles signifiquem 'relacionamento'. Eu aposto que ninguém aparece com as mesmas cinco palavras suas e, como um grupo, vocês podem nem ter alguma palavra em comum.

A palavra 'relacionamento' é um código para o que relacionamento significa para você, e eu imagino que a sua esposa tenha um significado completamente diferente para essa palavra. Porém, nós entramos em longas, e algumas vezes, acaloradas discussões com os nossos amados sobre o 'nosso relacionamento', sem nunca realmente discutir o que significa 'relacionamento' para cada um.

Se esse é um assunto de interesse para você, na próxima vez você pode querer se perguntar: "O que para você não está funcionando no nosso relacionamento (ou está sustentando o relacionamento) (e também o que está dando certo para você?)?" Isso fará surgir algo em que os dois possam realmente trabalhar juntos.

DECISÕES

Você toma decisões (isto é, generaliza) de modo que você não tenha que reaprender coisas todos os dias. Se você quer abrir uma porta, você aprendeu, há muito tempo atrás, (fez generalização) você pega na maçaneta, gira e empurra ou puxa e ela se abre – você não tem que passar toda vez, por todo o processo de reaprender como abrir uma porta. As generalizações são úteis e elas também podem nos meter em dificuldades.

Num experimento, os pesquisadores colocaram a maçaneta do mesmo lado das dobradiças da porta. O que você imagina que aconteceu quando eles deixaram adultos na sala? Eles iam até a porta, seguravam a maçaneta, giravam e aí tentavam abrir a porta empurrando-a ou puxando-a. Lógico, ela não abria.

Como resultado, os adultos decidiram que a porta estava fechada e eles estavam presos na sala! Crianças, por outro lado, que ainda não haviam feito a generalização sobre a maçaneta, simplesmente iam até a porta, a empurravam e saíam da sala. Os adultos, por causa das suas generalizações, criaram a realidade de estarem presos na sala quando de fato não estavam. Assim, quantas das nossas decisões (generalizações) sobre a esposa, o chefe, a maneira como as coisas funcionam, etc., o deixam 'preso', enquanto outros não são detidos por elas?

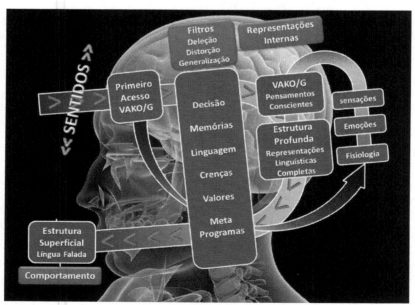

Um dos benefícios da PNL é descobrir esses filtros que colocamos em prática e como eles afetam o que vemos, ouvimos, sentimos; como reagimos aos outros e o que criamos na nossa vida. Assim que tomamos consciência dos filtros que não nos servem, podemos escolher, conscientemente ou com a ajuda da PNL, técnicas para modificá-los ou removê-los.

REPRESENTAÇÕES INTERNAS

Você se lembra de ter tomado café hoje de manhã? Como você se lembra disso? Você vê uma imagem na sua mente, ou há cheiros e sabores? Existem sons – talvez você possa ouvir um rádio na sua mente? Para recordar um evento, a sua mente usa figuras, sons, sensações, gostos, cheiros e palavras. Essas percepções do seu 'mundo externo' são chamadas de representações internas e são função dos seus filtros (isto é, crenças e valores). As suas percepções são aquilo que você considera ser 'real' ou, em outras palavras, a sua realidade.

Se você e eu tomamos café juntos, as nossas representações internas ou a percepção do café da manhã serão, muito provavelmente, semelhantes e diferentes em algum ponto – dependendo do que é importante para cada um de nós (nossos filtros). Café da manhã não é muito controverso. Mas e as nossas opiniões sobre a guerra do Iraque. Em função das nossas diferentes experiências, nós podemos perceber isso de um modo muito diferente com reações significativamente diferentes (comportamentos).

METAPROGRAMAS

Sabendo os metaprogramas de alguém pode ajudar de fato a clarear e predizer os estados da pessoa, e então prediz as suas ações. Um ponto importante sobre os Metaprogramas: eles não são bons ou ruins, eles são apenas o modo como alguém digere a informação.

VALORES

Os valores são essencialmente um filtro de avaliação. Eles são como nós decidimos se nossas ações são boas ou ruins, ou certas ou erradas. E eles são como nós decidimos sobre como nós nos sentimos sobre nossas ações. Os valores são organizados em uma hierarquia do mais importante que está tipicamente no topo e os que estão abaixo deste. Todos nós temos modelos diferentes de mundo (um modelo interno sobre o mundo), e nossos valores são o resultado de nosso modelo do mundo. Quando nós comunicamos conosco mesmos ou outra pessoa, se nosso modelo dos conflitos mundiais com nossos valores ou os valores deles, então lá vai haver um conflito. Richard Bandler diz, "Os valores são até as coisas as quais nós não vivemos."

Valores são tipicamente o que movem as pessoas ou as afastam (veja Metaprogramas). Eles são nossas atrações ou repulsão na vida. Eles são essencialmente um fundo, sistema de convicção inconsciente sobre o que é importante e o que é bom ou ruim para nós. Os valores também mudam conforme o contexto. Quer dizer, você tem certos valores provavelmente sobre o que você quer numa relação e o que você quer num negócio. Seus valores sobre o que você quer em um e no outro pode ser bastante diferente. E de fato, se eles não forem, é possível que você possa ter dificuldades com ambos. Considerando que os valores são o contexto relacionado, eles também podem ser estados relacionados, embora os valores sejam definitivamente menos relacionados com o estado do que sejam as convicções.

RECORDAÇÕES/MEMÓRIAS

As nossas recordações, de fato, alguns psicólogos acreditam que conforme nós envelhecemos, nossas reações no presente são reações a gestalts (coleções de memórias que são organizadas de um certo modo) de recordações passadas, e que o ato presente é uma pequena parte em nosso comportamento.

REPRESENTAÇÕES INTERNAS E COMPORTAMENTOS

Você gostaria de ver o efeito que as representações internas têm sobre o seu comportamento? Você pode lembrar de um evento realmente alegre da sua vida? Feche seus olhos e consiga uma imagem desse evento na sua mente, traga algum som, sensações, gostos e cheiros. Experimente completamente o evento na sua mente. Assim que tiver feito isso, repare se existe alguma mudança na sua fisiologia. Talvez como resultado dessas memórias (representações internas), você ficou com um sorriso no rosto, ou sentou-se mais ereto, ou talvez respirou mais fundo. Tenho certeza de que a sua fisiologia mudou de alguma maneira. Eu não pedi que você mudasse a sua fisiologia, pedi? O que isso demonstra é que as imagens, os sons, etc. (representações internas) que você faz na sua mente, influenciam a sua fisiologia e, em consequência, a sua escolha e palavras, o tom de voz que você usa e os comportamentos que você manifesta.

Agora sente-se mais ereto, coloque um sorriso no rosto e respire profundamente. Enquanto faz isto, sinta-se triste. Eu posso apostar que você não consegue se sentir triste sem mudar a sua fisiologia (isto é, respiração curta, ombros curvados, etc.). Isso ilustra que a sua fisiologia influencia as suas representações internas (sentindo-se triste ou alegre). Na próxima vez que estiver se sentindo triste ou deprimido, o que você pode fazer? – Participe em alguma atividade física (isto é, caminhada acelerada, exercícios).

Outro exemplo: suponha que você acredite que seu chefe ou alguém na sua família é "uma mula". Você está a caminho de ver seu chefe e na sua mente, você pensa "Que asno!" Não somente você pensa assim, como você tem representações internas (imagens, sons e sensações) de eventos anteriores que comprovam isso – a sua realidade. Com o que a sua fisiologia estará parecida quando você entrar na sala dele, qual o seu tom de voz ou as palavras que vai usar? Dado o seu comportamento, você acha que ele irá apoiar a sua ideia ou fazer aquilo que você sugeriu? Eu duvido, e o que mais ele fez? Provou uma vez mais que, de fato, é "uma mula"!

Suponha que um dos seus colegas de trabalho ache que o chefe de vocês é excelente! Que tipo de representações internas você acha que ele faz na mente dele sobre o chefe de vocês? E sobre a fisiologia dele, o tom de voz ou as palavras que ele usa? E os resultados que ele consegue com o chefe? Por causa das percepções diferentes de vocês, cada um criou resultados diferentes e, por isso, realidades diferentes!

AS CATEGORIAS DE INTERVENÇÃO DA PNL

As categorias de intervenção da PNL podem ser descritas por três interessantes parâmetros:

1. "NÍVEIS NEUROLÓGICOS" – a "profundidade" da intervenção, dos processos apontados para realizar mudanças simples no ambiente da pessoa, por mudanças no comportamento, capacidade, convicções, identidade e espírito.

2. ORIENTAÇÃO TEMPORAL – passado, presente e futuro.

3. POSIÇÕES PERCEPTUAIS – experienciar o mundo da posição do self (1ª posição), da outra pessoa (2ª posição, e do observador (3ª posição); aos quais pode ser associado ou dissociado.

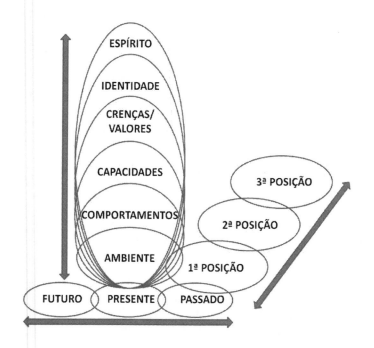

IDENTIFICANDO OS "COMPONENTES" E ESTRUTURA DA PERSONALIDADE

❖ Como nós pensamos sobre: os valores, percepção, reação, entendimento, convicções/crenças?

❖ Como nós nos sentimos: fisicamente experimentamos sensações corporais?

❖ Como nós nos emocionamos: o significado dado para cada sensação e experiência?

❖ Que experiências de referência usamos para dar significados aos atributos?

❖ Como nós falamos: os padrões de linguagem, uso, sintaxe, contexto?

❖ Como nós agimos: os comportamentos, ações, gestos, etc.?

❖ Como nós relatamos aos outros: estilo, natureza, intenção, etc.?

AS TRÊS AVENIDAS DA PERSONALIDADE

LINGUAGEM   A linguagem neurológica – Visual, Auditiva, Cinestésica, Olfativa, Gustativa (VAKO/G) – pela qual nós representamos as coisas e os sistemas Linguísticos meta-representacionais.

PERCEPÇÃO   Os filtros perceptuais que governam seu estilo de pensamento e os seus padrões e que determinam sua perspectiva.

ESTADO   O estado depende da experiência Neurolinguística – a mente-corpo ou estado de pensamento-sentimento no qual nós vivemos e do qual nós operamos e do qual estruturamos os mais elevados conceitos, convicções, valores, identificações, expectativas, suposições, decisões, etc.

NÍVEIS DE COMPETÊNCIA

A melhor aprendizagem contém elementos de aprendizagem conscientes e inconscientes. Na realidade para realmente superar qualquer coisa, nós precisamos ter incorporado e ter acesso a aprendizagem inconsciente.

Considere esta sucessão de aprendizagem como nós aprendemos, por exemplo, dirigir um carro:

	COMPETÊNCIA	INCOMPETÊNCIA
INCONSCIENTE	**❹** Depois de um tempo, nós nos encontraremos dirigindo sem pensar consciente. Você alguma vez dirigiu de casa ao trabalho, e percebeu que não se lembra da viagem? Aqui nossa competência tornou-se inconsciente.	**❶** Como um recém-nascido, nós nem mesmo sabemos que nós não podemos dirigir um carro. Nós temos incompetência inconsciente quanto a habilidade de dirigir.
CONSCIENTE	**❸** Aprendemos a dirigir um carro, e no princípio quando nós ganhamos nossa licença, nós certamente podemos executar as várias habilidades envolvidas, mas nós fazemos isso tudo conscientemente, intensamente atentos em pisar na embreagem e acelerador junto, freando, dando seta, vendo a estrada e os carros a nossa volta, conferindo os espelhos, etc, etc, etc. Nós temos competência consciente.	**❷** Como uma criança ou um adolescente, nós estamos atentos que nós não podemos, ainda, dirigir um carro. Nós estamos conscientes de nossa incompetência.

NEUROCIÊNCIA – O ESTUDO DO CÉREBRO HUMANO

DOIS GRANDES AVANÇOS...

Imagine seu cérebro como um melão sendo cortado ao meio pela diagonal ou na transversal, foi isto o que ocorreu durante o século XX, com cirurgiões cortando cérebros humanos vivos em duas partes. O primeiro destes procedimentos cirúrgicos foi seccionada a porção anterior do cérebro numa tentativa de trazer alívio a pessoas portadoras de psicoses graves. Posteriormente, buscando ajudar as vítimas acometidas por epilepsia generalizada (*grand mal*), foi-se separado os hemisférios cerebrais.

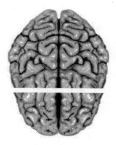

Lobotomia Pré-Frontal

Psicoses Graves

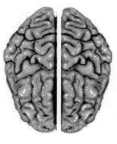

Comissurotomia

Epilepsia Generalizada

Para se sentir bem mentalmente, os impulsos nervosos no cérebro precisam funcionar adequadamente. Em meados da década de 1930, o dr. Egas Moniz introduziu a lobotomia, uma operação cirúrgica envolvendo uma incisão no lobo pré-frontal para atenuar sintomas graves de doenças mentais graves. A operação foi generalizada durante as décadas de 1940 e 1950, mas ficou claro que isso poderia levar a sérias mudanças de personalidade. O uso de lobotomias diminuiu drasticamente quando os medicamentos para doenças mentais foram desenvolvidos durante a década de 1950.

Na década de 60, o neurocientista Dr. Michael Gazzinaga, juntamente com outros três colegas (Roger W. Sperry, Joseph E. Bogen, P. J. Vogel), revolucionou os estudos sobre o cérebro descrevendo, o que acontecia com o funcionamento mental quando a principal via de comunicação neuronal entre os hemisférios cerebrais ficava interrompida. Essa "ponte" neuronal, chamada corpo caloso, é a principal responsável pela integração das atividades dos dois hemisférios. Sua ruptura – anatômica ou funcional – estabelece um estado de coisas no qual cada metade do cérebro passa a funcionar de modo praticamente independente em relação à outra, permitindo que se conheça melhor as especificidades neurofisiológicas de cada uma.

Tornou-se claro, por exemplo, que em tais circunstâncias a informação visual não podia mais mover-se entre os dois lados. "Se nós projetássemos uma imagem para o campo visual direito – ou seja, para o hemisfério esquerdo, onde a informação do campo direito é processada – os pacientes eram capazes de descrever o que viam. Mas quando a mesma imagem era apresentada ao campo visual esquerdo, os pacientes tinham um branco: eles diziam que não viam nada".

Inúmeras outras descobertas foram relatadas. A mais amplamente difundida foi a de que os dois hemisférios controlam aspectos muito diferentes da linguagem e da ação. Cada metade tem sua própria especialização: o cérebro esquerdo é dominante para a linguagem e para a fala, enquanto o cérebro direito é especializado nas atividades visio-motoras. Contudo, o autor lembra que a secção do corpo caloso não interrompe a comunicação inter-hemisférica de modo absoluto, pois permanecem vias menores de contato anatômico através das chamadas "comissuras" cerebrais, o que limita as extrapolações que podem ser feitas.

Observou-se, por exemplo, que apesar da especialização de cada hemisfério, há um grande potencial de plasticidade e de variação individual. O aumento do conhecimento sobre a metade direita mostrou que, apesar de esta não possuir uma capacidade de sintaxe sofisticada, é altamente provável que ela possa ampliar consideravelmente seus conhecimentos lexicais. As lesões no hemisfério esquerdo são, de longe, muito mais deletérias para a função da linguagem do que as do direito. Mas já foram descritos casos de pacientes que após vários anos de destruição parcial ou completa dessa parte, puderam desenvolver uma escrita "direita".

Da mesma forma, descobriu-se que os dois hemisférios diferem quanto a suas formas de processar novos dados. O hemisfério esquerdo possui uma maneira mais afetiva para lidar e interpretar a memória: "Quando confrontadas a novas informações, as pessoas geralmente lembram-se do que elas realmente experimentaram. Quando questionadas, usualmente lembram de coisas que não fez parte verdadeiramente da experiência. Se tais testes são dados a pacientes com o cérebro cindido, o hemisfério esquerdo gera muitos relatos falsos. Mas o direito, não; ele fornece uma reprodução mais verídica".

O futuro da pesquisa nessa área é apontado na seguinte direção: tratar do fato de que embora ambos hemisférios possam ser vistos como conscientes, a consciência do inventivo e interpretante cérebro esquerdo ultrapassa de longe o cérebro direito, realista e literal.

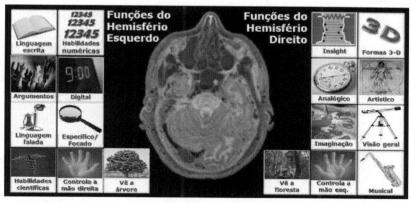

Outra teoria que deu um grande salto no entendimento do cérebro foi a **Teoria do Cérebro Trino** foi desenvolvida nos anos 1970 pelo neurocientista Paul D. MacLean e apresentada em 1990 no seu livro *"The Triune Brain in Evolution: Role in Paleocerebral Functions"*. MacLean argumenta a hipótese de que nós, humanos e primatas, temos o cérebro dividido em três unidades funcionais distintas. Cada uma dessas unidades representa um extrato evolutivo do Sistema Nervoso dos Vertebrados.

Segundo a teoria de MacLean, o cérebro humano seria composto por três sistemas interdependentes, porém distintos:

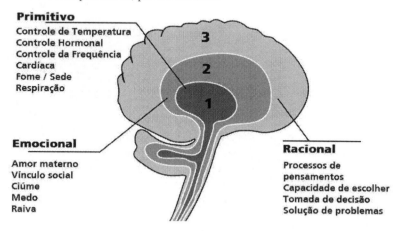

Primitivo

Controle de Temperatura
Controle Hormonal
Controle da Frequência
Cardíaca
Fome / Sede
Respiração

Emocional

Amor materno
Vínculo social
Ciúme
Medo
Raiva

Racional

Processos de
pensamentos
Capacidade de escolher
Tomada de decisão
Solução de problemas

1) O Cérebro Reptiliano ou Cérebro Basal, **ou ainda, como o chamou MacLean, "R-complex", é formado apenas pela Medula Espinhal e pelas porções basais do Prosencéfalo.**

Esse primeiro nível de organização cerebral é capaz apenas de promover reflexos simples, o que ocorre em répteis, por isso o nome "reptiliano". Conhecido como "cérebro instintivo", tem como característica a garantia da sobrevivência, além de ser responsável pela regulação das funções e sensações primárias como fome, sede, sono, entre outras.

2) O Cérebro Límbico ou Cérebro Emocional, **que é o Cérebro dos Mamíferos Inferiores, ou "*Paleommamalian Brain*", é o segundo nível funcional do sistema nervoso e, além dos componentes do cérebro reptiliano, conta com os núcleos da base do Telencéfalo, responsáveis pela motricidade grosseira, pelo**

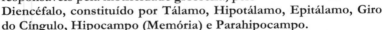

Diencéfalo, constituído por Tálamo, Hipotálamo, Epitálamo, Giro do Cíngulo, Hipocampo (Memória) e Parahipocampo. Esses últimos componentes são integrantes do Sistema Límbico, que é responsável por controlar o comportamento emocional dos indivíduos, daí o nome de Cérebro Emocional. Esse nível de organização corresponde ao cérebro da maioria dos Mamíferos.

3) O Cérebro Neocórtex ou Cérebro Racional, **conhecido também apenas como neocórtex, é composto pelo córtex telencefálico. Esse por sua vez é dividido em lobos (ou regiões):**

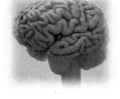

- *Lobo Frontal* – **Responsável pela elaboração do pensamento, planejamento, programação de necessidades individuais e emoção.**

- *Lobo Parietal* – **Responsável pela sensação de dor, tato, gustação, temperatura, pressão. Estimulação de certas regiões deste lobo em pacientes conscientes, produzem sensações gustativas. Também está relacionado com a lógica matemática.**

- *Lobo Temporal* – **É relacionado primariamente com o sentido de audição, possibilitando o reconhecimento de tons específicos e intensidade do som. Tumor ou acidente afetando esta região** provoca deficiência de audição ou surdez. Esta área também exibe um papel no processamento da memória e emoção.

- *Lobo Occipital* – **Responsável pelo processamento da informação visual.**

- *Lobo Límbico* – **Está envolvido com aspectos do comportamento emocional e sexual e com o processamento da memória.**

O Cérebro Racional é o que diferencia o homem/primata dos demais animais. Segundo MacLean, é apenas pela presença do neocórtex que o homem consegue desenvolver o pensamento abstrato e tem capacidade de gerar invenções.

O nome Neocórtex significa "Novo Córtex" ou "Córtex mais Recente". É a denominação que recebem todas as áreas mais evoluídas do córtex. Recebe este nome pois no processo evolutivo é a região do cérebro evoluída mais recentemente. Estas áreas constituem a "capa" neural que recobre os lóbulos pré-frontais e, em especial, os lobos frontais dos mamíferos.

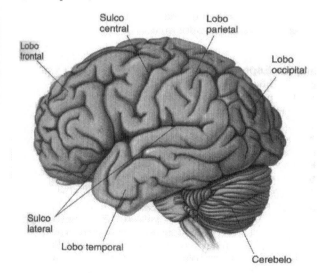

É a porção anatomicamente mais complexa do córtex. Separa-se do córtex olfativo por meio de um sulco denominado fissura rinal. Possui diversas camadas celulares e diversas áreas envolvidas com as atividades motoras, intimamente envolvidas com o controle dos movimentos voluntários, e funções sensoriais. Encontram-se muito desenvolvidas nos primatas e tem seu maior desenvolvimento no Homo Sapiens, o ser humano atual.

Entendendo como funcionam os sistemas Reptiliano, Límbico e Neocórtex, os profissionais de marketing criam abordagens diferentes de acordo com o produto ou serviço oferecido, influenciando diferentes áreas do cérebro em busca da máxima eficiência de suas ofertas, aumentando a percepção de valor, criando sensações positivas ou utilizando técnicas de persuasão mais eficazes.

Unindo todas estas teorias podemos entender hoje muito melhor como nosso cérebro processa as informações e com isso estruturar um Quadrante Cerebral, que nos ajuda a entender melhor como e porque as pessoas fazem ou deixam de fazer algo. Abaixo você encontra um esquema dos quadrantes cerebrais com a nomenclatura de como ele é conhecido e suas principais características, este trabalho foi desenvolvido pelo Brain Technologies Corporation, com sede nos EUA, através de seus fundadores Dudley Lynch e Paul. L. Kordis.

USANDO TODO O SEU CÉREBRO, VOCÊ PODE VENCER O JOGO

EU CONTROLO
Visionário,
inovador,
pesquisador

EU EXPLORO
Visionário,
inovador,
pesquisador

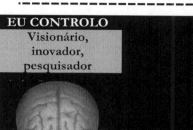

Sequencial,
equilibrado,
planejador, previsível,
metódico, racional,
realista, logico

Orientado para
mudança, para ideias,
busca variedade,
reorganizador,
experimental,
imaginativo,
sonhador, sintético

EU PERSIGO
Competidor,
realizador

EU PRESERVO
Associativo,
agregador,
guardião

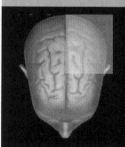

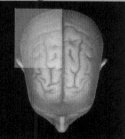

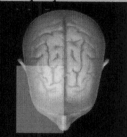

Prático, decisivo,
produtivo, entusiasta,
adaptativo,
energético,
pragmático, anseia
por resultados

Direto, estável,
emotivo, idealista,
defensor, sentimental,
espontâneo,
tradicionalista

 *Charton Baggio Scheneider*

HABILIDADES BÁSICAS ESPERADAS NUM PRACTITIONER EM PNL

1. **Habilidades de Rapport**
   a. Predicados
   b. Acompanhamento e Liderança (verbal e não-verbal)
   c. Falando em Positivo
   d. Up-Time (Acuidade Sensorial Externa)

2. **Descobrindo e Reunindo Informações**
   a. Metamodelo
   b. Objetivos Bem Formulados
   c. Condições de Boa forma
   d. Formulação de Resultados
   e. Estado Desejado
   f. Estado Presente

3. **Habilidades de Observação**
   a. Sinais Mínimos
   b. Congruência e Incongruência
   c. Simetria / Assimetria
   d. Submodalidades
   e. Padrões Oculares Universais

4. **Habilidades Técnicas**
   a. Peak State
   b. Submodalidades
   c. Ancoragem (VAK): Somação, encadeamento e Colapso
   d. Metamodelo
   e. Ressignificação (Contexto/Conteúdo/Seis Passos)
   f. Dissociação V-K
   g. Mudança de História
   h. Estratégias (Descobrimento e Incorporação)
   i. Metáforas
   j. Modelo de Milton Erickson
   k. Passeio ao Futuro

l.   Teste de Seu Trabalho

m. Gerador de Novas Condutas

n. Padrão Swish

o. Condicionamento Neuroassociativo

p. Padrão de cura de fobia

q. Gerador de novos comportamentos

Charton Baggio Scheneider

A Excelência na Comunicação

REVISÃO DOS PADRÕES LINGUÍSTICOS

A linguagem dirige nossos pensamentos para direções específicas e, de alguma maneira, ela nos ajuda a criar a nossa realidade, potencializando ou limitando nossas possibilidades. A habilidade de usar a linguagem com precisão é essencial para nos comunicarmos melhor.

A seguir estão algumas palavras e expressões a que devemos estar atentos quando falamos porque elas podem nos atrapalhar. São elas:

Falar em positivo – cuidado com a palavra *não*, a frase que contém "não" para ser compreendida, traz a mente o que está junto com ela. O "não" existe apenas na linguagem e não na experiência. Por exemplo, pense em "não" ... (não vem nada a mente). Agora vou lhe pedir "não pense na cor vermelha" eu pedi para você não pensar na cor vermelha e você pensou. Procure falar no positivo, o que você quer e não o que você não quer. Assim, sempre instale as mensagens que você quer transmitir.

Quando usamos a palavra "não", temos a melhor intenção possível: evitar que nossos filhos sejam atropelados, destruam a casa, peguem o que não é deles, caiam do muro ou matem o gato. Assim, você diz: "Não bote a mão aí". Mas seu filho bota assim mesmo. Por que tantas vezes é tão difícil fazer uma criança obedecer a um não?

No livro em quadrinhos "*Asterix Gladiador*", o personagem gaulês, revoltado com a brutalidade do treino dos gladiadores, propõe a eles um novo jogo: fazer perguntas uns aos outros e respondê-las sem usar as palavras "sim", "não", "branco" e "preto". O resultado, claro, é hilário: homens enormes e armados sentados placidamente em roda lutando, como crianças, com a dificuldade de impedir seu cérebro de usar essas palavras tão comuns.

O cérebro dos seus filhos enfrenta o mesmo problema toda vez que ouve um "não" – com o agravante de ainda não ser tão capaz quanto o cérebro de um adulto de controlar seus impulsos. Grande ou pequeno, toda vez que ouve uma palavra ou frase, ordem ou não, o cérebro se prepara para lidar com o assunto, ativa os circuitos que representam essas ideias e monta um programa motor que as une. Se há um "não" na frente, o córtex pré-frontal entende que precisa controlar os impulsos do cérebro e impedir que o programa montado seja executado – ou ao menos isso é o que você espera dele.

Assim, quando uma criança ouve uma frase como "não ponha a mão na tomada", as representações cerebrais das ideias "pôr", "mão" e "tomada" são imediatamente ativadas e reunidas em um programa motor que fica a postos. Mas controlar impulsos ainda não é o forte do córtex pré-frontal infantil, que deixa muitos programas motores passarem e serem executados indevidamente.

Para piorar, há, é claro, as crianças rebeldes, cujo pré-frontal ignora "nãos", e outras que já ouviram tantos "nãos" desnecessários na vida que aprenderam que boa parte deles pode ser ignorada em segurança.

Além disso, o córtex pré-frontal imaturo da criança ainda precisa lutar contra os ímpetos do sistema de recompensa, que quer experimentar tudo agora. Por isso, dizer "não pule" a uma criança em cima de um muro alto é um convite ao seu cérebro para primeiro ativar a ideia de pular para só então, com sorte, reprimir esse impulso. Ou seja, é uma receita para o desastre.

Como evitá-lo? Ah, a dica da neurociência para uma alternativa eficaz ao "não".

Assim, vamos novamente ao desafio: um, dois, três e... Não pense em um elefante cor-de-rosa! Conseguiu? Duvido muito. A razão para um rechonchudo elefante cor-de-rosa aparecer automaticamente em sua mente é a mesma pela qual crianças pequenas têm dificuldade em obedecer a "nãos" variados: o cérebro ativa automaticamente suas representações de "elefante-cor-de-rosa", "por-a-mão-na-tomada", "pular-do-muro" ou "atravessar-a-rua" toda vez que ouve essas palavras.

Quando são precedidas por um "não", o córtex pré-frontal entende que deve impedir a execução dos programas respectivos, mas, como o pré-frontal infantil nem sempre consegue fazer isso, o "não pule!" vira um convite ao desastre. Como evitá-lo e conseguir que uma criança não faça o que não deve? **A dica da neurociência é tirar partido da própria ativação automática de ideias e aprender a usá-la a seu favor.**

Isso requer algum treino, é verdade, mas você tem muito mais chances de conseguir que uma criança não pule do muro alto se você fizer o seu córtex pré-frontal -o seu, leitor, já crescidinho- conter o impulso de gritar "Não pule!" para, ao invés disso, dizer "Fique bem quietinho!" enquanto você se aproxima.

Devido justamente à ativação automática dos programas motores, é muito mais fácil conseguir, com uma ordem, que uma criança faça algo inofensivo, como ficar parada, do que obter de seu córtex pré-frontal controle suficiente para não fazer algo perigoso.

Aproveitar a facilidade do cérebro infantil para dizer "sim" resolve até problemas mais inofensivos do dia-a-dia, como minha irmã uma vez demonstrou.

Uma tarde, quando nada mais convencia minha filha de uns três anos a largar os brinquedos para entrar na banheira, minha irmã resolveu o problema convidando-a, em sua voz mais animada, de olhos arregalados, dando pulinhos e batendo palmas de alegria e excitação, como se aquela fosse uma oportunidade ímpar: "Tive uma ideia: vamos tomar banho? Vamos? Vamos???". Ela foi.

Ser positivo e sugerir às crianças o que elas podem fazer, ao invés da besteira do momento, é mais agradável e menos frustrante para todo mundo do que lutar com negações, principalmente quando as alternativas permitidas são atraentes e interessantes. Deixo aqui, então, um convite ao leitor: experimente usar o seu córtex pré-frontal, já maduro, para não dizer "Não faça!" à sua criança e, ao invés disso, oferecer-lhe coisas que ela possa fazer. Ajude o cérebro do seu filho a dizer "Sim!".

Eliminar a palavra "mas" permitindo a possibilidade de outras ideias. A palavra "mas" nega tudo o que vem antes. Por exemplo: "O Pedro é um rapaz inteligente, esforçado, *mas*...". Ao invés disso use as três estruturas de entendimento:

- *"Eu aprecio e...",*
- *"Eu respeito e...",*
- *"Eu concordo e..."*

O poder da entonação. A Entonação não depende de gestos, vocabulário, gramática, organização das ideias, objetividade e de outros recursos que, de maneira geral, atraem e estimulam as pessoas a se desenvolver para falar de forma correta e desembaraçada. Acompanhe comigo passo a passo tudo o que precisa saber para usar com propriedade a entonação e tornar-se mais eficiente.

Levando em consideração o interesse e a expectativa criada pelo ouvinte com relação à mensagem e à forma como ela será transmitida para ele, a entonação é classificatória, ou seja, a maneira como falamos classifica as pessoas às quais nos dirigimos.

Você será avaliado pela maneira como constrói as frases, conjuga os verbos, faz as concordâncias. As pessoas observarão a maneira como você usa a língua para fazer uma avaliação a seu respeito. Esse é um dos pontos mais importantes, senão o mais relevante, referente à entonação.

Quando você fala com uma pessoa de baixa formação intelectual, observe como a tendência é explicar com cuidado todas as informações para facilitar o entendimento dela. Essa forma quase didática de falar, semelhante à que usamos quando conversamos com as crianças, classifica o ouvinte como alguém despreparado. Ao contrário, quando o ouvinte possui bom preparo, a

comunicação perde essa característica didática e você se expressa sem a preocupação de explicar detalhadamente o que pretende dizer.

A importância da conscientização de que a entonação é classificatória está justificada no risco permanente de que um pequeno deslize na avaliação feita sobre a formação das características dos ouvintes pode trazer consequências negativas irreversíveis.

Por exemplo, se você afirmar para uma plateia que houve um trabalho intenso para tornar as informações mais fáceis de ser compreendidas por eles, talvez semeie antipatia e resistência, pois pode passar uma mensagem de que os mesmos são despreparados.

Quando fazemos perguntas costumamos terminar em uma elevação da entonação, enquanto as afirmações não. Ordens geralmente terminam com uma entonação decrescente. Se você perguntar: "Quanto você quer mudar?" e permitir que a sua voz decresça, a pergunta aparentemente assume o impacto de uma ordem, reforço do pressuposto de que "você quer mudar."

A entonação tem o poder de mudar totalmente o sentido de uma frase, vamos ver um exemplo, com a frase: "Eu não disse que ele roubou o dinheiro.", colocando-se a ênfase em diferentes locais possa alterar o sentido desta simples frase em cinco, vejamos:

1. *EU não disse que ele roubou o dinheiro* **– então quem disse?**
2. *Eu NÃO DISSE que ele roubou o dinheiro* **– então o que foi que você disse?**
3. *Eu não disse QUE ELE roubou o dinheiro* **– então quem foi?**
4. *Eu não disse que ele ROUBOU o dinheiro* **– então o que foi que ele fez?**
5. *Eu não disse que ele roubou O DINHEIRO* **– então o que ele roubou?**

Assim, enfatizar o processo que quer conseguir usando a sua entonação para tal. Vejamos mais um exemplo:

- *"O QUE você pensa?"*
- *"O que VOCÊ pensa?"*
- *"O que você PENSA?"*

Cuidado com as palavras que limitam. Vejamos:

- *Acrescentar a palavra "AINDA" ao "Não Posso".* **Tenha cuidado com declarações do tipo "não posso" ou "não consigo", pois elas dão a ideia de incapacidade pessoal, e fez delas diga: "não quero", "decido não..." ou "não podia", "não conseguia", que** pressupõe que vai poder ou conseguir. Ao acrescentar o "ainda" antes do "não posso" ("ainda não posso") abre sua mente para a possibilidade de vir a poder, de conseguir.

- *Evite "Tentar", FAÇA.* A palavra "TENTAR" pressupõe a possibilidade de falha. Por exemplo, "Vou tentar encontrar com você amanhã às oito horas." Isso o coloca com grande chance de não ir, pois, você vai "tentar".

- *As palavras DEVO, TENHO QUE ou PRECISO,* são palavras que pressupõe que algo externo controla sua vida. Em vez delas, use **QUERO, DECIDO, VOU.**

- *As frases NÃO POSSO ou NÃO CONSIGO,* dão a ideia de incapacidade pessoal. Use **NÃO QUERO, DECIDO NÃO,** ou **NÃO PODIA, NÃO CONSEGUIA,** que pressupõe que vai poder ou conseguir.

- *Use o verbo no tempo passado ao falar dos problemas ou das descrições negativas de si mesmo.* Isto libera o presente. Por exemplo, "Eu tinha dificuldades de fazer isso".

- *Utilize o tempo presente do verbo para falar das mudanças desejadas para o futuro.* Por exemplo, em vez de dizer "vou conseguir", diga "estou conseguindo".

- *Substitua SE por QUANDO.* Por exemplo, em vez de falar "SE eu conseguir ganhar dinheiro eu vou viajar", fale, "QUANDO eu conseguir ganhar dinheiro eu vou viajar". "Quando" pressupõe que você está decidido.

- *Substitua ESPERO por SEI.* Por exemplo, em vez de falar, "Eu ESPERO aprender isso", fale: "Eu SEI que vou aprender isso". "Esperar" suscita dúvidas e enfraquece a linguagem.

- *Substitua o CONDICIONAL pelo PRESENTE.* Por exemplo, em vez de dizer "Eu GOSTARIA de agradecer a presença de vocês, diga "Eu AGRADEÇO a presença de vocês". O verbo no presente fica mais concreto e mais forte

Seja congruente. Você deseja que suas palavras, tom, expressões faciais e gestos concordem com a mensagem que quer transmitir. Ter congruência é fazer o que recomenda. Ter congruência na linguagem e na ação. Ter alinhamento entre as próprias crenças e valores e o comportamento. Agir a partir dos próprios valores essenciais. Integrar todos os aspectos de quem somos. Estar cientes de nossos processos internos e crenças e comportar-nos de forma congruente com eles. Ser verdadeiros em nossas ações.

Uma frase que também define bem: *"Nada pior do que um bom conselho seguido de um mau exemplo."*

Congruência é o nome do estado no qual cada fibra do seu ser está em harmonia. Não importa onde esteja a sua atenção, ela não estará dispersa. Se você está admirando um pôr do sol ou trocando um pneu furado, nenhuma parte sua estará atendendo a uma outra coisa. Nenhuma parte estará murmurando "na realidade, você deveria estar começando a preparar o jantar" ou "eu deveria ter conferido o voo mais cedo". Nenhuma parte estará imaginando como incrementar esse pôr do sol com um pouco mais de laranja, ou pensando em como conseguir pneus novos. Nenhuma parte vai querer mudar de posição porque as suas costas estão um pouco desconfortáveis.

Não existe nenhum "tem que", "deveria", "escolhas", "desejos" ou "possibilidades" se introduzindo no que você está fazendo no momento. Se você está realmente observando o pôr do sol ou trocando um pneu dessa maneira, você pode, você quer, você está e você escolheu fazer ISSO, e não outra coisa.

Contudo, a vida no dia a dia nos apresenta continuamente alternativas para escolher. "Qual delas vou apreciar mais?" A variedade e diversidade das nossas necessidades e nossos desejos fornecem outro conjunto de oportunidades para a incongruência. "Eu vou comer agora, faço aquela chamada telefônica ou continuo a ler este artigo?"

A congruência é desejada, em particular, pelas pessoas que têm violentos conflitos internos consigo mesmas, com distintas partes advertindo repetidamente sobre as alternativas percebidas como importantes para a nossa vida. Uma parte da pessoa quer se viciar em chocolate, drogas, compras ou em fofocas, enquanto outra parte reconhece que as consequências futuras serão indesejáveis, e que outra escolha pode ser muito mais satisfatória. As pessoas buscam a congruência quando uma incongruência é importante, está infiltrada e é permanente. Em situações como esta, a importância de se alcançar a congruência é óbvia, e a PNL tem inúmeras maneiras efetivas para ajudar as pessoas a alcançarem resoluções satisfatórias para os conflitos.

Seja consistente. Fazer alguma coisa *todos os dias* no sentido do que realmente desejamos não pode atingir o debate interno. Você pode tomar muita ação ou pouca ação, mas a consistência sobre a ação é a chave. Quando nos comprometemos com alguma ação todos os dias, não importa o que seja, paramos de drenar nossa energia no vai-e-vem do "eu deveria ou não deveria?"

Faça suas metas e seus sonhos pelo menos tão importantes quanto o seu trabalho!

Faça coincidir os estilos de linguagem VAK (Visual-Auditiva-Cinestésica). Todo mundo estrutura a sua experiência do mundo através dos cinco sentidos – visão, audição, tato, paladar e olfato. (Para a nossa finalidade, paladar e olfato serão classificados sob sensação, ou como categoria cinestésica.). Assim, coincidir os estilos de linguagem das pessoas gera harmonia, empatia e confiança.

Faça concordar o ritmo da fala com a qualidade da voz. Juntamente com coincidir a linguagem VAK faz gerar rapport – harmonia, empatia e confiança.

Escolha sua atitude. A atitude é a coisa mais importante. Nossas ações falam mais alto que as palavras. A linguagem corporal, que inclui postura, expressão e gesto, é responsável por mais da metade da reação dos outros. Ao manter boa atitude diante das adversidades, a pessoa deve ignorar a negatividade, assumindo o controle do seu bom humor. Esses passos devem ser repetidos nas semanas seguintes. Quando o cérebro aprender um caminho mais fácil para a felicidade, não vai querer voltar para a negatividade.

Desarme a irritação pela técnica do "esfumaçamento"[3], reconhecendo seu próprio estado e, leve para a direção desejada fazendo perguntas.

---

[3] Veremos este tema mais adiante quando estudarmos o Chunking e o Fogging.

COMUNICAÇÃO - ENTRANDO EM AÇÃO

Quando observamos com atenção as pessoas de sucesso, descobrimos que o seu maior dom, não é uma característica externa, mas sim, **a sua capacidade de fazer com que ela própria entre em ação.** São pessoas que sabem que para cada grande sucesso a se alcançar, deve-se superar obstáculos – e estes podem nos ajudar a alcançar um sucesso maior e, sem sombra de dúvida, fazer com que nos tornemos seres humanos cada vez melhores.

Nós todos, produzimos duas formas de comunicação, com as quais elaboramos a experiência de nossas vidas: a primeira delas é a chamada **comunicação intrapessoal,** ou seja, aquela comunicação que fazemos conosco mesmo – aquilo que nós imaginamos (vemos, ouvimos e sentimos) dentro de nós mesmos. Sempre que formulamos um pensamento ou mesmo dizemos algo para nós mesmos, nós estaremos utilizando esta forma de comunicação; e, a qual é muito poderosa para nos irmos em direção as coisas que desejamos, ou nos afastarmos de problemas.

A Segunda forma, é a **comunicação intrapessoal,** ou seja, aquela comunicação que fazemos de nós para outras pessoas. Aqui se encontram as palavras expressas, as diferentes nuances da voz (tonalidade, volume, timbre, ritmo, cadência etc.), as expressões faciais, nossa postura corporal, os gestos e tudo mais que pode ser observado externamente. O que precisamos saber a respeito da comunicação, é que sempre que a fazemos, nós estamos entrando em ação – e **toda a ação tem um efeito sobre nós e sobre as outras pessoas.**

Para assumirmos o controle de nossas vidas, é necessário que consigamos controlar a maneira como nós utilizamos nossa comunicação intrapessoal. Ou seja, o modo como nós falamos com nós mesmos. Comunicação é poder. E, se queremos mudar as nossas vidas, necessitamos aprender que ações diferentes produzem resultados diferentes. Então, mudar as nossas ações, é fator preponderante para controlarmos nossa vida; e nossas ações são fundamentadas em decisões. É nestes momentos de decisões que o nosso destino é moldado.

Pense nas pessoas que mudaram a forma de pensarmos e de agirmos – John F. Kennedy, Thomas Jefferson, Martin Luther King, Mahatma Gandhi, Ulisses Guimarães, Tancredo Neves, Silvio Santos, Abelardo Barbosa (o "Chacrinha") ou até mesmo um Fernando Color de Melo e na forma mais destrutiva Adolf Hitler. O que todas elas tinham (tem) em comum é que foram (ou ainda o são) mestres comunicadores. Eles podiam pegar suas visões e comunicá-las aos outros com tamanha coerência que influenciaram nosso modo de pensar e agir.

"Se comunicação é ação, ela é poder. Aqueles que conseguiram dominar o seu uso efetivo podem mudar a sua experiência em relação ao mundo e a experiência do mundo em relação a eles. Quando domina a sua comunicação, você começa a dominar a sua vida."[4] Entre as condições básicas de um bom comunicador estão três, as quais você necessita integrar em seu ser para se tornar um comunicador de excelência. São elas:

1. **Clareza na representação de sua meta;**
2. **Flexibilidade de conduta; e**
3. **Responsabilidade (a capacidade de dar respostas)**

"O significado de sua comunicação
é o resultado que você obtém."

A resistência, é a explicação da inflexibilidade do comunicador. Acreditamos que não exista resistência, e sim, que exista comunicadores incompetentes. A responsabilidade de mudar é de quem quer mudar! É a pessoa quem diz o que ela quer mudar, quando ela quer mudar, e quanto ela quer mudar. Nós não fazemos mudança, e sim; criamos um vácuo psicológico que puxa a pessoa/sistema para dentro da mudança. É criado um clima, um ato psicológico e as pessoas simplesmente são atraídas para dentro. Elas se sentem atraídas. Quem quiser entra, quem não quiser não entra.

A qualidade pela qual nós utilizamos nossa comunicação intrapessoal irá determinar a qualidade do nosso sucesso no mundo externo. É esta a comunicação que determina o modo como nós interagimos com os outros a nível pessoal, social, profissional e financeiramente. Porém, o mais importante é que o seu nível de sucesso interno – a felicidade, alegria, paixão, amor, êxtase ou qualquer outra emoção que deseje – é o resultado direto da maneira como você se comunica consigo mesmo. Como dizia Aldous Huxley *"não é o que acontece com você, mas o modo como você representa o que acontece com você"* que o faz se sentir feliz ou triste, com êxtase ou deprimido, amado ou rejeitado. Ou seja, o modo como nos sentimos, tem uma correlação direta com o modo como nós nos comunicamos com nós mesmos.

A qualidade de sua comunicação interna tem um poder imenso sobre o seu estado, sobre a sua forma de pensar e agir. É ela que faz com que você se sinta bem ou mal. Porém, você pode controlar o seu estado mental, simplesmente controlando o modo como você se comunica consigo mesmo. Se você está

---

[4] ROBBINS & McCLENDON III – Op. Cit.

deprimido ou excitado, foi você quem produziu este estado de "depressão" ou de "êxtase".

Suas emoções não acontecem simplesmente por acontecer, elas têm um padrão, um padrão de comunicação que você se faz consigo mesmo. Porém, infelizmente algumas pessoas conseguem tantos ganhos secundários que elas simplesmente decidem ficar "deprimidas" para que possam assim ter a atenção, dedicação, solidariedade, afeto dos outros – que elas adotam uma forma de comunicação destrutiva consigo mesmas.

Fui procurado certa vez para atender a uma pessoa que estava num estado intenso de depressão ao qual já faziam mais de 12 anos. Ela vinha se tratando com uma psicóloga e com um psiquiatra, tomava altas doses de anafranil[5] e vários outros medicamentos controlados (faixa preta) e mesmo assim estes não lhe surtiam efeito e as dosagens tinham que ser aumentadas cada vez mais e mais. Seu estado de depressão era tão intenso que ela não saia mais de casa, pois de uma hora para a outra ela simplesmente "apagava" e tinha que ser carregada para casa. Seus amigos acabaram por se afastar, pois ela não mais os recebia, nem atendia aos telefonemas destes, ficando cada vez mais solitária.

A única atenção real que ela tinha era do marido e de suas filhas. Após algumas sessões com ela, ensinando-lhe a controlar seu estado esta pessoa conseguiu resultados fantásticos em sua vida, e começou a viver novamente, conseguindo inclusive largar os seus medicamentos por mais de seis meses; seus amigos voltaram a lhe visitar, ela começou a sair e se divertir, ia a festas e jantares, tudo estava indo muito bem, até que o seu ganho secundário (atenção total do marido e das filhas) falou mais alto e ela resolveu deixar de acreditar que aquilo que ela tinha experimentado durante todo aquele tempo não era verdade e voltou a ficar mal novamente. Uma escolha a qual ela optou, pois assim ela teria novamente aquele mesmo tipo de atenção do marido, das filhas.

Este, é um caso simples, que mostra o quanto poder nós podemos ter sobre nossas vidas, simplesmente mudando nossas atitudes físicas e mentais a fim de conseguirmos aquelas emoções que nos são úteis e fortalecedoras e apagar as que não nos servem; ou como no exemplo acima, voltar a ficar num estado negativo.

Aqui, você irá descobrir como produzir qualquer resultado (emoção) que desejar, quando desejar. Você aprenderá a dirigir a sua mente como um Spielberg ou um Scorsese dirigem suas filmagens, e assim, criar o filme de sua vida como você deseja, através da manipulação da sua estrutura subjetiva. E, o mais importante, rapidamente. Se há 500 anos você quisesse fazer uma viagem de Lisboa ao Rio de Janeiro, você levaria mais de um mês navegando numa

---

[5] A clomipramina é um antidepressivo tricíclico e um dos mais antigos antidepressivos.

caravela, hoje você pode fazer a mesma viagem em três horas e meia num Concord. Através da utilização das "leis" das Tecnologias de Desempenho Ótimo, você aprenderá a ter acesso aos recursos de **comportamento humano** que nunca imaginou possuir; alcançando mais rapidamente seus objetivos pessoais e de unidade cultural.

O QUE NOS IMPEDE

Existe uma palavra de apenas quatro letras que coloca ao chão homens e mulheres, crianças e adultos, fortes ou fracos, esta palavra é "MEDO"! O medo é o que nos impede de seguir adiante.

Existem dois tipos de medo: o medo real (autêntico) e o medo irreal (só existe dentro de nós). O medo irreal origina-se de nossa mente criativa produzindo situações assustadoras que não aconteceram e provavelmente nunca acontecerão. Existe também um tipo traiçoeiro de medo que é o "medo social" – um tipo de ansiedade flutuante. Já, o medo autêntico é uma emoção protetora. Ele é sempre uma reação ao verdadeiro perigo no momento presente.

Quando você se ver livre de medos desnecessários terá a liberdade emocional e a sensação de bem-estar que irão repercutir ao longo de sua vida. Você será capaz de dar enfoque à sua vida e afastar os obstáculos.

As emoções de medo incluem tudo, dos níveis mais baixos de preocupação e apreensão à preocupação intensa, ansiedade, pavor, e até mesmo terror. O medo serve a um propósito, e sua mensagem é simples. Porém, como toda emoção, o medo nos está emitindo uma mensagem, e esta é simplesmente a mensagem de que é preciso se preparar para algo que vai acontecer em breve. Nas palavras do lema dos escoteiros, esteja *"Sempre alerta"*. Precisamos nos preparar para lidar com a situação, ou fazer alguma coisa para mudá-la. A tragédia é que a maioria das pessoas tenta ignorar seu medo, ou se espoja nele. Nenhum desses meios respeita a mensagem que o medo tenta transmitir, e assim continuará a pressioná-lo, no empenho para que você receba o recado.

Você não vai querer se entregar ao medo e amplificá-lo, passando a pensar no pior que poderia acontecer, e também não quer fingir que não existe. Assim, a solução é analisar aquilo de que sente medo, e avalie o que deve fazer para se preparar mentalmente. Calcule que ações precisa efetuar para lidar com a situação da melhor maneira possível. Às vezes fazemos todos os preparativos que podíamos para alguma coisa, não há mais nada que possamos fazer..., mas ainda assim o medo persiste. Esse é o ponto em que você deve usar o antídoto para o medo: deve assumir uma decisão de ter fé, sabendo que fez tudo o que podia se preparando para aquilo que teme, e que a maioria dos medos na vida raramente se realiza. Se isso acontecer, você pode experimentar...

Para a maioria das pessoas, o medo da perda é muito maior que o desejo de ganhar. O que o deixa mais mobilizado: impedir alguém de furtar os cem mil dólares que ganhou nos últimos cinco anos, ou a possibilidade de ganhar cem mil nos próximos cinco? O fato é que a maioria das pessoas trabalharia muito mais para conservar o que tem do que para correr os riscos necessários para conseguir o que realmente desejam.

Se queremos um relacionamento íntimo, então temos de superar nossos medos de rejeição e vulnerabilidade. Se planejamos criar nosso próprio negócio, devemos estar dispostos a superar o medo de perder a segurança para fazer com que aconteça. Na verdade, a maioria das coisas que são valiosas em nossas vidas exigem que enfrentemos o condicionamento básico do sistema nervoso. Devemos controlar nossos medos prevalecendo sobre esse conjunto pré-condicionado de reações, e em muitos casos transformar esse medo em poder. Afinal, o medo que permitimos que nos controle muitas vezes nem se torna realidade. É possível as pessoas vincularem a dor, por exemplo, a viajar de avião, embora não haja qualquer razão lógica para a fobia. Tais pessoas reagem a uma experiência dolorosa no passado, ou mesmo num futuro imaginado. Podem ter lido nos jornais sobre desastres aéreos, e agora evitam entrar num avião: permitem que o medo as controle. Devemos conduzir nossas vidas no presente, e reagir a coisas que são reais, não a nossos medos do que já foi ou do que pode um dia ser. O fundamental é lembrar que não nos afastamos da dor real, mas sim do que acreditamos que levará à dor.

As pessoas desenvolvem com frequência convicções limitadoras sobre quem são, e do que são capazes. Porque não conseguiram no passado, acreditam que também não conseguirão no futuro. Em decorrência, por medo da dor, passam a focalizar constantemente que são "realistas". A maioria das pessoas que dizem a todo instante "Vamos ser realistas" está na verdade apenas vivendo no medo, com pavor de outro desapontamento. Por medo, desenvolvem convicções que as levam a hesitar, a não se empenharem por completo... e por isso obtêm resultados limitados.

São dois os maiores medos aos quais possuímos: o medo de fracassar e o medo de sermos bem-sucedidos. *Para eliminarmos nossos medos, nós temos que aprender como mudar nossas regras mentais.* Para isto, necessitamos primeiramente definir o que tem que acontecer para nos sentirmos prósperos e; o que tem que acontecer para que nos sintamos como um fracasso. Então, esforce-se para criar novas

definições para o que tem que acontecer para você se sentir próspero e também para se sentir como um fracasso.

Estas quatro letras m-e-d-o, quando juntas, podem se tornar numa palavra muito perigosa para qualquer ser humano caso este se não a tratar convenientemente. No entanto, o medo pode tornar-se uma das emoções com maior capacidade de nos motivar – pois; as pessoas farão de tudo para evitá-la. Pare um instante com a leitura deste livro e faça-se a seguinte pergunta: "*O que vai me custar o medo do sucesso?*" Em seguida, pergunte-se: "*O que ganharei usando minha coragem interna para superar este medo do sucesso?*" Responda a estas duas questões agora mesmo. Isto irá deixar o seu rastro desta jornada a qual está empreendendo agora!

Lembre-se de que é **na adversidade que se esconde à semente da vitória.** Entre os tópicos que você verá neste capítulo estão, como mudar suas regras sobre o fracasso, sucesso e rejeição? Usar a técnica da rasura para eliminar sentimentos passados de fracasso e rejeição. Como criar novas âncoras poderosas para ter sucesso em qualquer situação. Como determinar se é auto sabotagem ou apenas hábitos ruins. Usar a fisiologia, foco, e crenças para eliminar a auto sabotagem e criar confiança total. O poder do Ciclo do Sucesso para lhe ajudar a alcançar qualquer coisa que você queira. Ou seja, está na hora de colocar em prática tudo o que você aprendeu até o presente momento, para livrar-se das barreiras que lhe impedem de atingir o sucesso ilimitado.

Amyr Klink, em seu livro "Paratii: entre dois polos", diz que "*o mais religioso dos animais terrestres é o menos crente, o que mais falsidade encontra para não mudar, opor-se, inventar obstáculos intransponíveis e fronteiras que no fundo têm a mesma importância que um risco de giz no chão.*"

SUPERANDO SEUS MEDOS DE FRACASSAR E DE TER SUCESSO

O fazer, o agir é importante para o nosso sucesso. Thomas Edison não conseguiu criar a lâmpada em sua primeira tentativa – no entanto, hoje é impossível viver sem ela. Quando assumimos o comando de nossa jornada, nós podemos escolher por onde trilhar. Esta é uma escolha pessoal. Uma escolha somente sua!

A frase (já vista anteriormente) do famoso psicólogo norte-americano, William James, sintetiza muito bem isso, "*Um navio vai para o oriente, outro para o ocidente, implícitos pelo mesmo vento...*" diz James "..., *mas, é à disposição das velas e não os ventos que os orientam para onde ir.*"

Nós somente poderemos conseguir alguma coisa em nossa vida através da ação. Fazendo ações, nós conseguimos resultados. Para fazer com que você entre desde já em ação, faça agora mesmo o seguinte exercício, cuja finalidade é dar-lhe as ferramentas para que você consiga apagar seus fracassos. Para tal, siga cada um dos seis passos relacionados abaixo e descubra-se renovando suas baterias para continuar sua caminhada rumo a um futuro cheio de realizações.

Para remover o medo do fracasso, *decida* que você vai estar livre deste medo, **adquira uma alavanca**, então **interrompa seu padrão** usando a "<u>**Técnica da Rasura**</u>":

1. Entre num estado intenso, positivo e associando-se a ele, **crie uma âncora positiva** – ou seja, lembre-se de um momento em sua vida onde você estava cheio de recursos. Quando você tiver uma representação bem clara daquela época, aperte firmemente sua mão – como se estivesse fazendo um "punho" – em seguida, soque o ar e fale bem alto uma palavra que lhe seja motivacional. Repita mais três vezes este processo. Com isto você estará realizando uma neuro-associação entre a lembrança – o punho socando o ar e a palavra.)[6]

2. Crie uma imagem **grande** de um fracasso pelo qual passou e então calibre-o, ou seja; assista o que aconteceu – observe como são as imagens, o som, a sensação, a emoção, e assim por diante – o "como" você estava no filme.

3. Com um (grande) sorriso estampado em seu rosto, percorra a memória inteira em alta velocidade. Quanto mais rápido melhor.

4. Repita o processo mais duas vezes, do início ao fim e pare.

5. Volte o filme para o início tão rapidamente quanto for capaz de fazê-lo, fazendo com que a imagem fique cada vez mais estranha.

6. Agora, pense na memória dolorosa. Neste momento, você terá que estar sorrindo e sentindo-se bem! Caso contrário repita o processo.

E, finalmente, *imagine-se tendo o sucesso que você deseja* inúmeras vezes, até que este seja absolutamente real para você e se torne uma sensação de certeza que será condicionada emocionalmente.

> *"Todos os seres humanos possuem o poder de mudar suas vidas; pois podem ser, fazer e ter tudo o que desejarem!"*
>
> – Charton Baggio

Elimine o medo do sucesso, invertendo o medo da dor em si mesmo. Tire um momento agora mesmo e escreva tudo aquilo que você perderá se você não remover o medo do sucesso. O que lhe custará se você continuar se viciando nesta emoção? A seguir, liste tudo aquilo que você ganhará usando sua coragem

---

[6] Para saber mais sobre este processo permita-me treiná-lo pessoalmente através do meu programa **"Despertar, Crescer & Agir"**. Acesse www.chartonbaggio.com para saber mais informações.

interna e sua fé inabalável agora mesmo. O que você ganhará superando este medo do sucesso? Concluídas estas duas primeiras tarefas, faça a Técnica da Rasura para se livrar de uma vez por todas do medo.

Buda a mais de mil anos atrás disse que *"Somos o que pensamos. Tudo o que somos surge com nossos pensamentos. Com nossos pensamentos, fazemos o nosso mundo."* O sucesso nada mais é do que um estado de espírito, um estado da mente. Se você tiver medo, o temor tomará conta de sua mente; se tiver confiança, a confiança tomara conta de sua mente. Aprenda a acreditar em seu potencial, pois, o sucesso está a sua espera! *"A mente é seu próprio lar, e em si mesma pode fazer do céu um inferno, e do inferno num céu."* disse John Milton, a resposta está dentro de nós, em como nós utilizamos o nosso poder pessoal – a ação –, para alcançarmos nossa verdadeira liberdade.

SUPERANDO SEUS MEDOS DA REJEIÇÃO

A rejeição é outra área a qual nós devemos aprender a lidar de uma forma positiva e que nos coloque novamente no rumo. Para isto, primeiramente, necessitamos nos *decidir* que não vamos mais permitir que ela controle nossa vida novamente.

Para tal, precisamos *adquirir alavancas* para poder concluir nossas tarefas. Pare por um momento e escreva o custo que terá em sua vida, caso você não venha superar este medo e os benefícios que terá por se livrar dele. Então, *crie um novo conjunto de regras* para o que tem que acontecer a você para sentir-se rejeitado sobre algo. Faça isto agora...

"Quem nunca errou, nunca fez outra coisa."

– GEORGE BERNARD SCHAW

Feito isto, use a técnica da rasura aprendida anteriormente para interromper com o seu velho padrão; então, crie uma forte âncora positiva, e a dispare quando você imaginar que está sendo rejeitado. Como tarefa de mudança pessoal, escreva duas experiências em que você falhou e duas quando você foi rejeitado, em seguida, escreva um benefício que você obteve de cada uma delas. Feito isso, utilize-se da Técnica da Rasura com estas quatro experiências.

Como Napoleon Hill já dizia há muito tempo atrás, você deve aprender com as lições de fracasso que você teve. Lembre-se de que **tudo o que acontece é por uma boa razão!** Esta é a uma crença em que o Universo conspira a seu favor. **A chave para o sucesso é aprender a usar a dor e o prazer** de forma apropriada para podermos estar no controle de nossas vidas. Portanto, aprenda a usar a rejeição para se fazer cada vez mais forte. Utilize esta força para poder aprimorar-se cada vez mais através da construção de uma capacidade de se tornar empático com aqueles que você estiver. Quanto mais semelhante às outras pessoas você conseguir ser, menos elas tenderão a lhe rejeitar. Aprenda a arte de entrar em rapport[7] e desfrute do poder da harmonia. Uma das maneiras de se superar o medo da rejeição é decidir-se de que você não vai mais permitir que esta controle sua vida. Então, você necessita criar uma alavanca para concluir sua tarefa, como fez anteriormente. Os próximos passos são:

1. **Criar um novo conjunto** de regras para o que tem que acontecer para você sentir-se rejeitado.

2. **Usar a técnica da rasura** para interromper seu velho padrão. E,

3. **Criar uma forte âncora positiva,** e, então a disparar quando você se imaginar sendo rejeitado.

ELIMINANDO A AUTO-SABOTAGEM

Aprender a eliminar a auto sabotagem é outra habilidade que devemos desenvolver. Qualquer coisa que façamos, inclusive "auto sabotagem" nós a fazemos com um intento positivo. Em algum nível – consciente ou inconscientemente –, nós sempre estamos tentando nos beneficiar de algum modo com nossas ações.

Por exemplo, o seu medo do sucesso pode estar na verdade tentando protegê-lo do fato de entrar numa situação onde você possa sentir-se rejeitado. Nós sempre agimos com intenções positivas. Portanto, é importante que percebamos que a intenção é boa. Lembre-se que seu cérebro está "do seu lado". Você tem simplesmente que condicioná-lo para ser mais efetivo.

Qualquer coisa que façamos, inclusive "auto sabotagem" nós fazemos com intenção positiva. Nosso cérebro, em algum nível, consciente ou inconscientemente, sempre está tentando nos beneficiar de algum modo por suas ações. Um exemplo disto poderia ser o que o faz retirar-se sempre antes de você estar a ponto de obter seu maior sucesso – contudo isto não quer dizer que seu cérebro esteja tentando feri-lo. Pode ser que ele esteja tentando protegê-lo de obter o sucesso e assim simplesmente o tira da posição de precisar continuar fazendo isto; i.e., seu medo de ter sucesso pode o estar protegendo de fato de uma situação onde você pode sentir em última instância a rejeição. É importante que você perceba que a intenção é boa. Seu cérebro está "de seu lado". Você tem simplesmente que condicioná-lo a ser mais efetivo/assertivo.

---

[7] Aprenda a arte de comunicar-se com maestria através de nossos programas da **Universidade da Excelência**, ou através do programa: **"Inovação: Despertando o Gigante"**.

O que está acontecendo quando nós começamos a se sabotar é que nós misturamos neuro-associações. Quer dizer, nós associamos dor e prazer para o mesmo resultado. Por exemplo, alguns indivíduos tiveram relações íntimas que lhes eram muito dolorosas. Agora, eles partiram para outros relacionamentos, desejando que em sua intimidade, tenham amor e conexão, no entanto, num certo momento, irão se separar porque eles associam a dor do passado e o medo da rejeição às suas relações. Procure identificar qualquer tendência que você possa ter de se sabotar. Aprenda a *nutrir-se bem* porque seu cérebro está tentando lhe ajudar a evitar a dor e ganhar prazer. Adquira uma alavanca para fazer a mudança. E, interrompa o velho padrão usando a Técnica da Rasura. Lembre-se ainda de ensaiar vendo-se alcançando o sucesso que você deseja e sinta o prazer de ter este sucesso até o novo padrão ser condicionado.

O QUE FAZER!

COM O MEDO DE ERRAR – saiba que...

- **VOCÊ VAI ERRAR!**
- **VOCÊ VAI TOMAR DECISÕES EQUIVOCADAS**
- **VOCÊ VAI ESTRAGAR ALGUMA COISA**

COM O MEDO DA CRÍTICA...

- **NÃO FAÇA NADA**
- **NÃO DIGA NADA**
- **NÃO SEJA NINGUÉM**

Temos que vencer o medo de tomar a decisão errada. Não há dúvida de que você tomará decisões erradas ao longo de sua vida. Você vai errar! Sei que eu não tomei só decisões certas no meu caminho.

Longe disso. Mas também não esperava por isso. Tampouco tomarei sempre decisões certas no futuro. Não importa quais sejam minhas decisões, estou determinado a ser flexível, verificar as consequências, aprender com elas, e usá-las como lições que me ajudarão a tomar melhores decisões no futuro. Lembre-se de que o sucesso na verdade é o resultado do bom julgamento. O **bom julgamento** é o resultado da **experiência**, e a **experiência** muitas vezes é resultado **do mau julgamento!** As experiências aparentemente ruins ou dolorosas às vezes são as mais importantes. Quando as pessoas vencem, tendem a festejar, e quando falham, tendem a refletir, e começam a fazer novas distinções, que aumentarão a qualidade de suas vidas. Devemos nos empenhar em aprender com os nossos erros, em vez de nos afligirmos, ou estaremos destinados a cometer os mesmos erros no futuro.

Por mais importante que seja a experiência pessoal, pense como é valioso também ter um modelo — alguém que já navegou pelas corredeiras antes, e tem um bom mapa para você seguir. Você pode ter um modelo para as suas finanças, um modelo para os relacionamentos, saúde, profissão, ou para qualquer aspecto da sua vida que esteja aprendendo a dominar. Os modelos podem poupá-lo de anos de dor, e impedir que caia na cachoeira.

Haverá ocasiões em que estará sozinho no rio, e terá que tomar decisões importantes por conta própria. A boa notícia é que se estiver disposto a aprender com a experiência, até mesmo momentos que pode classificar como difíceis tornam-se importantes, por propiciarem informação valiosa — distinções essenciais — que você usará para tomar melhores decisões no futuro. Na verdade, qualquer pessoa bem-sucedida que você conheça lhe dirá — se for sincera — que a razão de seu sucesso é ter tomado mais decisões ruins que você.

Charton Baggio Scheneider

CALIBRAGEM – A ACUIDADE SENSORIAL

Quero aqui lhe falar brevemente sobre **"calibragem"**, ou seja, sobre a percepção acurada dos sinais mínimos emitidos pelo seu interlocutor – com quem está se comunicando. Calibragem é o uso de seus órgãos sensoriais limpos para perceber (não alucinar) os sinais que vem daquela entidade – que pode ser uma pessoa, uma família, uma empresa, uma equipe, uma plateia, pode ser um sistema todo.

Então, **calibrar é prestar atenção a tudo o que vem de fora.** É um estado que você instala e que se chama *up time.* Up time significa: estou todo (totalmente) para fora, cessam-se quaisquer conversas interiores, cessam-se as imagens interiores, cessam-se as sensações corporais internas. Nesse momento, somos como um dial, um receptor de rádio, uma antena parabólica, uma câmera de vídeo, um microfone aberto – **um órgão sensorial inteiro para captar.**

Quando você estiver neste estágio de participação, estará pronto para calibrar (perceber e gravar) qualquer sinal que apareça – observa-se/capta-se o que aconteceu. Quando há um padrão e você consegue perceber que há um padrão de sinais – que sejam repetitivos e consistentes –, então, a isto vale a pena ser calibrado. Se você ficar discutindo consigo mesmo, "Puxa, o que será que aquela pessoa está fazendo? Será que ela está com raiva da mãe dela?" – e assim por diante – você estará perdendo sinais importantes, porque enquanto estiver prestando atenção em seu interior – vendo, ouvindo ou sentindo –, pelo menos um desses aparatos sensoriais já não estará percebendo como deveria.

Quando você está falando algo internamente, perde-se a qualidade do que percebe referente ao auditivo externo. Quando visualiza internamente, perde-se o visual externo e assim por diante.

Em PNL nós usamos o conceito de acuidade sensorial para treinar nossa habilidade para ver e escutar mais efetivamente e ler conscientemente a comunicação não-verbal. Acuidade sensória recorre à habilidade para perceber, monitorar e dar sentido às sugestões externas de outras pessoas.

Calibração é perceber em que estado uma pessoa está por intermédio da observação dos seus canais de representação e das submodalidades que ela usa em um dado momento no tempo.

Desenvolver nossas habilidades de acuidade sensorial nos permite reconhecer a qualidade dos sinais da outra pessoa em termos de congruência e incongruência. Acuidade sensorial nos provê indicadores por meio dos quais nós podemos medir o nível, profundidade, e qualidade do rapport.

CALIBRAÇÃO E SINCRONIZAÇÃO

A calibração é o primeiro passo que você precisa executar para acompanhar o ritmo do seu interlocutor e alcançar o rapport. Calibrando a fisiologia de um indivíduo associado com um estado, o que isso significa para ele, você será capaz de notar quais mudanças ocorrem quando esse indivíduo mudar de estado.

INDICADORES EXTERNOS EXPRESSÕES DO ESTADO INTERNO

- Posição territorial

Onde as pessoas se sentam ou permanecem.

Onde seu parceiro está sentado ou está posicionado em relação a você?

Exemplo: **Ficar ao lado de uma pessoa em conflito em vez de ficar de frente para ela; usar uma mesa redonda em vez de uma quadrada durante processos de negociação, e assim por diante. A que distância?**

Exemplo: **Em um território considerado como público, social, pessoal ou íntimo?**

O QUE OBSERVAR AO CALIBRAR:

Os mínimos sinais de estados mentais

Por exemplo: Notar mudanças na linguagem corporal.

Dica: Use a linguagem descritiva ao invés da linguagem avaliativa. Em vez de pensar: *"Ele franziu a testa"*, pense *"Suas sobrancelhas se contraíram e as fissuras das suas pálpebras se estreitam"*. Em vez de pensar: *"Ela ficou relaxada"*, pense: *"Ela soltou os ombros e começou a respirar mais profunda e vagarosamente. Os músculos em sua face se soltaram e suas bochechas ficaram mais coradas. Seu lábio inferior se tornou mais brilhante"*.

Note também como a linguagem descritiva é menos ameaçadora. Tudo o que você disse é fato e não está carregado de valores.

- Linguagem corporal

Todas as informações não-verbais que você pode ver, tocar, cheirar ou provar. As informações fornecidas pelas informações visuais de acesso, que indica como seu interlocutor acessa alguma informação interna.

151

Um importante padrão para avaliar é a Simetria: a Assimetria, de qualquer tipo é geralmente um indício de incongruência. A Simetria é associada com a beleza e elegância.

o   Postura corporal – Exemplo: **Como ele posiciona seus ombros? Como ele se senta? Como ele se equilibra?**

o   Mobilidade – Exemplo: **Como ele se move, como ele anda? Como se equilibra em seus pés?**

o   Gestos com as mãos e dedos – Exemplo: **Quais são os movimentos típicos dos seus braços? Como se movem e como ele usa as mãos?**

o   Respiração (localização, ritmo, quantidade) – Exemplo: **Sua respiração é profunda ou superficial, podendo ser notada somente na parte superior do peito?**

o   Expressões faciais (sinais mínimos):

   ▪   Pele: **Cor, Tonalidade, Brilho**

   ▪   Tensão muscular (tônus e movimento): **Bochechas, sobrancelhas, lábios, mandíbula;** por exemplo: **Franzir as sobrancelhas**

   ▪   Boca: **Conjunto, tensão, movimentos rápidos**

   ▪   Lábio inferior: **Tamanho, forma, cor, brilho**

   ▪   Olhos: **Movimentos, dilatação das pupilas, o movimento de piscar, cor da íris, fissuras da pálpebra (o espaço entre as pálpebras de um indivíduo quando os olhos estão abertos), direção do olhar, foco do olhar, umidade**

   ▪   Assimetria

o   Ritmo cardíaco (pescoço)

o   Temperatura

•   Tonalidade

Todos os componentes auditivos da comunicação, independentemente do conteúdo. Alguns testes realizados usando osciloscópios, que fornecem uma representação visual da voz, têm demonstrado que, enquanto a voz de uma pessoa em um estado de recurso é claramente representada como uma onda senoidal arredondada, a voz de um indivíduo em um estado carente de recursos é representada por uma forma dentada. Exemplo: **A velocidade na qual seu parceiro de conversação fala (adapta-se à mesma velocidade), o tom da voz...**

•   Canais de Representação (Predicados)

A linguagem sensorial específica que ele usa, o que lhe informa como o seu interlocutor processa a informação. Exemplo: **Visual, Auditivo, Cinestésico, Olfativo, Gustativo.**

- Conteúdo

A história que eles contam. Exemplo: **Se alguém fala a respeito de sua educação, você responde fazendo perguntas acerca desse assunto.**

- Palavras-Chave e Expressões Típicas

As palavras e expressões que seu interlocutor usa. Exemplo: **Falar a respeito da meteorologia no cabelereiro. Repetir palavras-chave, o jargão usado por algumas pessoas.**

- Valores e a maneira como eles são expressos nos critérios

O que parece importante para o seu interlocutor. Isso pode ser identificado se a pessoa continua voltando para o assunto e também por meio da sua tonalidade e do modo como ela enfatiza algumas palavras ao falar. Exemplo: Um indivíduo é sempre formal e íntegro. Outra pessoa pode considerar a lei e a ordem princípios importantes. Outra pessoa pode valorizar sua liberdade e independência evitando assim a taxação.

QUALIDADE DO TOM DE VOZ A OBSERVAR	
TOM	TEMPO
VOLUME	TIMBRE
PAUSAS	MODULAÇÃO
INFLEXÕES e QUEDAS	

- A visão do mundo: Crenças, Pressuposições

O que ele acredita ser verdadeiro ou falso, o que precisa ser verdade para que aquilo que ele diz faça sentido. Exemplo: alguém considera o ponto de vista de um partido político inaceitável. Um indivíduo pode nutrir fortes sentimentos acerca de como educar crianças: "Elas precisam apanhar!" Alguns consideram diabólicas grandes companhias que tratam os empregados como máquinas.

- Níveis (neuro) lógicos

O nível no qual a pessoa entoa a conversação. Exemplo: **Ambiente, Comportamento, Capacidade, Crenças/Valores, Identidade, Espiritual.**

- Metaprogramas

O tipo de filtros de seleção que ele acessa preferencialmente.

AS MUDANÇAS NA SUBMODALIDADES PRODUZEM MUDANÇAS EXTERNAS E VICE-VERSA

EXERCÍCIOS DE CALIBRAGEM

O propósito deste processo é avaliar pensamentos internos, sons, imagens e sentimentos que estão ocorrendo na mente do outro indivíduo em um dado momento. Para esse exercício, usamos um assunto fácil, "a adivinhação", para descobrir o que a outra pessoa está pensando.

Participantes: Duplas (Pessoa A e Pessoa B)

Tempo: 5 minutos cada posição

Meta: Adivinhar corretamente 7 entre 10 respostas

Passo 1: Calibração

EXERCÍCIO 1

1. A Pessoa A pensa em três figuras: um triângulo, um quadrado e um círculo (sem falar). A cada vez, ela indica em que figura ela está pensando.

2. A pessoa A dá tempo para que a Pessoa B observe seu comportamento não-verbal (use todas as pistas descritas nas categorias de sincronização).

> ## CALIBRAGEM
>
> ☐ O uso de nossos órgãos sensoriais limpos para perceber (não alucinar) os sinais que vem daquela entidade e que está nos comunicando.
>
> ☐ É prestar atenção a tudo o que vem de fora → *UP TIME*
>
> ☐ O bom programador é aquele que sabe calibrar.

3. Repita o processo diversas vezes, até que a Pessoa B descubra as diferenças entre as três figuras e, então, pode-se prosseguir para o teste.

EXERCÍCIO 2

Calibragem para aumentar a capacidade de discriminações sensoriais. Agora use Perguntas Comparativas: **ALGUÉM DE QUEM GOSTA vs. NÃO GOSTA.**

EXERCÍCIO 3

Calibragem para determinar os sinais não-verbais que acompanham o entrar em acordo ou em desacordo.

Faça perguntas do tipo: SIM/NÃO incontroversas, projetando sua atenção às respostas não-verbais:

> **COMUNICADORES EFICIENTES**
>
> ☐ Saber o resultado que deseja obter
>
> ☐ Flexibilidade comportamental (conduta)
>
> ☐ Canais sensoriais limpos

- Seu nome é Pedro?
- Você tem carro?
- Você nasceu no Distrito Federal?
- Você é casado?

Passo 2: Teste

1. A Pessoa A pensa agora (aleatoriamente) em uma das três figuras (no que gosta ou não gosta; sim/não), sem dizer em qual.
2. Baseada na observação do comportamento não-verbal, a Pessoa B "adivinha" em que figura/gosta-não gosta/Sim-Não a Pessoa A estava pensando.
3. A Pessoa A responde dizendo "Correto" ou "Incorreto".
4. Realize diversas adivinhações.

Se houver muitos erros (mais de 30% respostas erradas), repita ambos os passos.

EXERCÍCIO 4

Formem duplas (**A** e **B**):

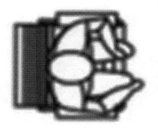 

PASSO 1. **A** e **B** ficam de frente um para o outro. **A** dá instruções para **B** visualizar a posição corporal de **A** e olhar para cima, à esquerda (para destros) ou à direita (para canhotos) para lembrar-se dela.

PASSO 2. **B** fecha os olhos. **A** move alguma parte do seu corpo (isto é, mão, perna, dedo, inclina a cabeça etc.) enquanto os olhos de **B** estão fechados.

(Destros)   *(Canhotos)*

PASSO 3. **A** diz para **B** abrir os olhos. **B** olha para cima, à esquerda (ou direita) e compara o que vê com a imagem lembrada e advinha qual parte do corpo **A** moveu.

PASSO 4. Se **B** não acertar, então **A** instrui **B** a fechar os olhos novamente. **A** não diz a **B** qual parte moveu, voltando à posição corporal original e dizendo a **B** para abrir novamente os olhos e adivinhar (voltando para o PASSO 2).

DESENVOLVENDO A HABILIDADE DE ACUIDADE SENSORIAL AUDITIVA

Formem um grupo de quatro pessoas (**A**, **B**, **C** e **D**):

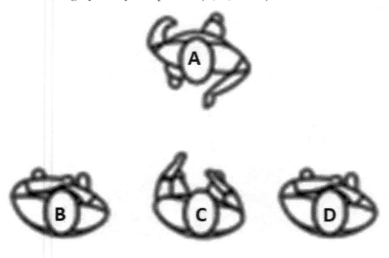

PASSO 1. **A** sentasse ou fica em pé e **B**, **C** e **D** formam um semicírculo à sua volta. **B**, **C** e **D** fazem um som, um de cada vez (isto é, estalam os dedos, batem de leve com um lápis na cadeira, batem palmas, desde que cada uma Faça sempre o mesmo tipo de som) e enquanto fazem isso, cada uma delas repete o seu nome após o som. **B**, **C** e **D** repetem o som e o nome até **A** informar que pode identificar cada pessoa pelo seu som correspondente.

PASSO 2. **A** fecha os olhos e **B**, **C** ou **D** faz o som. **A** deve adivinhar qual deles fez o som.

PASSO 3. Se **A** errar, então **B**, **C** e **D** repetem o som original e o seu nome até **A** informar que pode identificar a combinação entre o nome e o som correspondente. O grupo então repete o PASSO 2.

PASSO 4. Para acrescentar uma variação interessante **B**, **C** e **D** podem tentar imitar o som um do outro e **A** deve adivinhar quem está imitando quem. Por exemplo, **A** pode dizer: "**B** está imitando **C**" ou "**B** está imitando **D**".

DESENVOLVENDO A HABILIDADE DE ACUIDADE SENSORIAL CINESTÉSICA

Formem um grupo de quatro pessoas (**A**, **B**, **C** e **D**):

PASSO 1. **A** sentasse ou fica em pé e **B**, **C** e **D** formam um semicírculo à sua volta.

PASSO 2. **A** deve orientar seus olhos para baixo e para a direita (ou esquerda se **A** for canhoto) e respirar profundamente para estimular o acesso máximo aos seus sentimentos.

(Destros)   *(Canhotos)*

A é orientado a fechar os olhos e **B**, **C** e **D** tocam **A**, um de cada vez. Eles devem tocar **A** no mesmo lugar. Inicialmente **B**, **C** e **D** dirão seus nomes enquanto tocam **A**, para que **A** possa associar o toque de cada pessoa ao seu nome.

Por exemplo: **B**, **C** e **D** tocam as costas da mão de **A** com os dedos. **B**, **C** e **D** também podem usar um objeto como um lápis ou um pedaço de plástico. O importante é lembrar-se de que cada pessoa deve usar o mesmo objeto e tocar **A** no mesmo lugar (isto é, **B**, **C** e **D** poderiam tocar **A** na articulação do polegar direito com o dedo indicador enquanto dizem seus nomes). Esse processo é repetido até **A** informar que pode identificar o toque associado ao nome.

PASSO 3. Enquanto **A** mantém os olhos fechados, **B**, **C** e **D** tocará **A** sem dizer o seu nome. **A** deve adivinhar o nome de quem acabou de tocá-lo. Especificamente, **A** olha para baixo e para a direita (ou para a esquerda) e compara as sensações do toque que acabou de receber com a lembrança dos três toques que experimentou anteriormente. **A** escolhe aquele que combina mais e pronuncia em voz alta o nome que associou àquele toque.

PASSO 4. Se A não conseguir adivinhar corretamente quem acabou de tocá-lo, A deve "recalibrar" repetindo os PASSOS 2 e 3. Quando A tiver adivinhado a pessoa correta, três vezes, numa rodada, passem para a próxima seção, para o próximo nível do exercício.

PASSO 5. A é novamente instruído a fechar os olhos e orientá-los para baixo e para a direita ou para a esquerda. Enquanto A está com os olhos fechados, B, C e D tocam A, em sequência, sem se identificarem verbalmente. A deve, então, combinar os nomes com os toques e adivinhar a sequência adequada. As sequências devem ser aleatórias. Por exemplo: < B, D e C > ou < C, D e B > etc.

PASSO 6. Se A não conseguir identificar a sequência correta, pode pedir uma "recalibração" repetindo o PASSO 2 (associando toques a nomes).

Quando A tiver identificado corretamente três sequências numa rodada, passem para o passo seguinte.

PASSO 7. Para realmente aumentar a habilidade de A em usar o sentido do toque, B, C e D podem tentar imitar os toques uns dos outros. Com os olhos fechados, A tenta adivinhar quem está imitando quem. Por exemplo, B tenta combinar a qualidade de seu toque com a de D e C tenta tocar como B.

O RAPPORT

RAPPORT. Webster (1985) o define como uma relação na qual há harmonia, acordo, conforto ou afinidade. Quando alguém quer ter rapport tem de ter algo em comum ou tem de criar uma base comum compartilhada com quem você esteja interessado em influenciar e/ou persuadir. A relação criada sobre esta base comum é condição favorável para a aprendizagem. Nesta relação harmônica, a pessoa se abre para a comunicação e responde mais às nossas propostas. O estabelecer Rapport é um passo importante e necessário para o desenvolvimento de uma boa comunicação. Nesta relação harmoniosa, as pessoas se abrem para a comunicação e respondem mais às suas propostas. O estabelecimento do rapport é um passo importante e necessário para o desenvolvimento de uma boa comunicação. O rapport é a habilidade de entrar no mundo de uma pessoa para fazer ela sentir que você a compreende, que tem uma ligação forte com ela – "Eu sou da mesma tribo" – ou seja, vocês são iguais.

A obtenção do rapport é geralmente inconsciente e quem assim o faz, possivelmente não consegue nem explicar como o faz. Na verdade, o rapport pode ser conseguido conscientemente, aplicando técnicas específicas. A prática consciente destas técnicas leva a uma integração inconsciente desta habilidade.

Use a mesma linguagem verbal e não verbal do seu interlocutor para que ele se sinta mais próximo, conectado a você e a sua mensagem – isto, ativará os neurônios espelho (veja capítulo referente a este assunto), que o conectam fortemente ao outro.

Apoie a opinião do seu cliente, compartilhe sua forma de pensar e ele estará aberto para imitá-lo quando estiver expondo seus próprios argumentos.

A obtenção do rapport é geralmente inconsciente e a grande maioria das pessoas que assim o faz, possivelmente não conseguem nem mesmo explicar como o fazem. Na realidade, o rapport é um processo que pode ser obtido conscientemente, aplicando-se técnicas específicas. A prática consciente destas técnicas o levará a uma integração inconsciente destas habilidades. Qualquer coisa que você queira realizar poderá ser alcançada muito mais rapidamente se você:

A COMUNICAÇÃO DO ESPECIALISTA COM O PACIENTE

A comunicação envolve muito mais do que simplesmente as palavras. Um estudo realizado por Mehrabian e Ferris (*"Inference of attitudes from nonverbal communication in two*

159

channels" in *The Journal of Couselling Psychology*, vol. 31, 1967, pp. 248-52) demonstrou que 55% do impacto da comunicação são determinados pela fisiologia (ou seja, a linguagem corporal) - a postura, os gestos e o contato visual. 38% do impacto da comunicação são feitos pelo tom de voz e apenas 7% pelo conteúdo da apresentação (as palavras).

O que mais influencia o seu cérebro?

Fonte: Elaborado a partir da Regra de Mehrabian: 17-28-55.

O corpo é um instrumento essencial na comunicação, o mais importante de todos. Quando você se comunica com a mente, deve considerar em primeiro lugar a linguagem corporal que usa. Em um processo de comunicação, 55% é linguagem corporal, 28% é o tom com que você fala e apenas 17% é o discurso verbal.

O tom que você usa faz com que seu cérebro se conecte ou não com as palavras e as mensagens.

1. **desenvolver** rapport,
2. **descobrir o que a outra pessoa necessita obter, e**
3. **preencher essas necessidades.**

O rapport lhe dá um tremendo poder. Quando você está em rapport com as outras pessoas, estas se sentem iguais a você. Aprenda a estabelecer rapport com todas as pessoas que você encontrar, assim você terá avenidas ilimitadas para alcançar seus resultados.

Em "*À Espreita do Pêndulo Cósmico – a mecânica da consciência*", Itzhak Bentov, nos dá o seguinte exemplo que pode claramente representar o que nos faz conseguir o rapport. Escreve ele, "*suponha que temos vários relógios de parede, daqueles antigos, que usavam pêndulo, do tempo de nossos avós. Pendurados todos eles numa parede, fazendo com que seus pêndulos comecem a oscilar, cada um a partir de um ângulo diverso, isto é, todos fora de fase, uns em relação aos outros. Em um ou dois dias, constataremos que os pêndulos estão oscilando em fase, como se estivessem engatados. (O comprimento dos pêndulos deve ser o mesmo para todos eles.) Vemos aqui que a íntima quantidade de energia transferida através da parede, de um relógio para outro, foi suficiente para colocar todos eles em fase. Se perturbarmos o movimento de um dos pêndulos, ele voltará rapidamente a entrar em sincronia com os demais. Quanto maior o número de osciladores num tal sistema, mais estável ele será, e também será mais difícil perturbá-lo. Com muita presteza, esse sistema forçará um oscilador desobediente a operar no padrão do conjunto."*

Note aqui um excelente exemplo de estabelecimento de rapport (sincronia) e liderança. Então podemos concluir que: **relógios de diferentes tamanhos, com pêndulos de tamanhos iguais quando colocados lado a lado, irão sincronicamente entrar em sincronia.** O que importa para eles se sincronizarem é o tamanho do pêndulo, não o tamanho do relógio em si. Como nós seres humanos temos "pêndulos" muito parecidos é possível de nós entrarmos em sincronia, apesar, de nós termos relógios aparentemente diferentes. O que é o nosso "pêndulo"? O nosso Sistema Nervoso. No rapport, devemos deixar de prestar atenção na "novela" que está acontecendo.

A "novela" não tem importância alguma no rapport. **O conteúdo vale "zero" no estabelecimento do rapport.** A "novela" distrai. O conteúdo distrai. Enquanto você poderia estar atento aos **sinais que são não-verbais e fundamentais no processo de comunicação, e que correspondem a noventa e três por cento do que faz a comunicação ser efetiva.**

Nossos instintos são bons, porque nós conseguimos construir rapport descobrindo as similaridades: **Quando estamos em sintonia/harmonia com outra pessoa, há uma tendência de gostarmo-nos mais uns dos outros.** RECIPROCAMENTE, QUANDO AS PESSOAS NÃO ESTÃO, TENDEM A **NÃO** SE GOSTAREM. Quanto mais nós vermos, ouvirmos e igualarmos, mais rapport nós teremos. A maioria das pessoas tenta desenvolver rapport através da *fala* e tentando assim descobrir algo que elas têm em comum entre si. Como saber se você está ou não em rapport? Se você está fora de rapport, é porque há mais *diferenças* percebidas do que semelhanças. Se você está em rapport é porque você e a outra pessoa (ou as pessoas) possuem muitas coisas em comum.

Você já ouviu falar da crença de que os opostos se atraem? Isso é uma generalização. Uma pessoa desleixada e uma pessoa organizada podem estar juntas e podem ter rapport, mas não por causa das *diferenças* que elas sentem a respeito da organização, mas por causa de outras *semelhanças* compartilhadas. Por exemplo, suas crenças sobre a importância da família podem igualar-se, a sua religião, suas crenças políticas e espirituais podem igualar-se, elas podem gostar de atividades ao ar livre e podem ter bases sociais e educacionais semelhantes.

"A única maneira de você se comunicar em público com sucesso é ser você mesmo."

— Linda Sommer

Os temperamentos delas podem ser diferentes e aquela diferença pode ser altamente visível, e aquela diferença pode-se somar como um tempero, mas a *qualidade* da relação delas será fundamentada nas *semelhanças*, não nas *diferenças*. E se são percebidas muitas diferenças, essas diferenças podem causar atrito — especialmente conforme os anos forem passando, se cada vez mais são percebidas diferenças.

Olhe para o Oriente Médio. Há diferenças fundamentais que vão além de apenas as questões políticas: a religião e as leis são muito diferentes, por exemplo. Assuntos raciais nos EUA vêm de uma percepção (Representação Interna) de que as pessoas negras e as pessoas brancas são *diferentes* — uma percepção que frequentemente conduz ao racismo (em ambos os lados); bem como entre a Palestina e Israel. Achando o *"algo em comum"* maior — que nós todos somos seres humanos — conduz a tolerância de qualquer diferença poderia existir.

Em essência, a primeira lei do rapport é, **"As pessoas gostam de pessoas que se parecem com elas próprias".** Se eu estou vendo na minha frente um tipo bizarro, eu vou ter muito mais dificuldade de gostar deste tipo do que se eu estivesse perto de uma pessoa muito parecida comigo, que tenha hábitos, que tenha cultura, que tenha o jeito de falar semelhantes aos meus.

Num rapport perfeito é difícil saber quem está liderando quem. Quando há um rapport perfeito, o liderado se esconde. Por este motivo, é que eu insisto para que você aprenda a calibrar. Calibre, calibre e calibre. Pois, nós estamos fazendo (tonalidade/fisiologia) na comunicação, e nas palavras que só são 7% tem grande importância os predicados – se os predicados são sensoriais ou não são; que tipos de sequência sensorial que a pessoa está falando, faz muita diferença para a obtenção do rapport.

Tudo isso faz rapport. Existem tipos de pessoas diferentes umas das outras, e; elas são diferentes é essencialmente pelo modo como elas captam a realidade. O modo como elas usam preferencialmente os canais sensoriais (visual, auditivo e cinestésico) delas. **Quanto mais nós vermos, ouvirmos, sentirmos e *igualarmos*, mais <u>rapport</u> nós teremos.** Mas como você vê, ouve e sente igualdade? A maioria de nós tenta construir rapport fazendo perguntas. O que se as respostas da outra pessoa nos dizem e mostram é que nós não parecemos ter muito em comum com a outra pessoa? A conversação começa a ficar desajeitada.

A Linguagem é o modo menos efetivo para se estabelecer rapport. Como já vimos, somente sete por cento da comunicação passa para o nível inconsciente pela linguagem. As pessoas têm muita dificuldade de entender uns aos outros através das palavras – diferentes pessoas dão significados diferentes às mesmas palavras.

Por exemplo, quando dividimos as pessoas grupos para escrever definições de uma mesma palavra – como "aprendizagem", ou "amor". Geralmente quando estes compartilham suas definições, observa-se que há muito pouca concordância na definição de até mesmo uma palavra!

ENTRANDO EM SINTONIA – O EFEITO
RAPPORT

O que você verá aqui são conhecimentos simples, entretanto muito poderosos. Você deve começar a observar e descobrir o padrão de você mesmo e o padrão das outras pessoas.

A primeira coisa que nós devemos aprender é **olhar** para a pessoa que vamos estar e ela nos mostrará como se comportar naquele momento. Tudo o que você tem que fazer é observar. E, isso significa que nós nos tornamos um par, nos aproximamos das formas ou posturas.

Nós não usamos mímica ou espelho; nenhum dos dois. Você descobrirá que quando as pessoas estão confortáveis com você é quando, por exemplo, estas estiverem sentando da mesma forma que a sua. Quando nós estamos confortáveis com as pessoas, nós igualamos as suas posturas de uma forma não consciente. Portanto, a primeira coisa que você deve fazer é **notar** a outra pessoa.

O objetivo é criar uma ligação de comunicação de tal forma que você e ela possam chegar no assunto ou permanecer no assunto. A única razão de você igualar a postura da pessoa com quem estiver conversando (interagindo) é para que você possa obter um rapport (sintonia) muito, muito rápido. Porque, quando alguém está desconfortável parece estranho. Você poderia falar durante vinte minutos sobre assuntos de menor importância até que você assistisse que a pessoa com quem estivesse conversando está confortável o suficiente, e então, poderia retomar os negócios. Mas às vezes nós só temos uns poucos minutos.

Então, como você pode trabalhar neste tempo com muita eficácia e da mesma forma que você vê com seus olhos, é muito mais confortável agir do modo como seu interlocutor estiver agindo. Não queremos simplesmente imitá-lo! Pode-se utilizar isto para alguém igual a você, um patrão, um subordinado, com o açougueiro ou com o carteiro. É bom fazer as pessoas se sentirem confortáveis e ter rapport com elas.

Quando você estiver usando os gestos, ou usando o "meeting" (igualar); você não deve reproduzir os gestos exatamente da mesma forma que lhe é apresentada (feita) pela pessoa ao qual estiver interagindo. Vamos fazer de conta que esta pessoa ao qual esteja interagindo, seja descendente de italiano, na medida que ela fala, ela usa de muitos gestos. Enquanto ela estiver gesticulando você poderá fazer um "par" simplesmente gesticulando a sua cabeça, ou poderá igualá-la enquanto falar a ela utilizando-se também de gestos. Mas, não consistentemente, porque não é natural.

Os melhores comunicadores no mundo têm a habilidade de estabelecer rapport com qualquer um em qualquer assunto em minutos. Eles usam poucas palavras. Eles ficam iguais as outras pessoas usando os outros 93% de sua comunicação – suas vozes e seus corpos, como também as palavras. Bandler e Grinder chamaram este processo que eles modelaram dos melhores comunicadores de **"Acompanhar e Conduzir"**.

Estes comunicadores se tornavam literalmente imagens espelhadas das pessoas que eles estavam se comunicando – eles emparelhavam suas vozes e corpos. (Acompanhando sua imagem como uma imagem de espelho, emparelhando seus movimentos, do mesmo lado do corpo. Acompanhar e conduzir são igualmente efetivos.) Este processo faz com que haja uma igualdade *neurológica* – um sentimento de união no sistema nervoso – bem no um fundo, a nível inconsciente.

O fato é, você já sabe como acompanhar e conduzir. A qualquer hora que você quiser entrar em rapport com qualquer pessoa, você emparelha e conduz aquela pessoa inconscientemente e, com isto, causará naquela pessoa um sentimento de igualdade no nível inconsciente. A profundidade de seu rapport dependerá em como *exatamente* você emparelha e conduz.

SINCRONIZANDO-SE COM O INTERLOCUTOR

Classificamos oito modos diferentes de aplicar as categorias de sincronização já estudadas, vejamos:

TIPOS DE RAPPORT

RAPPORT CORPORAL
- **POSTURA**: *em espelho*

  direto   *cruzado*
- **MOVIMENTOS**
- **RESPIRAÇÃO**: ritmo / lugar / quantidade

RAPPORT COM A VOZ
- **RITMO**:   rápido/médio/lento
- **TOM**:   agudo/plano/grave
- **VOLUME**:   forte/médio/fraco
- **TIMBRE**:   velado/débil/ronco/gagoso/nasal
- **QUALIDADE**:
  clara/cheia/sonora/forte/doce/extensa

RAPPORT COM A LINGUAGEM
- **PREDICADOS**: verbos/adjetivos/advérbios
- **METAPROGRAMAS**

1. COPIAR

Significa fazer exatamente o que a outra pessoa faz em uma categoria de sincronização. **Exemplo:** a pessoa move seu braço direito; você move seu braço direito. Imitar o ritmo e o tom de voz do seu interlocutor. Adaptar sua respiração para que ela fique parecida com a respiração do seu interlocutor.

Uma observação de precaução: Ao combinar seu comportamento com o comportamento de uma outra pessoa, faça-o com discrição. Se sua imitação for muito óbvia, o outro pode pensar que você o está imitando de modo gozador, e você perderá completamente seu objetivo de melhorar o rapport. Dessa forma, desenvolva essa combinação lentamente, mudando seu próprio comportamento pouco a pouco.

2. ACOMPANHAMENTO

Isso significa copiar como se você fosse o espelho da outra pessoa. Essa técnica funciona melhor quando os dois indivíduos estiverem de frente um para o outro.

Exemplo: a pessoa move seu braço direito; você move seu braço esquerdo. A pessoa coloca a perna direita sobre a perna esquerda; você coloca sua perna esquerda sobre a perna direita.

Esta técnica é um pouco mais sutil do que copiar completamente o comportamento do outro, e você ainda consegue uma melhora notável no rapport.

3. ACOMPANHAMENTO CRUZADO

Significa espelhar usando outra categoria de sincronização. **Exemplo:** A pessoa move seu braço direito; você move sua perna direita. A pessoa cruza as pernas; você cruza os braços. Você combina a respiração do outro com a velocidade do seu discurso.

Esta técnica é ainda mais sutil do que a anterior, exigindo um pouco mais de imaginação e habilidade técnica.

4. ECOAR

Significa combinar, copiar, espelhar ou espelhar de forma cruzada e atenuada. **Exemplo:** A pessoa move seu braço direito; você move sua mão direita. A pessoa cruza as pernas, você cruza seus pés.

Essa técnica é muito sutil e é mais respeitosa.

5. ACOMPANHAMENTO OU IMITAÇÃO PROLONGADA

Significa usar as técnicas anteriores enquanto construindo um prolongamento. **Exemplo:** A pessoa move o braço direito; depois de algum tempo, você move seu braço esquerdo, enfatizando um ponto similar na conversação. Durante uma conversação, você repete as palavras-chave do outro e explica seu próprio ponto de vista. A pessoa usa uma palavra de quatro letras; você a usa depois de algum tempo. Usando esta técnica, você diminui a chance de que a outra pessoa estabeleça uma ligação de causa e efeito entre seu comportamento e a sua reação. Apenas o seu inconsciente detectará a semelhança.

6. REPETIÇÃO

Significa repetir exatamente (literalmente) a mesma linguagem verbal e não-verbal. Isso pode ser feito com palavras, mas também com elementos não-verbais. **Exemplo:** Você pode repetir palavras-chave usadas por uma pessoa, juntamente com movimentos dos braços que as acompanharam. Enquanto você está repetindo, observe como a outra pessoa responde e corrija suas

COMO SE SABE QUE ATINGIU O RAPPORT

- **Um sentimento interno.** Geralmente expresso como um sentimento confortante, uma energia, um fluxo.

- **O ruborizar da face.**

- **Pupilas se dilatando.**

- **Uma verbalização.** Outras pessoas tecerão comentários acerca de suas próprias respostas internas, como por exemplo: *"Realmente estamos funcionando bem juntos"; "Você é bom nisso!"; "Eu sei que posso confiar em você!"; "Oh, isto é divertido!"* ou *"Estamos na mesma sintonia"*.

- **Uma habilidade para liderar.** A pessoa desejará espontaneamente seguir sua liderança.

- **Criatividade.** O sistema que você está criando com a outra pessoa é uma ***sinergia***, ou seja, a soma total é maior do que a soma das partes. Esta é uma das muitas recompensas do rapport. A "mágica" acontece!

próprias ações de acordo com essa realidade (por exemplo, quando você repetiu algumas palavras ou movimentos de maneira incorreta).

7. SEGUNDA POSIÇÃO

Isso significa copiar a linguagem corporal completa do seu interlocutor, tendo os mesmos sentimentos, objetivando ter os mesmos pensamentos.

Bons comunicadores, sejam eles terapeutas, oradores ou líderes de negócios, tentarão descobrir consciente ou inconscientemente qual é o estado da outra pessoa e como ela está relacionando. Isso é uma adivinhação sistemática que, tecnicamente, significa que você se associa à Segunda Posição.

Quando você demonstra que assume a Segunda Posição durante uma conversação, o outro se sentirá não apenas entendido, porque você está usando palavras similares, mas perceberá que você está vivenciando os mesmos sentimentos e compartilhando o mesmo mapa do mundo.

8. ACOMPANHAMENTO INVERSO

Isso significa quebrar as similaridades entre seu comportamento e o comportamento do outro, talvez para chamar a atenção ou conseguir envolvimento, ou ainda como uma estratégia para estabelecer rapport (concordar em imitar de maneira inversa, como uma forma de imitar em um nível diferente). **Exemplo:** *Imitação inversa de conteúdo:* você dá uma ordem a alguém, e a pessoa reage procurando uma abordagem alternativa.

Você encontrará pessoas que executam essa imitação inversa de forma espontânea. Elas são

ENTRAR/ESTAR EM RAPPORT...

- **Estabelece Confiança**
- **Suplanta Resistência**
- **Faz com que o entendam melhor**
- **Faz com que você consiga acordos mais facilmente**
- **O FAZ MAIS FELIZ, SAUDÁVEL E EM HARMONIA COM O UNIVERSO**

rotuladas como "Replicadores de Polaridade". Pessoas que apresentam uma tendência a imitar inversamente mudarão seu comportamento no momento em que notarem (mesmo que inconscientemente) que você está imitando o comportamento delas. Se você sabe que elas imitam de maneira inversa, imite essa inversão! Sugira o oposto do que você pensa, visto que o outro imitará inversamente essa opinião e responderá com aquilo que você deseja.

Charton Baggio Scheneider

OS NEUROTRANSMISSORES E O PROCESSO DE PERSUASÃO E INFLUÊNCIA

A Programação Neurolinguística 2.0, como o próprio nome diz programa a nossa neurologia através da linguagem, se utiliza dos **neurotransmissores** que são pequenos mensageiros químicos que transmitem as informações dentro do nosso cérebro. Sabemos que cada transmissor tem um papel muito específico e especial, que nos afeta como indivíduos.

NORADRENALINA

Entre os neurotransmissores envolvidos no processo de persuadir e influir sobre as outras pessoas, de forma ética e moral, encontra-se a "**noradrenalina**, que é produzida no tronco encefálico e é ativada quando estamos diante de estímulos novos, surpreendentes e inesperados, fazendo com que o cérebro funcione muito rápido.

A noradrenalina é responsável e relaciona-se com diversas funções no corpo. A função primordial do seu mecanismo de ação é preparar o corpo para uma determinada ação. Por isso, é conhecida como uma substância de "*luta* ou *fuga*".

Em resposta ao estresse, o organismo libera a noradrenalina e a adrenalina nos momentos de sustos, surpresas ou fortes emoções. Nesse momento, os dois hormônios desencadeiam uma série de reações por todo o corpo, como:

- *constrição dos vasos sanguíneos;*
- *respiração mais rápida;*
- *aumento das pupilas;*
- *aceleração dos batimentos cardíacos.*

A noradrenalina atua na manutenção dos batimentos cardíacos, nos níveis de glicose e pressão sanguínea. Também age no cérebro e regula atividades como o sono e emoções. Em grandes quantidades, proporciona sensação de bem-estar. Enquanto em pequenas quantidades relaciona-se com o surgimento de sintomas da depressão. Também se relaciona com processos cognitivos de aprendizagem, criatividade e memória. Ela mantém o corpo em alerta e atenção durante o dia e durante o sono os seus níveis diminuem.

Se você deseja persuadir e influenciar alguém, você precisa desse tipo de estímulos para chamar a atenção dos seus interlocutores, pois sem eles, a atenção é muito limitada, e as pessoas perdem o interesse no que você está mostrando/expondo. Mas, é preciso levar em conta algumas coisas: você não pode perder o controle nem exagerar, já que quando faz isso, a outra pessoa também se desconecta. Então você não pode agir como um artista de circo nem começar com uma informação supercomplexa ou algo que pareça inatingível. Inovador sim, porém com limites.

Em essência, mostre um novo ângulo do seu produto ou serviço, algo que o interlocutor nunca tenha visto antes. Ao mostrar às pessoas outras maneiras de ver o produto ou serviço, também abrimos um leque de possibilidades, não só de uso, mas de **experiências**.

Quando você quiser usar a noradrenalina a seu favor, você deve surpreender o cliente com formas e momentos de consumo inesperados, que geram novidade e podem arrancá-lo de sua monotonia.

DOPAMINA

Outro neurotransmissor é a "**dopamina**", um medidor químico do cérebro que nos permite sentir prazer, e por isso muitos estudos em neurociência se concentram nesse elemento a partir da resposta sexual.

A dopamina é um hormônio neurotransmissor de grande importância para a vida, localizado e produzido no cérebro, pela ativação da enzima tirosina hidroxilase. Ela atua como um **mensageiro do nosso corpo** e, quando liberada pelo hipotálamo, produz a **sensação de bem-estar**.

A dopamina é liberada durante a prática de exercícios, meditação, o ato sexual e mesmo quando estamos comendo algo apetitoso. Por isso, há diversos alimentos ricos em vitaminas e sobretudo de **tirosina** (aminoácido não essencial), os quais se ingeridos, proporcionam sensações de relaxamento, por exemplo, frutas (abacate, banana, maçã, melancia), vegetais (couve, espinafre, brócolis, salsa), amêndoas, carnes vermelhas, aves, peixes, feijões, sementes de abóbora e de gergelim, nozes, cogumelos, dentre outros.

Por outro lado, se apresentamos baixos níveis de dopamina no sangue, nos sentimos com menos energia, disposição e mais depressivos. Algumas doenças estão associadas a níveis anormais (altas ou baixas taxas) de dopamina tal qual a doença degenerativa denominada de Mal de Parkinson, posto que as células nervosas que produzem a substância envelhecem. Além disso, muitas drogas psicoativas estão associadas a liberação de dopamina, e, portanto, à dependência química (vício).

A dopamina é um daqueles incentivos muito fortes do cérebro para querer repetir uma conduta, que evolui para a atividade motora em geral e, mais tarde, para processos de pensamento e decisão, incluindo o de compra.

É graças a dopamina que começamos a sentir prazer no momento em que estamos fazendo alguma atividade física. Sabe-se agora que o cérebro também

usa esse mesmo circuito para se recompensar na tomada de decisões quando atinge uma meta, quando alcança algo que queira muito.

Por esta razão, você necessita aprender a fazer com que seus clientes liberem dopamina na negociação e na experiência com o produto ou serviço. Assim, estará estimulando um dos centros mais importantes e agradáveis em matéria de sensações. Neste sentido, a primeira coisa que você precisa é fazer com que a pessoa se sinta inteligente. Dê motivos, mostre valores agregados, faça com que se sinta única e até estratégica quando decidir comprar/contratar de você.

ACETILCOLINA

O neurotransmissor "**acetilcolina**" faz com que o cérebro queira sempre aprender e precisa que cada experiência gere mais adaptabilidade, que o torne mais eficaz, que forneça melhores ferramentas e que possa sobreviver, por isso atua como uma esponja com o intuito de absorver informações.

Esse neurotransmissor (hormônio) atua em diversas partes do corpo como um mensageiro entre as células nervosas, sendo que seus principais efeitos são no sistema cardiovascular, sistema excretor, sistema respiratório, sistema muscular e no cérebro. As principais funções da acetilcolina são:

- *A vasodilatação (dilatação das veias, o que faz com que o sangue corra mais depressa nas veias)*
- *Redução da frequência cardíaca a partir da diminuição da contração do coração (regulando a taxa cardíaca)*
- *Aumento de secreções (salivação e sudorese)*
- *Relaxamento intestinal*
- *Contração de músculos*
- *Auxilia na cognição (aprendizado e na memória do cérebro), uma vez que facilita a comunicação das células cerebrais.*

Visto que atua no cérebro, a ingestão de alimentos ricos em acetilcolina pode prevenir doenças degenerativas, por exemplo, a doença de Alzheimer. Note que existe uma quantidade saudável da acetilcolina no corpo, se diminuta ou aumentada pode causar diversos problemas à saúde, por exemplo, intoxicação, irregularidades dos batimentos cardíacos, espasmos musculares, vômitos, dentre outros.

Existem diversos alimentos ricos em acetilcolina, vejamos alguns deles que contém a vitamina B, a colina: Gema de ovo, Aveia, Soja, Feijão, Levedura, Fígado, Sementes de girassol, Cogumelos, Noz pecã, Amendoim e Salmão.

ENDORFINAS

As "**endorfinas**", são um dos neurotransmissores mais estudados hoje em dia. Acontece que os circuitos que aliviam a dor de um chute são os mesmos que são ativados quando sua alma dói, quando teve uma perda ou um fracasso amoroso.

A endorfina é um dos hormônios do corpo humano, denominada de "*hormônio do prazer*", sendo uma substância química utilizada pelos neurônios (neurotransmissores) e produzida no cérebro pela glândula hipófise. É justamente essa sua principal caraterística: proporcionar o prazer e o bem-estar ao ser humano.

Descoberta na década de 70, o termo "endorfina" surge da união das palavras "endo" (interno) e "morfina" (analgésico), o que explica a sensação analgésica e de bem-estar quando ela atua, sendo, portanto, um "analgésico natural" do corpo. No corpo humano, existem aproximadamente 20 tipos de endorfina no sistema nervoso.

Note que ela é liberada no sangue de diversas maneiras, sendo as principais, durante o ato sexual e com a prática de exercícios físicos. Estudos apontam que a substância é liberada logo após 30 minutos de exercício aeróbico e com o consumo de cacau e pimenta, que também promovem a liberação da endorfina, trazendo uma sensação de tranquilidade e bem-estar.

Pesquisas apontam que a liberação de endorfina possui muitos benefícios para o ser humano, posto que age no sistema nervoso melhorando o estado de humor e inibindo o stress.

Ademais, a endorfina é considerada um importante hormônio que promove o efeito de antienvelhecimento, auxilia no melhor funcionamento do sistema imunológico, desde controle da dor, depressão e ansiedade, melhorando a memória, disposição e resistência física e mental.

Dentre outros benefícios para o corpo estão o controle da pressão sanguínea, fortalecimento da massa muscular, melhora da flexibilidade e da postura, diminuição do risco de muitas doenças, tal qual o colesterol.

Surgem muitas dúvidas quando se fala dos dois hormônios denominados "adrenalina" e "endorfina", o que já implica dizer que existe diferenças entre eles. Assim, enquanto a adrenalina é produzida pelas glândulas suprarrenais e age em situações de stress, perigo e ameaça, tal qual um assalto; a endorfina é produzida pela hipófise, atuando em situações de relaxamento, tranquilidade e bem-estar, tal qual realizar exercícios aeróbicos.

173

Além disso, muitos especialistas afirmam que enquanto a endorfina pode viciar (como ocorre com os atletas), o vício da adrenalina, está associado aos casos de psicologia: pacientes viciados em perigo. Não obstante, o efeito dos dois hormônios difere-se posto que os principais efeitos da adrenalina no corpo são: contração dos vasos sanguíneos, taquicardia (aumento dos batimentos cardíacos), dilatação da pupila e aumento da transpiração, da pressão arterial e da frequência respiratória. Por sua vez, os efeitos da endorfina causam essencialmente sensação de prazer e euforia, o que traz inúmeros benefícios equilibrando assim, diversas funções biológicas do corpo.

As pessoas valorizam muito eliminar a dor, e isso é algo que muitas vezes esquecemos como negociadores ou agentes de mudança. Queremos solucionar outras histórias, queremos focar no positivo (o que é importante, e um dos quatro pilares da PNL), mas não olhamos que uma coisa às quais o cérebro mais agradece é receber uma solução para uma dor ou para algo que gera desconforto.

SEROTONINA

Por último, a **"serotonina"** é um neurotransmissor que contribui com o bem-estar e a felicidade. Em um processo de negociação, persuasão e influência, o cérebro do cliente quer que você transmita suas emoções e seja sensível às dele.

A serotonina é um hormônio neurotransmissor presente no cérebro e tal qual a endorfina é considerada uma "substância do prazer". Ela é responsável por conduzir impulsos nervosos de um neurônio a outro e, quando liberado no sangue, apresenta diversas reações benéficas para o ser humano, tal qual a sensação de bem-estar e saciedade.

Portanto, quando essa substância está desregulada no corpo, pode levar a diversos problemas, por exemplo: diminuição da concentração, stress, ansiedade, cansaço, insônia, depressão, enxaqueca, e em alguns casos, a esquizofrenia.

Assim, para que ela aja corretamente no nosso corpo, algumas medidas importantes podem ser incluídas no nosso dia-a-dia, por exemplo, praticar exercícios físicos regularmente, tomar sol, consumir alimentos ricos em triptofano (aminoácido essencial associado a produção da serotonina), vitaminas do complexo B, cálcio, carboidratos e magnésio: frutas, legumes, alimentos integrais, carnes magras, chocolate amargo, vinho tinto, amendoim, nozes, aveia, ervilha, feijão, castanha, leites e derivados, dentre outros.

A Serotonina beneficia o ser humano de diversas maneiras sendo suas principais funções:

- **Regular apetite, sono, energia, humor, ritmo cardíaco, temperatura corporal, funções cognitivas**
- **Auxiliar no funcionamento de diversos hormônios do corpo**
- **Aumentar o relaxamento e a sensação de bem-estar**
- **Reduzir a sensação de dor**

Você tem que ver como as pessoas se expressam (acuidade sensorial) e chegar inclusive a usar os mesmos gestos que elas para conseguir conectividade – rapport.

Se se trata de alguém que usa muito as mãos, use-as você também, é parte da empatia. A coisa mais importante é que o cliente perceba que você também tem emoções, que é um ser humano, e não uma máquina que deseja vender-lhe algo.

Isso também é conhecido como neurônios-espelho (veja o próximo capítulo), grupos de células cerebrais que são ativadas em resposta às expressões não verbais das outras pessoas e que nos possibilitam experimentar as mesmas sensações e emoções. É um mecanismo que nos permite compreender, além do contexto e das palavras, as razões e as emoções que uma pessoa vive em um determinado momento.

Se conseguirmos nos sincronizar com esse sistema, podemos nos sentir muito mais próximos entre nós. Como um programador neurolinguísta 2.0, você não deve só fazer uso de seus neurônios-espelho, mas ativar os do cliente, sempre tendo uma comunicação não verbal expressiva e positiva (veja capítulo *"Barreira #1 – Dominando o Tubarão"*), à qual deve prestar atenção.

Entre outras coisas, também é importante incentivar a conversa e fazer perguntas gerais, como um bate-papo entre amigos, para dar ao cliente oportunidade e liberdade de se expressar. O cérebro precisa desses espaços, e, quando ele os consegue, há conexão.

Eis um quadro que resume o que você está procurando na mente, o neurotransmissor que é liberado e o que diz o cérebro do seu cliente.

PRINCIPAIS EXPERIÊNCIAS QUE O CÉREBRO SEMPRE PROCURA

O que você está procurando	Neurotransmissor que é liberado	O que diz o cérebro de seu cliente
Busca da novidade, do surpreendente e do inesperado.	NORADRENALINA	Mostre-me as coisas de um ângulo que nunca vi. Abra o meu leque de possibilidades.
Indulgência, facilidade e recompensa.	DOPAMINA	Faça-me sentir inteligente. Dê-me a razão. Mostre-me valores agregados. Faça-me sentir único.
Aprendizagem, adaptabilidade e associação de elementos conhecidos.	ACETILCOLINA	Ensina-me. Ajude-me a relacionar e contextualizar as coisas com meu mundo.
Remover a dor.	ENDORFINA	Alivie minha carga. Dê-me soluções. Mostre-me a normalidade. Faça-me sentir compreendido.
Viver emoções: senti-las e expressá-las	SEROTONINA	Transmita-me suas emoções e sensibilize-se com as minhas.

A Teoria do Cérebro Triuno

Já vimos no capítulo "Neurociência – O Estudo do Cérebro Humano", sobre a Teoria dos Três Cérebros, formulada em 1952 pelo médico e neurofisiologista dr. Paul D. MacLean. Esse pesquisador surpreendeu o mundo das neurociências ao propor, entre outras coisas, que o cérebro tinha uma distribuição diferente das tradicionalmente estabelecidas: afirmou que havia, na verdade, três cérebros em um.

A Teoria de MacLean, é um sistema que permite integrar e articular de maneira contundente as causas e os efeitos de tudo que acontece em nossa vida.

Segundo os termos usados pelo neurofisiologista, o cérebro mais primitivo é conhecido como Complexo-R ou **cérebro reptiliano**, e ele é que nos mantém presos e dominados a vida toda, uma vez que é a base do nosso sistema de sobrevivência. Daí a importância e o poder que tem sobre nossa vida. Não sente nem pensa, apenas reage e age para superar cada situação; é nele que estão os instintos, por isso em grande parte é muito resistente a mudanças. Concentra-se no aqui e agora, e assim não faz reflexões nem considera passado e futuro.

Instintivo e primitivo, esse é o cérebro que se encarrega de que você respire, coma, se defenda ou ataque, se reproduza e cuide da sua tribo, para mencionar o mais básico.

Quem conhece seus princípios e sabe como funcionam tem uma chave muito poderosa para entender o ser humano, bem como prever e explicar suas reações, comportamentos, atitudes, necessidades e, claro, descobrir também por que, como e o que as pessoas por exemplo, compram.

O interessante deste cérebro é que mobiliza tudo; por isso as pessoas que se deixam guiar principalmente pelo cérebro reptiliano são muito mais dinâmicas, ousadas e destemidas.

Acima do reptiliano apareceu o **cérebro límbico**. Todos os mamíferos possuem esse cérebro, e ele conta com uma particularidade: nos torna emocionais, nos transforma em reflexivos e conscientes da nossa existência, o que nos permite encontrar novas formas de pensamento e processamento de informações e nos afastar do plano emocional e instintivo.

O **cérebro córtex** processa todas as informações de maneira lógica e nos torna pessoas mais práticas, mas lá também se encontram muitos de nossos inibidores e controladores do comportamento, por exemplo, as regras de certo e errado (veja mais sobre isso no capítulo, "*Input e Output – A Estrutura de Percepção*"). Esses princípios foram incutidos em nós por meio de normas sociais ou crenças pessoais (veja mais sobre esse tema no capítulo, "*As Restrições e a Bolacha*

Sensorial"), e muitas vezes nos enchem de ideias preconcebidas que nos impedem de sermos mais espontâneos e felizes.

O nível de memória dos três cérebros é bem diferente. Se imaginarmos que se trata de HDs, o cérebro límbico e o córtex seriam os maiores, mas com capacidades bem diferentes. Só para se ter uma noção, se o córtex tivesse 10 megabytes, o límbico teria 10 terabytes.

No processo decisório, por exemplo, para comprar ou não comprar, é o cérebro reptilianos quem toma esta decisão, porque tudo que você compra em sua vida, absolutamente tudo, serve a um único objetivo: **a sobrevivência.**

Quando você entende como funciona o réptil e o medo (Veja o capítulo, "*O que nos impede*") que uma pessoa sente quando compra algo – produto ou serviço – tão importante, sabe o que dizer e o que entregar para ser bem-sucedido no mundo dos negócios.

O CÓDIGO RETILIANO

Sempre se pergunte onde está o réptil do seu produto ou serviço, todo mundo tem uma necessidade reptiliana (às vezes muitas delas), mas há sempre uma que é o instinto mais básico, o mais biológico entre todos os outros; será esse que devemos apontar, e ele é conhecido como o **Código Reptiliano**.

A forma de determinar o Código reptiliano é ir para o mais instintivo, e que seja uma característica animal, os princípios básicos. O animal faz tudo para ficar em uma **Zona de Conforto**, onde não sinta frio, fome ou perigo.

Em um ser humano encontramos os seguintes códigos:

Agora que conhecemos melhor o Cérebro Triuno – Estrutura Reptiliana, Estrutura Límbica, e Neocórtex), vamos estruturar uma metáfora[8] para podermos entender melhor tudo isso – pois, PNL tem a ver com simplificar.

Comecemos com o Cérebro Réptil e faremos de conta que ele é um **"tubarão"**. Por que um tubarão? Ele é um animal muito primitivo, absolutamente reativo – ou ataca ou foge, ou morde ou larga – assim como o cérebro "réptil".

Para o Sistema Límbico, usaremos um **"gato"**, que é, um bicho manhoso, cheio de manias e trejeitos, cheio de ciúmes e gosto/não gosto, se amedronta com facilidade, é muito emotivo, exatamente como o Sistema Límbico funciona.

Para o Neocórtex, precisamos nos lembrar que é uma estrutura composta de um Hemisfério Direito e um Hemisfério Esquerdo. Para o **Cérebro Direito**, vamos usar como metáfora a **"águia"**; ela voa alto, é livre, faz acrobacias, vislumbra o todo, imagina, sonha e cria. E, para o **Cérebro Esquerdo**, vamos utilizar como processo metafórico o **"peixinho-professor"** – o sabe tudo, diplomado, cheio de informações, tagarela, organizado, certinho e detalhista.

---

[8] A metáfora que utilizo para descrever a estrutura triuna do cérebro como Tubarão-Gato-Águia-Peixe Professor, foi criada pelo meu grande mestre em PNL, Dr. Nelson Spritzer, (ao qual prefaciou este livro) que publicou-a pela primeira vez em sua obra: ***"O Novo Cérebro: Como Criar Resultados Inteligentes"*** (1995) publicado pela L&PM.

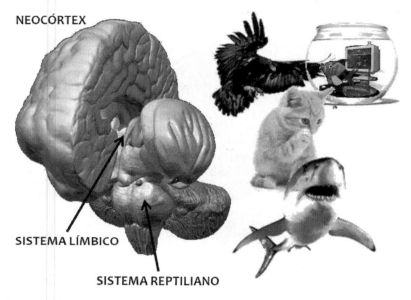

NEOCÓRTEX

SISTEMA LÍMBICO

SISTEMA REPTILIANO

Como já vimos anteriormente (capítulo "*O Rapport*") a comunicação se dá na seguinte proporção:

1) **Sua linguagem verbal 17%** = Peixe-Professor e a Águia
2) **Seu tom verbal 28%** = Gato
3) **Sua linguagem corporal 55%** = Tubarão

Como podemos relacionar tudo o que aprendemos sobre Neurociência com a Teoria da Comunicação? A resposta está nos próximos três capítulos deste livro. Vamos a eles...

BARREIRA #1 – DOMINANDO O TUBARÃO

Como já conhecemos, o "Tubarão" é a metáfora para o Cérebro Reptiliano, que equivale a sua "linguagem corporal", ou seja, 55% de todo o processo comunicacional. Assim, a primeira coisa que necessitamos fazer é cuidar para que o tubarão se mantenha do nosso lado e não nos ataque.

A estrutura "tubarão" – os 55% da comunicação –, está relacionado ao não-verbal, ou seja, com a nossa fisiologia. Você já ouviu dizer que o corpo fala, não é mesmo? Bem, esta é uma verdade contundente, porém nem tanto como falam por ia. Vamos entender a linguagem do corpo verdadeiramente, baseado na Neurociência.

Para todo ser humano a coisa mais importante é cabeça, pois nela estão o que o nosso cérebro repara mais do que tudo – **os olhos e a boca**.

Como prioridade, a primeira coisa que o cérebro faz é detectar os olhos do outro e, em seguida, seguir o olhar dele. Os olhos são fundamentais. Primeiro olhe diretamente para os olhos do cliente enquanto fala com ele, e depois, dirija o olhar para o que você deseja mostrar – um produto, um local, um espaço, etc., e a pessoa também vai começar a olhar na mesma direção que você. Seus olhos estabelecem a conexão com você e com o que você deseja que o cliente veja.

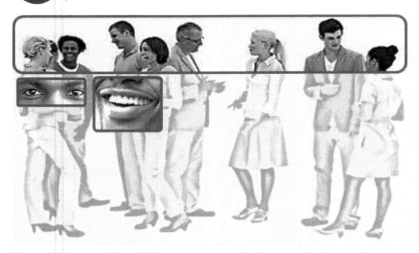

A outra parte a qual o cérebro se concentra é **a boca**, assim mantenha sempre um sorriso em seu rosto. Rir e fazer as pessoas rirem de maneira natural persuade e influencia. O ex-presidente dos EUA Barack Obama utilizou-se deste artifício, onde mesmo tendo exercido dois mandatos, ficando na Casa Branca durante oito anos, onde apresentou poucos resultados e mesmo assim as pessoas o adoram. Ele tem uma coisa boa: um sorriso incrível e o fato de usá-lo muito, e contava piadas no Congresso.

As pessoas adoram sorrisos, mas o cérebro gosta de ver dentes. Por quê? Porque pode nos dar rapidamente informações sobre a atitude no momento e também sobre a idade dessa pessoa. Assim como os cavalos, os dentes revelam brutalmente a idade das pessoas. E por que o cérebro está interessado na idade? É uma questão básica, instintiva, réptil, que serve para identificar pontos fortes e fracos na tribo.

Os dentes saudáveis e fortes nos dizem que se trata de uma pessoa saudável. Os dentes pequenos, velhos e maltratados nos dizem tacitamente que não é alguém bem-sucedido. A arcada dentária é poderosa, e o cérebro gosta de ver isso, então sorria o tempo todo.

O sorriso e o bom humor geram um nível de oxigenação superior e fazem com que as pessoas relaxem, que se conectem com você. Se você sorrir, o cliente também vai sorrir.

A felicidade começa no cérebro. Faça algo bem feito, receba um agrado ou um carinho ou ache graça em uma piada, e seu sistema de recompensa se encarrega de fazer com que as regiões do cérebro que cuidam de movimentos automáticos -aqueles que fazemos sem precisar pensar- estampem um belo sorriso em seu rosto.

Se ele é genuíno, essas regiões do cérebro tratam de elevar os cantos da boca, relaxar as sobrancelhas e, o mais importante, apertar levemente as pálpebras. É acionado também o córtex orbito-frontal (OFC), parte do cérebro que registra quando algo de bom acontece -como a causa do sorriso. O sorriso forçado, aquele que damos tantas vezes para a câmera, é diferente. Ele parte de regiões do cérebro que comandam movimentos voluntários e não causa ativação do OFC. Não diz, portanto, ao resto do cérebro que algo de particularmente bom aconteceu. Ou seja: você pode até sorrir por fora, mas seu cérebro sabe que você não está sorrindo por dentro. O incrível é que estampar um sorriso no rosto pode bastar para que comecemos a nos sentir bem. O truque funciona mesmo se você instruir um ator a montar um sorriso, músculo a músculo.

Quanto mais os atores aprendem a dominar o músculo que circunda as pálpebras, adotando uma expressão de felicidade genuína, mais seus corpos começam a se preparar para a felicidade, proporcionando-lhes um bem-estar que eles não sabem explicar. A neurociência, contudo, explica: um trabalho recente mostrou que o sorriso genuíno já basta para ativar o córtex da ínsula, região do cérebro que nos dá sensações subjetivas como a do bem-estar.

Ver alguém sorrir também funciona. Um sorriso no rosto de quem fala com você aciona as mesmas áreas do cérebro responsáveis pelo seu próprio sorriso, inclusive a ínsula e o OFC. É como se ver alguém sorrindo bastasse para você se sentir sorrindo por dentro também. Uma vez que seu cérebro repete por dentro o sorriso que ele vê por fora, o bem-estar do outro é contagiante. Felicidade gera felicidade: ela passa de um cérebro para o próximo por meio do sorriso. E, se tudo isso ainda não bastar para você começar a sorrir agora mesmo, eis uma razão a mais: o OFC, que é acionado automaticamente quando vemos uma pessoa bonita (feia não serve!), fica ainda mais ativo quando essa pessoa sorri.

O sorriso é, portanto, o tratamento de beleza mais rápido, barato e democrático que a natureza -e a neurociência- já inventou... Estampar um sorriso no rosto pode bastar para que comecemos a nos sentir bem. O corpo é um componente essencial na comunicação, o mais importante de todos. Quando você se comunica com a mente, deve considerar em primeiro lugar a linguagem corporal que usa, assim, demos continuidade ao entendimento da metáfora do "tubarão". Passamos pela cabeça – olhos e boca (sorriso – dentes) agora vamos nos concentrar na parte média do corpo, aqui estão localizados nosso tórax (a respiração), e os nossos gestos (os movimentos com braços e mãos).

Quando tratamos da cabeça falamos que os olhos são o elemento chave, aqui na parte média do corpo o elemento chave é nosso tórax, mais precisamente a **nossa respiração**. Nosso padrão de respiração traz muitos recados. Se você inspira e expira de forma rápida e superficial, por exemplo, provavelmente será visto como estressado ou temeroso. Para transmitir autoridade, o ideal é praticar uma respiração abdominal, profunda e lenta. Além de mostrar ao outro que você está confiante, esse padrão ajuda a oxigenar o cérebro e, assim, controlar a sua ansiedade.

O PODER DA RESPIRAÇÃO NA OBTENÇÃO DO RAPPORT

Vamos tratar agora sobre como respirar. E, eu quero demonstrar-lhe o quão poderoso isso é. Onde isto é poderoso? Muitas vezes você está numa situação onde não pode falar, se você respirar no mesmo ritmo, se você acompanhar aquela pessoa ela terá uma necessidade em conhecê-lo.

Se você é casado e estiver casado há muito tempo, se você ritmar a respiração será como recriar a mágica do primeiro encontro de vocês. Quando se está em rapport e acompanhando, você tem a atenção da pessoa. Não estando em rapport ela fica distraída.

Quando você estiver num encontro e estiver em rapport com algumas pessoas – você poderá estar falando com uma, gesticulando como outra e respirando como outra – e, então; nós acompanhamos várias pessoas com várias coisas que estão acontecendo.

Se você estiver trabalhando com duas pessoas ao mesmo tempo e elas não tiverem a mesma postura, eu não acho uma boa ideia começarmos a nossa conversa e depois trocar cada vez que se fizer com determinada pessoa. Embora, eu seja "resultado" nisso, a diferença é que eu posso acompanhar a minha postura com uma delas, e com a outra pessoa o timbre e o tom de voz, e; respirando com a outra pessoa de forma que você possa conseguir contatar com muitas pessoas.

Em negócios, na maioria das vezes há uma pessoa no comando. Quando você entrar dentro de uma sala, os subordinados sempre querem estar em rapport com o patrão geralmente, então; é só saber quem é que toma as decisões no grupo e garantir que se consiga rapport com aquela pessoa. Em geral, isto espalha – generaliza-se nas outras pessoas!

Uma das coisas que estudamos na PNL é como obter um rapport mais profundo com as pessoas, o que nos ajuda a conseguir um rapport efetivo com absolutamente qualquer um. Provavelmente a PNL é a principal fonte da maioria dos treinamentos disponíveis de rapport. Isso inclui métodos para, em primeiro lugar, estabelecer ou obter rapport, construir, melhorar ou aprofundar o rapport, mantendo-o ao longo do tempo, e depois, quando chegar a hora, reduzir o rapport, de um modo elegante, para desconectar-se de uma situação, porém mantendo o relacionamento.

Isso pode parecer contraditório se você ainda pensa que "há algumas pessoas com quem eu consigo e outras não." As pessoas treinadas pela PNL não têm esse problema. Nós podemos conseguir com qualquer um, se assim decidirmos. E aqui está uma das formas mais sérias de se fazer isso: **Espelhar e combinar o ritmo da respiração de alguém pode produzir resultados surpreendentes.**

Uma das coisas que notamos quando estudamos pessoas que estavam naturalmente em rapport muito profundo, é que a respiração delas tende a estar sincronizada. Então se você sincronizar a sua respiração, você pode causar rapidamente, na outra pessoa, as mesmas sensações que ela sentiria se já estivesse propensa a obter rapport com você. Na verdade, se você sincronizar o ritmo da sua respiração e da fala com a respiração da outra pessoa, vai poder assistir e apreciar como a pessoa, em resposta, encontra formas de aprofundar a ligação dela com você!

Entretanto, muitas vezes, quando a pessoa está começando, ela experimenta alguma dificuldade no acompanhamento com a outra pessoa. Para ser bem feito, isso realmente requer uma boa visão periférica. Essa é uma das marcas dos principais treinamentos de PNL: o trainer passa algum tempo melhorando

as habilidades da consciência periférica dos seus estudantes. Meu conselho é que você faça isso sempre.

TREINE FICAR CONSCIENTE DA SUA VISÃO PERIFÉRICA

Se você puder aprender a prestar atenção na realidade mais ampla usando mais a sua visão periférica e reduzindo as suas percepções - desde que não esteja procurando mudanças rápidas – você pode começar a notar a lenta elevação e descida dos braços da pessoa... e, talvez, a expansão para fora e para dentro da sua caixa torácica... ou os braços dela descansando sobre o tórax ou o estomago... às vezes, os ombros se ajustam um pouco ou sobem a cada respiração... talvez você possa até mesmo aprender a ver mudanças nas dobras da roupa ou nos músculos do rosto e do pescoço...

E, enquanto, você fica cada vez melhor ao aprender e, em seguida, usar essas habilidades, provavelmente vai descobrir que, algumas vezes, o acompanhamento da respiração pode ser notado pelas pessoas realmente perceptivas, de modo que você pode querer se tornar mais sutil aprendendo o acompanhamento cruzado (como tocar o dedo em sua coxa ou no peito, ou bater os pés no ritmo da respiração da pessoa, ou piscar os olhos...).

Isso me faz lembrar que, toda vez que as pessoas se encontram socialmente em algum lugar, e... bem, você já viu como os casais reagem um com o outro e prestam atenção, realmente prestam atenção a como a outra pessoa se movimenta? É quase como se elas realmente pudessem começar a fazer coisas semelhantes sem pensar, de uma maneira natural e confortável! Algumas vezes, elas estão em sincronia, às vezes, fora de sincronia... e as conversas sempre fluem de uma maneira mais natural, mais confortável quando estão em sincronia!

E mais, de certo modo, muitas pessoas que estão fora de sincronia podem entrar em sincronia fazendo coisas semelhantes, e se elas estiverem realmente ligadas com a pessoa que estão ouvindo e conversando, elas ou a outra pessoa podem se orientar em uma direção, verbalmente ou não, e a outra pode apenas acompanhar... Agora, enquanto você pensa sobre tudo isso, e descobre uma maneira de como utilizar tudo o que esse artigo tem a lhe oferecer imediatamente, para propósitos maravilhosos, e tudo para se divertir e viver uma grande vida, quão surpreso você ficaria quando, se fosse realmente pego e tivesse dado risadas sobre isso, elas poderiam estar de tal modo em sintonia com você, que elas teriam dado risadas junto com você?

OK. Agora você pode querer despertar e sair para testar tudo com seus olhos abertos!!! Desse modo você mesmo poderá ver como funciona! Totalmente incrível? E é! Indo além... considere de forma intensa a integração de todas essas habilidades, aprendendo como o processo de influência é realmente importante, e o mais importante, na minha humilde opinião, como usar essas novas habilidades com responsabilidade torna tudo mais importante, à medida que você aumenta a eficiência das suas próprias habilidades!

Agora podemos passar para **os gestos**, que devem ser soltos e devem demarcar um espaço a sua frente mantendo os cotovelos pelo menos um palmo de distância do corpo – nunca os uma a lateral de seu corpo para gesticular, deixe que seus braços se movam de forma natural e livremente, porém não sem pensar no que você está fazendo.

Os gestos não devem ultrapassar a largura dos ombros e nem irem muito a frente (lógico que há exceções) – mantenha uma área de gesticulação que vai de um ombro a outro (para os gestos laterais) e da altura dos ombros até o meio da área abdominal (gestos mais baixo chamarão atenção para partes de eu corpo que você não vai querer que os seus interlocutores estejam focados) – lembre-se de que as pessoas acompanham com seus olhos e por conseguinte com sua atenção a direção de seus gestos.

Os gestos devem ser usados para pontuar a sua linguagem verbal, eles dão vida e sentido a sua fala e por isso devem ser congruentes com a mesma. Assim, por exemplo, quando você diz "se aproximem", suas mãos e antebraços devem ir em direção a seu corpo, e não de você para fora (isso demonstraria incongruência); para "abram espaço" seus gestos serão o oposto, caso contrário você também estaria incongruente – gestos e fala tem que estarem congruentes.

Existe uma área do cérebro, a qual é importante para a produção da fala, que está ativa não só quando você fala, mas também quando gesticula. Como o gesto está intimamente ligado à fala, gesticular enquanto fala pode realmente impulsionar o seu pensamento, trazendo mais fluidez ao seu discurso. Você deve **manter uma postura aberta e receptiva**. Você pode não ter essa intenção, mas manter os braços cruzados enquanto conversa com alguém sugere uma postura defensiva, desafiadora ou fechada às ideias do outro. E isso não favorece em nada a comunicação! Então, deixe os braços soltos ou no máximo as mãos unidas na região da cintura. Manter a região do peito/abdômen livre sugere abertura e receptividade ao outro. Se estiver sentado, descruze as pernas também.

Referente **as mãos**, são elas que firmam os fechamentos, os acordos, assim saiba que seu **aperto de mão** não deve ser fraco (sinal de insegurança) nem forte demais (apesar das pessoas acreditarem que aperto de mão forte é sinal de confiança), pois pode machucar a mão do seu cliente o que seria extremamente negativo. Para saber qual é a força de pressão a ser exercida no aperto de mão posicione a mão e deixe a outra pessoa dar o tom de pressão e então você o copia na mesma intensidade.

Ao estender o braço para fazer um aperto de mão busque ficar "por cima" no aperto de mão. Em contextos profissionais, o aperto de mão é muito mais do que um gesto de cumprimento – quem fica com a palma voltada para baixo é percebido como dominante. Estender a mão com a palma virada para cima, por outro lado, indica que você espera que a outra parte assuma o controle. Você também pode querer dar um aperto de mão duplo – estenda a mão direita e depois coloque a esquerda sobre a mão da outra pessoa. Essa técnica é especialmente eficaz para uma mulher que esteja lidando com um homem agressivo, pois transfere o poder dele para ela.

As mãos que tecem, oram, afagam, batem palmas, golpeiam e abraçam são o reflexo do nosso interior, e do nosso estado de espírito. As mãos do maestro ditam ritmos, compassos, melodias – As mãos do artesão afagam o barro e criam formas divinas.

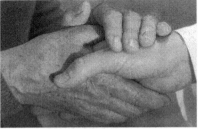

A grande pergunta: onde coloco as minhas mãos? Cuidar das mãos para que fiquem calmas, tranquilas e serenas. O objetivo é transmitir ao público uma paz de espírito. As mãos podem representar nossa alma. Você pode fazer o que você quiser, com seu corpo, com o seu gesto, desde que seja menos. Menos é mais. Ou seja, menos gesto é mais comunicação. É importante ter flexibilidade e um bom tônus muscular.

Bem, agora podemos ir para a última seção para acalmar o "tubarão" (o cérebro reptiliano) que está nos nossas **pernas e pés**.

A mania de balançar a perna quando está sentado aguardando ser atendido, trabalhando na frente do computador ou até mesmo em um restaurante – na maioria das vezes, o movimento é tão natural para a pessoa que ela nem percebe que o está fazendo.

Por isso, não é incomum que pessoas próximas reparem (e se incomodem) antes mesmo de quem tem a mania. Balançar as pernas é um ato ligado ao estresse e à ansiedade. É uma resposta comportamental e psicológica ligada à ansiedade, assim como roer unha. A ansiedade diante da plateia é um fenômeno psíquico dos mais complexos e interessantes. O corpo reage com tremores, taquicardias e tremor dos músculos e ossos. É preciso distinguir a excitação do momento com o nervosismo. O corpo precisa estar preparado para viver essas emoções intensas. As atividades físicas, meditações e respiração profunda auxiliam nesse controle.

Com relação aos **pés**, você deve mantê-los sempre alinhados com os ombros e com a ponta deles voltada para a frente (fig.1). Quando um dos pés sai do alinhamento (fig.2) é porque a mente da pessoa já começou a divagar, então está na hora de fazer algo diferente para trazê-la de volta.

Observe duas pessoas em um bar – normalmente você verá seus corpos emparelhados, cabeças inclinadas ao mesmo ângulo e pernas cruzadas da mesma forma. Se você tiver bastante acuidade sensorial poderá observar a taxa de *Respiração* delas, provavelmente emparelhada. Eles também terão provavelmente a respiração na mesma parte do tórax delas.

RAPPORT CORPORAL

POSTURA: em espelho – direto – cruzado – movimentos

RESPIRAÇÃO: ritmo – lugar – quantidade

Você pode acompanhar e conduzir a *Fisiologia* – o corpo: postura, respiração (um modo excelente para acompanhar e conduzir, porque é tão sutil que ninguém notará), expressões faciais, frequência de contato ocular (alguém que fita ou alguém que foge o olhar constantemente), frequência do piscar, proximidade (quanto mais íntimo você for da outra pessoa quanto mais você poderá se aproximar dela? – você pode literalmente *sentir* quando você também adquire intimidade), gestos, e toques (frequência e localização). Você já faz muitas destas coisas – a chave é estar atento e fazê-las conscientemente com a finalidade de estabelecer rapport.

Assim, passamos pela primeira estrutura do nosso cérebro, o réptil – "tubarão", agora vamos ver como passar pelo segundo animal, o "gato" – o cérebro límbico.

BARREIRA #2 – DOMINANDO O GATO

Passamos pelo "tubarão", o nosso cérebro límbico – a luta ou fuga, o confio ou não confio. Agora necessitamos passar pelo **"gato"**, o nosso Sistema Límbico, e, novamente trago a memória os dados da Teoria da Comunicação em que 55% é linguagem corporal (*Tubarão*), 28% é o tom com que você fala (*Gato*) e apenas 17% é o discurso verbal.

Se já passamos pelo "tubarão" – a fisiologia, a parte mais importante da capacidade de comunicação, agora é a vez de **cuidarmos dos sons.**

O tom de voz que usa faz com que seu cérebro se conecte ou não com as palavras e as mensagens.

O tom de voz é um dos elementos com maior influência sobre a comunicação dos seres humanos. Em cada tom há uma série de parâmetros sonoros que dão sentido, consciente e inconscientemente, à mensagem que está sendo transmitida. Alguns deles são o timbre, a intensidade do som, a velocidade da dicção, a clareza, a projeção, etc.

Várias pessoas podem dizer exatamente a mesma frase. No entanto, **o tom de voz usado por cada uma comunica uma informação psicológica diferente.** É então que descobrimos que as palavras têm um conteúdo verbal e não verbal. A esfera não verbal é menos controlável e, por isso mesmo, mais autêntica.

É possível saber muito sobre o humor de uma pessoa analisando seu tom de voz. Mesmo se alguém falar em um idioma que não conhecemos, seríamos capazes de perceber algo sobre sua maneira de ser e de sentir apenas ouvindo a forma como ela fala. A seguir daremos algumas ideias para que você possa interpretar o que o tom de voz de uma pessoa diz.

O Laboratório de Análise Instrumental da Comunicação sobre Locução e Imaginário da *Universidade Autónoma de Barcelona* realizou um estudo sobre voz e percepção. Suas conclusões são curiosas e interessantes. Vejamos:

- *O tom de voz grave sugere maturidade e gera confiança nos demais.* **Ele é o mais utilizado nos anúncios publicitários;**
- **Se o tom de voz é extremamente grave, remete a sensações sombrias;**
- **Uma voz firme e segura nos faz pensar que quem fala é distinto e importante;**
- *Falar em um tom de voz baixo sugere que a pessoa tem grandes fraquezas* **ou que é tímida;**
- **Aqueles que empregam um tom de voz mais agudo transmitem baixa credibilidade.**

A voz é um padrão tão pessoal que, atualmente, é usada para verificar a identidade e dar acesso a muitos sistemas digitais. Também serve como provas em tribunal. Sua confiabilidade é tão grande, ou maior, que a de uma impressão digital.

Alguns psicólogos se deram ao trabalho de identificar os significados ocultos no uso da voz. O resultado é um verdadeiro catálogo de interpretações para as sutilezas que muitas vezes passam despercebidas para a maioria de nós. Vejamos:

RESPIRAÇÃO

A forma de respirar enquanto falamos **dá uma ideia sobre o ritmo no qual a pessoa vive:**

- **Calma: costuma ser uma pessoa equilibrada;**
- **Profunda e constante: energia e dinamismo;**
- **Profunda, constante e forte: raiva reprimida;**
- **Superficial: falta de realismo;**
- **Curta e rápida: ansiedade, angústia.**

INTENSIDADE OU VOLUME

Define, de maneira geral, **como uma pessoa interage consigo mesma e com os demais:**

- **Normal: autocontrole e capacidade de ouvir;**
- **Alto: fraqueza, egoísmo e falta de paciência;**
- **Baixo: inexperiência, repressão.**

ARTICULAÇÃO E VOCALIZAÇÃO

A vocalização **tem a ver com a capacidade de compreensão** e o interesse em ser compreendido:

- **Bem definida: clareza mental, abertura à comunicação;**
- **Imprecisa: engano ou confusão mental;**
- **Muito marcada: narcisismo, tensão;**
- **Travada: agressividade, repressão.**

VELOCIDADE

Fala sobre o tempo emocional no qual o falante está imerso:

- **Lenta: falta de interesse, desconexão com o mundo;**
- **Rápida: tensão, desejo de ocultar informação;**
- **Regular: contenção, repressão, falta de naturalidade;**
- **Irregular: confusão, ansiedade, ruptura de comunicação.**

O tom de voz imprime um selo à forma que uma pessoa emprega para se comunicar com o mundo. Mesmo que seu interlocutor não seja especialista no assunto, ele recebe inconscientemente uma série de mensagens através da voz do outro. Estas mensagens dão forma à imagem que temos sobre as pessoas.

O tom de voz também comunica o tipo de relação que a pessoa quer ter com alguém. Se for frio e cortante, impõe distância; se for quente e sussurrado, convida à aproximação. Pelo tom de voz, define-se o tom de vínculo.

É importante esclarecer que **o tom de voz de uma pessoa nem sempre é o mesmo.** No entanto, existem elementos que sempre permanecem presentes. São precisamente estes padrões constantes que nos dão dicas sobre a personalidade de alguém ou de seu estado de ânimo.

Um bom exercício de autoconhecimento é o de nos gravarmos em diferentes situações e, então, parar para ouvir estas notas ocultas presentes em nosso tom de voz. Ao mesmo tempo em que a voz é uma ferramenta comunicativa e de inter-relação, **trata-se de um instrumento que vale a pena aprender a controlar.**

Lembremos que os seres humanos possuem cinco sentidos, todos ansiosos por um estímulo eficaz. Lembra da *"dopamina"* que vimos no capítulo *"Os Neurotransmissores e o Processo de Persuasão e Influência"*? Lembra, que quando estamos comprando nosso corpo secreta dopamina? Pesquisas realizadas em Shopping Center, onde se oferecia chocolate e água, tiveram um incremento drástico nas vendas.

Assim, quando estamos comprando, nosso corpo secreta dopamina, e o **consumo de chocolate** aumenta a feniletilamina, então temos uma dupla fonte de prazer para o cérebro, fazendo com que o indivíduo sinta indulgência, facilidade e recompensa.

Uma pessoa com sede não compra, então dê água para ela. Além disso, além disso, uma pessoa cansada também não compra, por isso ofereça-lhe **um lugar para sentar e algo para beber.** Uma pessoa adquire mais quando escuta música e sons relacionados ao que você está vendendo. **Uma boa música** em uma loja de roupas, por exemplo, pode aumentar as vendas em até 18%.

Os odores são mágicos. O cheiro de carro novo é um dos melhores que existem e o mais excitante quando você quer comprar um.

Você sempre deve se lembrar de que a mente usa os cinco sentidos para tomar qualquer decisão, por isso é necessário ter uma estratégia para o tato, a audição, a visão, o paladar e o olfato.

TIPOS DE VOZ	INSTRUMENTOS MUSICAIS CORRESPONDENTES

AGUDO

SOPRANO

Pistão

Violino

CONTRALTO

Corne Inglês

Viola

TENOR

Trombone de Vara

BARÍTONO

Bombardino

Violoncelo

BAIXO

Sax Horn Baixo

Contrabaixo

GRAVE

Agora podemos subir para o Neocórtex, a área da "*águia*" (Hemisfério Direito) e do "*peixe-professor*" (Hemisfério Esquerdo, porém antes quero falar um pouco sobre o Canal Auditivo que tem a ver com nosso "*gato*".

RAPPORT COM A VOZ

RITMO: rápido – médio – lento

TOM: agudo – plano – grave

VOLUME: forte – médio – fraco

TIMBRE: velado – débil – ronco – gago – nasal

QUALIDADE: clara – cheia – sonora – forte – doce – extensa

COMPONENTES POSSÍVEIS DA VOZ PARA ESPELHAR

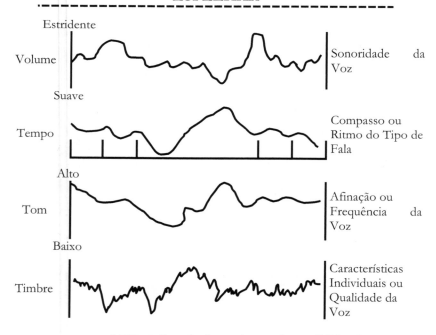

BASEADO EM PODER SEM LIMITES, ANTHONY ROBBINS, 1987, BEST SELLER, PP. 223.

Você pode acompanhar e conduzir a **Voz** – a tonalidade e o tempo de como uma pessoa está falando (nasal, ressonante, rápido, lenta, etc.), como também a cadência, o timbre, e o volume. Você acha que uma pessoa que fala suavemente entrará em rapport com alguém que fala rapidamente? Ou vice-versa? Você também pode usar as mesmas palavras chaves que fará ela se sentir como se vocês estivessem no mesmo "comprimento de onda", ou "obtendo a (mesma) representação".

O CANAL AUDITIVO

O Espectro Sonoro é o conjunto de frequências de vibração que podem ser produzidas pelas diversas fontes sonoras:

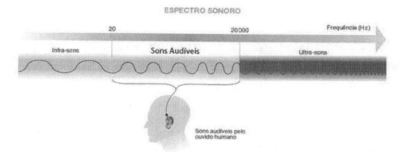

*Imagem do livro "FQ8 - Sustentabilidade na Terra - Edições ASA".*ns Audíveis

Designam-se por sons audíveis aqueles que o Ser Humano é capaz de ouvir. Com base na análise da figura anterior, pode-se concluir que o Ser Humano apenas consegue captar vibrações com frequências compreendidas entre os 20 Hz e os 20.000 Hz.

- **Os sons de 20 Hz são os mais graves que os nossos ouvidos captam;**
- **Os sons de 20.000 Hz são os mais agudos que os nossos ouvidos captam.**

INFRA-SONS

Durante um sismo ocorre produção de infrassons.

Durante uma erupção vulcânica ocorre produção de infrassons.

197

ULTRA-SONS

Designam-se por Ultrassons todos os sons com frequência superior a 20.000 Hz. Estes sons não são captados pelo ouvido humano, embora possam ser captados por outros animais. Os Ultrassons são de grande utilidade por exemplo na medicina, onde são utilizados para a realização de ecografias. Também são utilizados com sucesso na pesca para identificar cardumes de peixes.

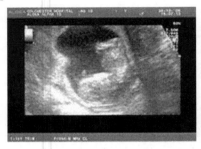

Os ultrassons são utilizados na realização de ecografias.

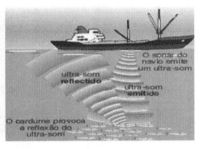

Os ultrassons são utilizados nos sonares de barcos de pesca.

SONS CAPTADOS PELOS DIFERENTES ANIMAIS

Para além do Ser Humano, também uma grande variedade de outros animais consegue captar sons. Alguns destes animais têm uma sensibilidade auditiva bastante melhor do que o Ser Humano. Na imagem seguinte, é apresentada uma comparação entre os sons captados e emitidos por diferentes animais:

Há animais que conseguem captar sons em intervalos de frequências diferentes dos do Ser Humano. Por exemplo o Golfinho capta sons entre os 150 Hz e os 150.000 Hz.

NÍVEL SONORO

Apesar de o ouvido humano captar sons com frequências compreendidas entre os 20 Hz e os 20.000 Hz, só os capta se a intensidade sonora destes sons for suficientemente forte. Por exemplo:

Não conseguimos ouvir uma folha a cair. Intensidade sonora muito fraca.

O som de um concerto é agradável. Intensidade sonora moderada.

O som do foguetão causa danos auditivos. Intensidade sonora muito forte.

Para descobrir se o som produzido por uma fonte sonora é forte ou fraco, determina-se o Nível Sonoro produzido. O nível sonoro relaciona a intensidade sonora de um som com a intensidade sonora do som mais fraco que conseguimos ouvir. Para determinar o nível Sonoro utiliza-se um Sonómetro.

As unidades utilizadas para quantificar o Nível Sonoro são o Bel (B), embora seja mais comum utilizar-se o decibel (dB), que corresponde a um décimo do Bel. Se medirmos o Nível Sonoro produzido por uma folha a cair, num concerto ou durante o lançamento de um foguetão, os valores são aproximadamente os seguintes:

Nível sonoro ~ 15 dB
Nível sonoro reduzido.

Nível sonoro ~ 90 dB
Nível sonoro moderado.

Nível sonoro ~ 150 dB
Nível sonoro elevado.

No gráfico seguinte compara-se o Nível Sonoro em diferentes situações:

Nível Sonoro em diferentes situações

130 dB
Broca pneumática

120 dB
Buzina de carro alta
a um metro

110 dB
Aeroporto

100 dB
No interior de um metropolitano ou ao
longo de uma linha ferroviária principal

90 dB
No interior de um autocarro

80 dB
Rua residencial congestionada

70 dB
Conversa

60 dB
Sala de estar com música ou televisão
com volume reduzido

50 dB
Escritório silencioso

40 dB
Quarto

30 dB
Estúdio de gravação

20 dB
Estúdio de radiodifusão

10 dB
Limiar da audição

0 dB

É de notar que o Nível Sonoro pode influenciar o estado de espírito e, no caso de ser demasiado elevado, provocar mesmo lesões auditivas permanentes.

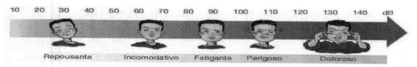

Imagem do livro "FQ8 - Sustentabilidade na Terra - Edições ASA".

AUDIBILIDADE HUMANA

Apesar de o ouvido humano captar sons de diversas frequências, a cada frequência corresponde um nível sonoro mínimo necessário para que o som seja ouvido:

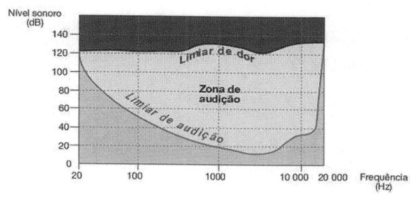

Imagem do livro "FQ8 - Sustentabilidade na Terra - Edições ASA".

Da leitura do gráfico anterior, conclui-se que, por exemplo:

- **para uma frequência de 1000 Hz, o ouvido humano capta o som se o Nível Sonoro for no mínimo de 20 dB;**
- **para uma frequência de 20 Hz, o ouvido humano só capta o som se o Nível Sonoro for no mínimo de 120 dB;**
- **na zona representada a amarelo representa os sons captados pelo ouvido humano;**
- **na zona representada a verde representa os sons que o ouvido humano não consegue captar, uma vez que o Nível Sonoro é muito reduzido;**
- **na zona Representada a vermelho representa os sons que causam dor e possivelmente lesões ao ouvido humano, já que têm um Nível Sonoro demasiado elevado.**

CUIDADOS A TER PARA PRESERVAR A AUDIÇÃO

A exposição prolongada a ambientes ruidosos pode levar à perda de audição e provocar doenças do sistema nervoso central. Assim, há alguns cuidados que todos devemos ter para preservar a nossa audição. São apresentados em seguida alguns exemplos:

*Utilizar protetores nos
ouvidos sempre que
trabalhamos em ambientes
ruidosos.*

*Se morarmos junto a uma
autoestrada ou via férrea,
pedir a colocação de barreiras
sonoras.*

*Não colocar o volume dos
auscultadores demasiado
elevado.*

QUALIDADES DO SOM

Altura é a qualidade que permite diferençar um som grave de um agudo:

❖ **GRAVE** -- quantidade de movimentos executados em um intervalo de tempo **É BAIXA**

❖ **AGUDO** -- quantidade de movimentos executados em um intervalo de tempo **É ALTA**

Intensidade é a qualidade que permite identificar se um som é forte ou fraco. Timbre é a qualidade que permite diferenciar dois sons de mesma altura e intensidade, porém emitidos de fontes distintas.

BARREIRA #3 – DOMINANDO A ÁGUIA E O PEIXE-PROFESSOR

Uma vez passado pelo "tubarão" (cérebro reptiliano) e pelo "gato" emotivo (Sistema Límbico), ou seja, agora que você usou de forma correta seu corpo, olhar, sorriso, respiração, gestos, postura, roupas, seus tons de voz, agora chegamos ao topo da estrutura neurológica, o nosso neocórtex cerebral, e podemos falar então ao cérebro mais "inteligente" – os nossos dois hemisférios cerebrais. Aqui falamos com o **"peixe-professor"** do Hemisfério Esquerdo **através do conteúdo** da mensagem, a mensagem em si; e, falamos com a **"águia"** do Hemisfério Direito através do que chamamos de **Metalinguagem** ou Meta-Mensagem, uma espécie de código secreto de comunicação persuasiva e influente.

O IDIOMA "DIGITALÊS" – CONTEÚDO

Para nos comunicarmos com o **"peixe-professor"** devemos nos lembrar quais são as características do cérebro esquerdo:

O hemisfério esquerdo é o responsável pelas atividades racionais e analíticas como a linguagem, a escrita, a aritmética, o pensamento linear, a comunicação digital, os processos secundários da psicanálise, etc. Deste modo, o hemisfério esquerdo é capaz de distinguir uma árvore de outra árvore, sem tentar ver o bosque.

O hemisfério esquerdo é como a formiga, que apenas vê todos os detalhes, um de cada vez, à medida que vai caminhando. Ele interessa-se primordialmente pelos componentes, processando a informação em sequências, em série, seguindo um padrão temporal, descodificado por sinais acústicos (linguagem oral, matemática, noções musicais) e traduzindo-as em palavras depois de as ter analisado.

Assim, para falar com ele, recomenda-se que você se utilize da lógica, a razão, **a linguagem "digitalês"** (veremos mais sobre isso posteriormente).

IDIOMA SENSORIAL...

Vamos relembrar um pouco algumas das características da "**águia**" – o nosso Hemisfério Direito, que se ocupa pelas atividades sensoriais, emocionais e globais, como a intuição, a síntese, a compreensão da linguagem, da música, dos sonhos, dos gestos inconscientes, pela comunicação analógica e pelos processos primários da psicanálise. O hemisfério direito veria o bosque, mas não cada uma das suas árvores, ele é como a águia, que no seu voo observa todo o território num simples relance.

O hemisfério direito, por sua vez, estaria especializado no tratamento em simultâneo e analógico da informação. Estaria interessado primordialmente nos conjuntos e se dedicaria a integrar as partes para formar o todo. Investigaria as estruturas e as relações.

De tal forma, que quando o indivíduo fala, "As coisas **brilham**", "Está **claro**", "Há uma **perspectiva** sobre isto", "Vou colocar o **foco** da questão" – sabemos que ele está processando as coisas do ponto de vista "**VISUAL**" dentro da sua cabeça, mesmo que ele não se dê conta disto. Em geral, usando a palavra mais conhecida – inconscientemente.

Isto serve para os predicados, que nós chamamos de "palavras de sensação", serve para "palavras de gosto", para "palavras de cheiro", para "palavras de audição" e serve para "palavras de visão" vistas acima. Então, retornando ao assunto sobre as palavras, às pessoas falam o seu idioma nativo (no nosso caso o português), mas não o falam.

Você fala em três idiomas (idiomas sensoriais) diferentes quando fala sua língua nativa, seja ela qual for: português, inglês, francês, alemão, espanhol, japonês... Então, você pode falar – **visualês, auditivês, cinestês** ou ainda uma quarta língua um pouco exótica – o **digitalês**.

Quando você estiver em rapport, você estará com um poderoso controle sobre si mesmo e poderá ter muito mais influência e impacto positivo que qualquer pessoa com quem fale em casa, fora de casa ou no trabalho, e; isto melhorará a sua vida.

E, se fizer pelo menos uma experiência com cada uma destas experiências que lhe estão sendo dadas neste livro, eu lhe prometo que experimentará diferenças significativas que mudarão sua vida para melhor com toda a certeza. Para se aprofundar mais sobre este assunto – comunicação, reporte-se a segunda parte deste livro, lá você encontrará uma série de informações úteis sobre como se comunicar e obter rapport em alto nível.

Use a mesma linguagem verbal (*"gato-águia-peixe professor"*) e não verbal (*"tubarão"*) do seu interlocutor para que ele se sinta mais próximo, conectado a você e a sua mensagem. Lembre-se de que ativa os neurônios-espelho, que o conectam fortemente ao outro.

As palavras de processos (predicados) são as que expressam ações e relações: (verbos, adjetivos e advérbios). Estas palavras processuais indicam como a pessoa está representando a informação internamente: visualmente, auditivamente, cinestesicamente, gustativamente ou olfativamente.

Detectar e acompanhar os predicados é útil para decodificar a experiência subjetiva da outra pessoa e se utilizar desta codificação na sua comunicação. O objetivo de espelhar ou imitar predicados de outra pessoa é criar *rapport* e compreensão. Sempre os encontre onde eles estejam e logo os leva para onde você quiser que eles vão.

O que é excitante sobre este conhecimento é que você pode **garantir rapport conscientemente** acompanhando e conduzindo outras pessoas, porque os sistemas nervosos destas têm que responder a esta igualdade. Se eu estiver um pouco com você, você não terá nenhuma outra escolha neurológica para deixar de gostar de mim, porque sua mente inconsciente atua como um mecanismo de *biofeedback*: percebendo esta energia, eu reponho exatamente as mesmas sucessões. O cérebro diz, "eu achei meu amigo – alguém como eu".

Obviamente você não tem que acompanhar e conduzir todos os detalhes do corpo que alguém expressar, voz e linguagem para entrar em rapport. Você pode conduzir uns poucos gestos ou posicionamento das pernas, por exemplo. Observe uma sala cheia de pessoas e você verá como outras pessoas automaticamente acompanham-se e se conduzem em pouco tempo estando sentadas umas próximas as outras – até mesmo quando elas não estão se comunicando deliberadamente.

RAPPORT COM A LINGUAGEM

PREDICADOS: verbos – adjetivos – advérbios

IDENTIDADE, CRENÇAS, METAPROGRAMAS:

Filtro de Motivação

Orientação a: Resultados, Poder ou Afiliação

Se você conduz tudo sobre uma pessoa, você não só começará a sentir o que elas estão sentindo, mas frequentemente até mesmo poderá ver o que elas estão vendo em suas mentes. Duplicando *exatamente* a fisiologia de alguém, você terá as mesmas ou semelhantes representações internas.

Quando se acompanha e conduz-se com precisão, poderemos frequentemente dizer algo como, "eu me sinto como se eu estivesse assistindo a última Copa do Mundo", e é exatamente isso que a pessoa estará pensando. É difícil acreditar até que você experimente isto, mas acontece sempre. Adicionalmente, estas duas pessoas normalmente sentem como se elas se conhecessem há muito tempo atrás ao término deste processo, até mesmo se elas nunca se encontraram antes, porque elas experimentaram um profundo nível de rapport. Você pode ter até mesmo rapport simultâneo com várias pessoas acompanhando e conduzindo partes diferentes do corpo e a voz de cada pessoa.

LINGUAGEM – A FORMADORA DE MODELOS

Os erros de modelos (erros de formação de modelos) são criados pelo funcionamento de nossos filtros que fazem este mundo ficar, podemos dizer, "meio maluco". Existem oito categorias de comunicação, vejamos: predicados, corpo, respiração, olhos, postura, lábios, voz e erros no modelo.

Os predicados, que nós chamamos de palavras sensoriais – que serve para palavras de gosto, para palavras de cheiro, e assim por diante. Então, nós podemos falar o idioma "visualês", o idioma "auditivês", o idioma "cinestês" ou até mesmo o idioma "digitalês" – que é uma quarta língua um pouco exótica. Vejamos como cada um destes quatro idiomas sensoriais falariam sobre um futuro confuso, por exemplo:

- O "digitalês" falaria assim: "Meu futuro **parece** confuso."
- O "visualês" já diria assim: "Meu futuro não está **claro**."
- O "auditivês" por sua vez diria: "Não consigo **sintonizar** o meu futuro."
- O "cinestês" por outro lado, colocaria assim: "Não consigo **sentir** o que vai acontecer."

Você pensa que eles estão falando a mesma coisa, não é mesmo? Porém, não é verdade, eles não estão. Eles vivem em mundos (em realidades) bem distintas – diferentes. Eles certamente processam as mensagens de maneiras diferentes. Não há rapport entre estes sujeitos se eles continuarem a falar assim; e eles não estão no mesmo processo cerebral.

Para você falar com um "visual", você tem que entrar no mundo dele (mundo visual) e assim por diante. A grande maioria das pessoas ou são visuais, ou são auditivas – com uma predominância de auditivos (no nosso meio [Brasil] parece, pelo menos pelo que se tem sido observado, uma predominância dos canais auditivos dentro dos idiomas "digitais" e "tonais") seguidos pelos visuais e uma minoria de cinestésicos.

Nos Estados Unidos, eles dizem que lá existe uma maioria de visuais, seguidos pelos auditivos e uma minoria de cinestésicos. Cada país irá variar segundo a sua cultura.

Como é que você começa a mudar o modo como as pessoas agem? Sabendo como elas falam os predicados – e estes são muito importantes. Eles são: **verbos, advérbios** e **adjetivos.**

Através do modo como as pessoas falam, nós sabemos como as pessoas pensam, e sabendo como elas pensam, nós sabemos como elas agem.

Mudando o modo como as pessoas falam, nós mudamos o modo que elas pensam.

Mudando o modo como as pessoas pensam, nós mudamos o modo como elas agem.

OBTENDO RAPPORT ATRAVÉS DO USO DAS PALAVRAS

Nós todos recebemos informações através dos nossos cinco sentidos: ver, ouvir, cheirar, tocar e degustar. Entretanto, na linguagem, na fala; geralmente nós usamos três sistemas: o **visual**, o **auditivo** e o **cinestésico** (sentimentos e emoções). Todos nós usamos os sistemas em todos os momentos. Entretanto, a maioria das pessoas tem uma preferência. Você gosta de receber memorando? Você gosta de ler? Que lhe enviem cartões? Que façam listas? Pessoas que são mais **visuais** tem que ver por escrito para compreender. Portanto, se você chamar alguém agora, e estiver querendo marcar uma consulta através do telefone para ver alguém para um negócio qualquer e eles dizem: "Mande-me informações e então ligue novamente!" geralmente as pessoas sentem-se como que se estivesse sido colocadas de lado.

"A natureza do Universo é mudança!"

As pessoas que são primariamente visuais não podem falar sobre algo a não ser que elas vejam isto. As pessoas que são **auditivas** estão sempre girando uma fita dentro de suas cabeças a todo o tempo. Você já encontrou uma pessoa que pensava em voz alta? De tal forma que você nunca sabe se ela está querendo dizer alguma coisa e isto o frustra? Seguidamente, uma pessoa que é primariamente auditiva, às vezes não consegue distinguir a sua voz interna da externa.

Geralmente as pessoas discutem sobre a comunicação sem nunca se comunicarem. Eu vou lhe dar um exemplo típico entre marido e mulher. Isto é uma combinação, da mesma forma que quando você fala e não há combinação entre o acompanhamento e a linguagem corporal.

Quando você faz o não acompanhamento destas palavras, você pode na verdade estar falando uma língua estrangeira para a outra pessoa. Portanto, a mulher (suspira) *"Ele não me ama... (suspira)... se ele pelo menos me* **mostrasse** *de vez em quando, se ele me mandasse um* **cartão** *de aniversário, e se eu pudesse* **ver** *um sorriso no rosto dele. Ele nunca me* **mostra** *que me ama! Um* **cartão** *no dia das mães! Eu quero* **ver** *que ele se importa comigo!".*

O marido: *"Não acredito que ela esteja* **dizendo** *isto, eu* **digo** *para ela todos os dias o quanto eu a amo; eu a* **chamo ao telefone** *a toda hora, só para lhe* **dizer** *o quanto eu me importo* (aumenta o ritmo da fala) *se você* **falar** *com qualquer um no meu escritório, eles vão lhe* **dizer** *que eu sempre* **falo** *bem dela. Eu realmente não acredito que ela esteja* **dizendo** *isso! Ela tem ouvidos! E, eu* **digo** *a ela todo o tempo 'Eu te amo'!"*

Ela prossegue: *"Você está* **vendo** *o porquê eu sou contra! Ele não me* **vê***! Ele não entende qual é* **o ponto***!"*

Outro caso típico: Mulher (suspira) *"Ele não me ama!* (começa a quase chorar e fala como se estivesse chorando e engasgada) *... Eu nem me lembro à última vez que ele* **segurou** *a minha mão. Pelo menos uma* **pequena** *mensagem.* (começa a ficar um pouco mais intenso o choro durante a fala) *um* **beijo na bochecha***! Eu preciso me* **sentir** *amada* (intensifica ainda mais) *eu não acho que quero muito porque eu preciso* **sentir** *que eu conto* (acalmasse um pouco) *um* **abraço** *de vez em quando!"*

O marido (falando rápido) *"Você* **olharia** *melhor esta casa. Tudo o que eu comprei aqui é porque eu te amo!* **Olhem** *a roupa que eu comprei para ela,* **olhe** *as joias que eu dei para ela. Eu* **mostro** *isso a ela todos os* **dias***, eu mando* **flores** *para ela toda a semana. O que mais eu posso fazer!"*

A mulher (suspira) *"Pode* **sentir** *como é; não pode? É tão* **frustrante***!"*

Vamos ver mais um exemplo destes, só que desta vez num âmbito de negócios. Uma companhia quer crescer e se expandir e, portanto, uma pessoa diz: *"Eu já* **falei** *com todos os meus contatos e eles me garantiram que agora é o momento de crescer. Eu* **falei** *com todas as pessoas importantes que sabem sobre estas coisas e eles* **dizem** *que agora é o momento certo de crescer."* E a outra pessoa diz: "Vocês **olhariam** para este **gráfico** aqui, por favor! Aqui **mostra** que não é um bom momento para crescer.

Todos os **artigos** que eu **li** no *New York Times*, no *Wall Street Journal*, na *Revista Exame*, na *Gazeta Mercantil*; e, todos eles **mostram** que não é uma hora boa de crescer. Se você só **olhar** para isto aqui, você **verá** que não é um bom momento para crescer."

E a outra pessoa diz então: *"Se vocês me **escutarem** um minuto, eu posso lhes **dizer** porque é o momento certo de crescer! Eu **discuti** com todas as pessoas que sabem sobre isto!"* E o que acontece é que eles ficam discutindo sem se comunicarem. Você se dá conta de quanto dinheiro nós podemos economizar simplesmente com o "como" usar estes complementos de falar bem? Como é que podemos usar isto? Um sistema não é melhor do que o outro; entretanto, quando alguém lhe diz: *"Vamos dar uma **olhada** nisto!"* Você quer acompanhar o sistema que esta pessoa usa. Portanto, se alguém está usando o sistema visual, você terá também que usar o visual. Você se surpreenderá em ver como as pessoas têm conflitos e nada mais é do que dificuldade de comunicação, mas; de como usar as palavras!

Descubra o seu sistema mais fraco e você vai descobrir que qualquer que seja ele será também os das pessoas as quais você também não se dá bem realmente. Porque as pessoas visuais em algum tipo de trabalho precisam deste tipo de pensamento.

Geralmente, engenheiros são visuais; como os contadores e técnicos em computação. E, descobrem que tendo conversações vão ter que ouvir alguma pessoa levá-los através de uma descrição de uma coisa frustrante. Porque uma pessoa visual pode ver rapidamente e se eles precisaram mudar o jeito que eles veem aquela coisa.

"Não há fracasso, só experiência!"

As pessoas auditivas têm que conversar sobre aquilo, voltar a fita, procurar ou apagar; e, então tocar novamente a fita. E, geralmente as pessoas visuais não podem compreender como os auditivos pensam.

Quanto mais adicionar as diferentes modalidades, mais haverá uma maior quantidade de experiências que você terá na vida diária. Não há um sistema que seja melhor do que o outro e na medida em que você descobrir isto (no qual você é mais flutuante), lhe dará uma oportunidade de aumentar as suas próprias sensações de si mesmo.

Falar "línguas" trocadas é dar chance a compreensão mútua cair a níveis baixíssimos.

Charton Baggio Scheneider

OS CANAIS SENSORIAIS DE COMUNICAÇÃO

As PALAVRAS PROCESSUAIS – As palavras de processos (predicados) são as que expressam ações e relações: (verbos, adjetivos e advérbios). Estas palavras processuais indicam como a pessoa está representando a informação internamente: visualmente, auditivamente, cinestesicamente, gustativamente ou olfativamente. Detectar e acompanhar os predicados é útil para decodificar a experiência subjetiva da outra pessoa e se utilizar desta codificação na sua comunicação.

VISUAL	AUDITIVO	CINESTÉSICO	INESPECÍFICO
Cor	Som	Sensação	Pensamento
Ver	Ouvir	Sentir	Pensar
Imagem	Mencionar	Firme	Decidir
Aparecer	Perguntar	Pressão	Motivar
Perspectiva	Gritar	Reter	Planejar
Imaginar	Entoar	Mover	Saber
Focalizar	Estridente	Fluir	Considerar
Prever	Oral	Acentuar	Aconselhar
Vista	Todo ouvido	Endurecer	Delinear
Aspecto	Escutar	Impulso	Desenvolver
Claro	Soa-me	Quente	Criar
Observar	Ressonante	Adormecido	Repetir
Horizonte	Vocal	Torpe	Antecipar
Panorama	Advertir	Emocional	Indicar
Notar	Discutir	Sólido	Ativar
Mostrar	Articular	Suave	Preparar
Amanhece	Amplificar	Amontoar	Amor
Analisar	Agudo	Emocional	Relacionamento
Ilumina	Falar	Pesado	Felicidade
Impreciso	Sonoro	Sofre	Amizade
Saliente	Sugerir	Sentido	Respeito
Brilho	Audível	Choque	Medo
Inspecionar	Barulho	Apertado	Poder
Faísca	Chamar	Palpitação	Confiança
Obscurecer	Vocal	Afetuoso	Achar
Panorama	Melodia	Acalorado	Entender
Vistoso	Contar	Duro	Comunicar
Escuro	Convidar	Apertado	Aprender
Clarão	Escuta	Macio	Recordar
Colorido	Ouça-me	Segure-o	Acreditar

O objetivo de espelhar ou imitar predicados de outra pessoa é criar *rapport* e compreensão. Sempre os encontra onde eles estejam e logo os leva para onde você quiser que eles vão. **Falar "línguas" trocadas é dar chance de ter a compreensão mútua caída para baixos níveis.**

Cada pessoa tem um padrão de linguagem e atrás tem uma estrutura interna com representação visual, auditiva e cinestésica (são as SM) e para cada submodalidade tem uma fisiologia específica que são os comportamentos.

O comportamento pode ser tanto a nível sistêmico ou a nível muscular. Se mudar a representação interna, muda necessariamente a linguagem e a fisiologia. Uma intervenção em um dos três elementos muda os outros dois.

Os programadores 2.0 só trabalham com evidências sensoriais, isto é, com fatos. Isto não é adivinhação nem são coisas da imaginação ou leitura mental do tipo: "eu já sei, eu acho que ele está triste".

Portanto, se você for mais auditivo do que visual, escute a maneira como as pessoas falam, entre em rapport com a pessoa que é visual e antes que você saiba, você adicionará muito do visual ao seu repertório. Portanto, não há necessidade de ir procurar no dicionário as palavras que você esqueceu e eu acho que você se conecta (junta-se) mais seguindo as pessoas que tem estas características igual a sua e você descobrirá que há às vezes um não combinando dentro do sistema.

Quando temos rapport com alguma pessoa ela quer se movimentar conosco, é natural. Não é natural o não acompanhar. Entretanto, nós encontramos pessoas que são tão diferentes de nós mesmos que isto nos dá mais escolhas.

Você alguma vez já esteve ou enfrentou um padrão de linguagem ao qual fez você não saber ao certo se estava sendo ofendido ou recebendo um cumprimento? Já teve esta situação? Sempre se pressupõe que seja um cumprimento, porque; se for um insulto, eles garantirão isso para você! Mas, se eles queriam que significasse um insulto e você aceitar isso como se fosse um cumprimento às vezes eles perdem a graça e mantém isto no como se fosse um cumprimento; porque realmente o que eles queriam era simplesmente incomodá-lo e repetirão isto.

FRASES PREDICATIVAS

Listadas abaixo estão algumas das frases predicativas mais comumente usadas.

Visual (vê)	Auditiva (ouve)	Cinestésico (sente)
à luz de	alto e claro	afiado como um prego
às claras	bem informado	aguentar firme
bem definido	claramente expresso	assim assim
bonita como uma pintura	conversa mole	cabeça fresca
coisa bem diferente	dar conta de	cabeça quente
colírio para os olhos	declare sua intenção	carne de pescoço
dar uma olhada	dentro do alcance da voz	começar do nada
deixe claro	descrito em detalhe	controle-se
embaixo de seu nariz	deu uma opinião	convencido
em pessoa	dizer a verdade	de pernas para o ar
em vista de	dobre a língua	discussão acalorada
exibindo-se	expressar-se	dissimuladamente
fechada	falar com franqueza	entrou em contato com
fez uma cena	garantir uma audiência	escapou-me da mente
ideia obscura	investigar	estar nas nuvens
imagem mental	língua amarrada	ficar enfurecido
lampejou sobre	linguaruda	firme-se
memória fotográfica	maneira de dizer	frio/calmo/controlado
olhar vago	mensagem escondida	fundamentos firmes
olho da mente	não ouvindo	know-how
olho fixo	nítido como um sino	vinho de mesa
olho nu	ouça-me	lutar corpo a corpo
olho por olho	ouvir vozes	mantenha a calma
parece-se com	palavra por palavra	manter o controle
parece para eu	poder da palavra	mãos dadas
perceber de relance	porta-voz	momento de pânico
pintar um retrato	preste atenção	não o estou
retrato mental	reclamar	acompanhando
sem sombra de dúvida	reflexão tardia	operador suave
ter uma perspectiva sobre	reprimenda	pegar o rumo de
veja isso	sessão de batidas	pôr as cartas na mesa
vista curta	sintonizado	por baixo do pano
vista de pássaro	não sintonizado	puxar as cordas
visão de túnel	tagarela	resumir
visão escura	toca um sino	segure-o

O objetivo, ao combinar predicados, é chegarmos à linguagem que nossos ouvintes falam, criando, pois, uma atmosfera de harmonia e entendimento.

COMO AS PESSOAS PERCEBEM A COMUNICAÇÃO

GERAL	VISUAL	AUDITIVA	CINESTÉSICA
Eu compreendo você.	Eu vejo seu ponto.	Eu ouvi o que você estava dizendo.	Eu senti que fiquei tocado com o que você estava dizendo
Eu quero comunicar alguma coisa a você.	Eu quero que dê uma olhada nisso.	Eu quero fazer isto alto e nítido.	Eu quero que você agarre isso.
Você entende o que estou tentando comunicar?	Estou pintando um quadro claro?	O que estou dizendo soa certo para você?	Você é capaz de aprender?
Eu sei que isso é verdade.	Eu sei, sem sombra de dúvida, que isso é verdade.	Esta informação é correta palavra por palavra.	Esta informação é sólida como uma rocha.
Eu não estou certo sobre isso.	Isso é bastante obscuro para mim.	Isso realmente não soa compreensível.	Não estou certo de estar acompanhando-o.
Eu não gosto do que você está fazendo.	Tenho uma visão sombria de sua perspectiva.	Isto não encontra eco em mim.	O que você está maquinando não me parece certo.
A vida é boa.	Minha imagem mental da vida é brilhante e cristalina.	A vida está em perfeita harmonia.	A vida parece quente e linda.

O que nós fazemos é acompanhar uma pessoa para um objetivo específico e o que você encontrará é que usará as aquisições ou conhecimentos para colocar a pessoa num estado interno aprofundado é preciso que você use estas habilidades um pouco diferentemente.

213

Intelectualizar e pensar sobre a habilidade não nos torna melhores comunicadores, o que faz é tornar-nos um pensador mais informado. E, no meu entendimento do porque você está lendo este livro e já chegou até aqui, é porque quando voltar a sua companhia ou organização você tenha a chance de fazer algo diferente.

Você pode passar a leitura toda colocando as personalidades e separando em padrões de personalidade, descobrindo que tipo você se daria bem e que tipo você não se daria de jeito nenhum. E, você terá a chance de mudar isto ou não! E, você descobrirá que ao invés de bom ou mau, certo ou errado; pensar em termos de diferenças e semelhanças. Não há nada a julgar! Todos nós temos estilos diferentes e nós temos escolhas há fazer.

Nós acompanhamos o corpo, o tom de voz, e às vezes as pessoas pensam que "aquela pessoa" teve um comportamento estranho. Outro exemplo que quero dar é sobre um sujeito que tinha muita dificuldade com as outras pessoas dentro da companhia porque ele era "esnobe".

Ele pensava que ele era melhor do que os outros. Ele tinha um problema de atitude! E, então, perguntaram a ele: "O que faz você pensar dessa forma?" Quando ele falava com outra pessoa pelo telefone, ele dizia: "Alo! O que você quer?" – num tom de voz curto e pesado. O outro sujeito dizia: "Alo! Como você vai?" – alongando as palavras. Havia um desemparelhamento!

Você ficaria surpreso de tanta gente que está sob o aconselhamento psicológico por problemas não mais do que falta de conhecimento de comunicação. Seguidamente, problemas de comunicação não são mentais, mas; é bom saber fazer algo de forma diferente. Eu quero que comece a notar as mímicas e quando levar isto para sua vida, preste atenção aos estilos, você poderá ter a flexibilidade de mudar o seu estilo para acompanhar o da outra pessoa e encaminhá-la a outro local o qual é seu objetivo.

Porque as pessoas se tornam muito confusas em negociações entre pessoas que são suas amigas e com pessoas que são seus sócios? Há muitas pessoas que ficam ricas com o trabalho e a outra pessoa achando que estavam amigavelmente, pensando que estavam num nível mais apropriado (íntimo); e, os negócios são basicamente um estilo competitivo. Quanto mais informação você tem e quanto mais você entende a maneira de pensar das pessoas, mais fácil será para você fazer com que as pessoas entendem o seu ponto de vista precisamente. Isto faz sentido?

A MAGIA DO RAPPORT

O estabelecer rapport, faz com que você:

- Controle qualquer situação imediatamente.
- Estabelece confiança e credibilidade.
- Usa poder da sugestão para conseguir o que quiser.
- Apresenta suas ideais de forma irresistível.
- Suplanta a resistência com pouco esforço.
- Faz com que os outros concordem com você.
- Faz com que te entendam melhor.
- Evita que sejas manipulado.

O poder atualmente é medido pela sua habilidade de se comunicar. O que este livro lhe traz é, por essência, o ensino de como usar um poder de comunicação exemplar; fazendo-lhe num eximo comunicador e fazendo com que os outros o entendam melhor. Se você for um sujeito enrolado, você não estará sendo um comunicador de excelência.

O dia em que você ver um comunicador enrolado, pode ter certeza de que está havendo algo de errado. Ou ele não sabe o que está falando, ou ele não aprendeu a técnica nem para ele. E, como é que você pode conhecer cada um destes tipos sensoriais (visual, auditivo e cinestésico), falados anteriormente?

Em resumo: o rapport é conseguido quando você fica com os seguintes sinais não-verbais que são a chave da comunicação, são a essência da comunicação:

- Respiração
- Movimento dos olhos
- Expressões faciais
- Postura

- Gestos
- Movimentos
- Voz (como é dito)
- Predicados (palavras processuais)

Aconselho que você de agora em diante comece a prestar atenção quando for a restaurantes e enquanto estiver sentado à mesa, observe as pessoas ao redor que estejam conversando e você notará (irá notar exatamente) quem está brigando e quem está em rapport, sem ouvir o que elas estejam falando (eles estão distantes).

Após algum certo treino, você será capaz de observar pessoas com gestos, com expressões, sem saber da "novela" e assim mesmo vai poder saber como o rapport está andando. O nosso corpo é como um órgão transmissor de sinais de comunicação e um conjunto de recepção. Nós somos um dial de rádio, o nosso corpo todo. Você é como um espelho de dupla face e o que vale não é o que se fala, mas o "como" se fala, com o corpo e com a voz. Não o conteúdo.

TESTANDO O RAPPORT

Você já foi por acaso convidado para estar numa reunião e nela lhe foi pedido para não falar, mas para estar lá simplesmente. Geralmente, quando as pessoas tentam não estar "lá", elas aparecem muito mais e você pode experimentar quando falar num grupo – é que você pode estar presente e invisível ao mesmo tempo, da mesma forma, você sentirá que não está lá e que você não liga.

O seu poder pessoal é saber onde você está mesmo que não esteja falando. Se isso se tornar doloroso para você, torne a situação ridícula! Se você estiver preocupado com você mesmo, você estará sendo egoísta; porque o objetivo é notar a outra pessoa. **Divirta-se!** O que você descobrirá é que em todos os estilos de comunicação não haverá conflitos. Há diferenças nos estilos e quanto maior a **flexibilidade** que você tiver, bem como as diversas maneiras que você pode combinar rapport com a outra pessoa, quanto mais flexibilidade nós conseguiremos.

Charton Baggio Scheneider

A TEORIA DOS NEURÔNIOS-ESPELHO

[9]Por que sorrimos quando vemos alguém sorrir? Ou por que ficamos com olhos marejados quando a protagonista de um filme chora? Já reparou que nos retesamos quando vemos alguém com dor ou sentimos uma vontade incontrolável de bocejar quando alguém boceja? Afinal, o que nos leva a agir de acordo com o que as outras pessoas fazem?

Isso acontece porque, quando vemos alguém fazendo algo, automaticamente simulamos a ação no cérebro, é como se nós mesmos estivéssemos realizando aquele gesto. Isso quer dizer que o cérebro funciona como um "simulador de ação": ensaiamos ou imitamos mentalmente toda ação que observamos.

Essa capacidade se deve aos "neurônios-espelho", distribuídos por partes essenciais do cérebro (o córtex pré-motor e os centros para linguagem, empatia e dor). Quando observamos alguém realizar essa ação, esses neurônios disparam (daí o nome "espelho"). Por isso, essas células cerebrais são essenciais no aprendizado de atitudes e ações, como conversar, caminhar ou dançar. Eles permitem que as pessoas executem atividades sem necessariamente pensar nelas, apenas acessando o seu banco de memória.

Os neurônios-espelho foram descobertos por acaso pela equipe do neurocientista Giacomo Rizzolatti, da Universidade de Parma, na Itália. O grupo colocou eletrodos na cabeça de um macaco, um aparato que permitia acompanhar a atividade dos neurônios na região do cérebro responsável pelos movimentos através de um monitor. Cada vez que o macaco cumpria uma tarefa, como apanhar uvas-passa com os dedos, neurônios no córtex pré-motor, nos lobos frontais, disparavam. Quando um aluno entrou no laboratório e levou um sorvete à boca, o monitor apitou (foi uma surpresa para os cientistas, porque o macaco estava imóvel). O mais intrigante é que sempre que o macaco assistia o experimentador ou outro macaco repetir essa cena com outros alimentos os neurônios disparavam.

---

[9] Este capítulo é de autoria de Hélio Teixeira – Cientista-chefe do Centro de Estudos e Pesquisa em Ciência de Dados e Inteligência Artificial do IHT - é um estudioso da aprendizagem e da criatividade humanas como processos segundo ele "participativos e sociotecnicamente distribuídos." Sua pesquisa busca entender o que ele chama de "estruturas sociotécnicas de pertencimento necessárias à emergência da aprendizagem e da criatividade nos grupos humanos, concebidos como sistemas complexos." Ele adota uma abordagem transdisciplinar, articulando saberes da ciência da complexidade, ciências da aprendizagem, psicologia social, design participativo, inteligência artificial e psicologia cognitiva. Cientista de dados especializado em modelagem de dados e inteligência artificial algorítmica. Apaixonado por Modelagem Baseada em Agentes, com predileção pelos ambientes Mesa/Python e NetLogo, e pelo desenvolvimento de algoritmos de inteligência artificial. É fundador do Instituto Hélio Teixeira (IHT), do ColaboraLab e do Programa Letramento Tecnológico.

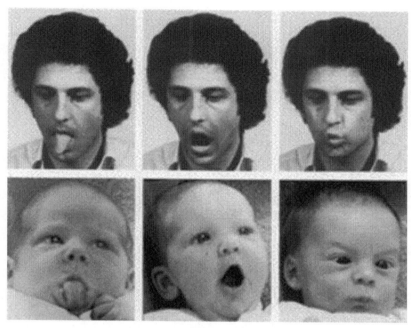

O cérebro funciona como um "simulador de ação": ensaiamos ou imitamos mentalmente toda ação que observamos.

"Os neurônios-espelho mudaram o modo como vemos o cérebro e a nós mesmos, e têm sido considerado um dos achados mais importantes sobre a evolução do cérebro humano"

Mais tarde, exames de neuroimagem mostraram que nós temos neurônios-espelho muito mais sofisticados e flexíveis que os dos macacos. *"Nosso conhecimento do motor e a nossa capacidade de 'acompanhamento' nos permitem compartilhar uma esfera comum de ação com os outros, dentro do qual cada ato motor ou cadeia de atos motores, sejam eles nossos ou dos demais, são imediatamente detectados e intencionalmente compreendidos antes e independentemente de qualquer mentalização"*, observa Rizzolati.

A equipe do neurocientista Giovanni Buccino, da Universidade de Parma, usou Ressonância Magnética Funcional (RMF) para medir a atividade cerebral de voluntários enquanto eles assistiam a um vídeo que mostrava sequências de movimentos de boca, mãos e pés. Dependendo da parte do corpo que aparecia na tela, o córtex motor dos observadores se ativava com maior intensidade na região que correspondia à parte do corpo em questão, ainda que eles se mantivessem absolutamente imóveis. Ou seja, o cérebro associa a visão de movimentos alheios ao planejamento de seus próprios movimentos.

Outras experiências mostram que os neurônios-espelho dos macacos ainda são ativados diante de um estímulo indireto, que é associado a uma tarefa. Por exemplo, o som de uma casca de amendoim se quebrando. Isso se deve a neurônios-espelho, audiovisuais que seriam importantes na comunicação gestual desses animais. Nos seres humanos isso também é possível: os neurônios são ativados quando a pessoa imita, complementa uma ação ou quando apenas imagina ela própria realizando essas mesmas ações.

"Os neurônios-espelho mudaram o modo como vemos o cérebro e a nós mesmos, e têm sido considerado um dos achados mais importantes sobre a evolução do cérebro humano", diz o neurocientista Sérgio de Machado, pesquisador e pós-doutorando do Laboratório de Pânico da UFRJ. *"Se a tarefa exige compreensão da ação observada, então as áreas motoras que codificam a ação são ativadas. Isso indica que há uma conexão no sistema nervoso entre percepção e ação, e que a percepção seria uma simulação interna da ação"*, completa.

QUESTÃO DE EMPATIA

Alguns pesquisadores especulam quanto à verdadeira função desses neurônios. Podemos dizer que o observador estaria simulando mentalmente a ação ou estaria se preparando para agir? O pesquisador húngaro Gergely Csibra, do Departamento de Psicologia do Birkbeck College, no Reino Unido, sugere que o papel dos neurônios-espelho talvez não seja exatamente o de espelhar ou simular a ação, mas de antecipar as possíveis respostas a essa ação. O que nos leva a acreditar que o cérebro é um grande gerador de hipóteses que antecipa as consequências da ação e que permite a tomada de decisão.

"Se vemos uma pessoa chorar por algum motivo, os neurônios-espelho nos permitem lembrar das situações em que choramos e simular a aflição dela. Sentimos empatia por ela, sentimos o que a pessoa está sentindo"

Devido a essa capacidade, podemos imaginar aquilo que se passa na mente do outro, colocando-nos no lugar da outra pessoa, compreendendo suas ações. Por exemplo: se vemos uma pessoa chorar por algum motivo, os neurônios-espelho nos permitem lembrar das situações em que choramos e simular a aflição dela. Sentimos empatia por ela, sentimos o que a pessoa está sentindo. *"A capacidade de simular a perspectiva do outro estaria na base de nossa compreensão das emoções do outro, de nossos sentimentos empáticos"*, diz Machado.

Isso faz toda a diferença, porque é graças a essa capacidade que podemos estabelecer relações sociais. *"A predição das emoções do outro é fundamental para o comportamento social. A pessoa não cometerá um ato que é doloroso ou prejudicial ao demais. Isso se deve à empatia, que é a capacidade de interpretar as emoções alheias. O ser humano é dotado da teoria da mente, isto é, a capacidade de se colocar mentalmente no lugar de outra pessoa. Ela é a base do julgamento de intenções"*, explica o neurocientista Renato Sabbatini, professor da Faculdade de Medicina da Unicamp.

Somos capazes de imitar expressões faciais dos adultos desde a primeira infância. Desta forma, podemos, por exemplo, ampliar as nossas chances de sucesso em alguma tarefa, aprendendo com os experts

A empatia seria determinada biologicamente desde o nascimento. "É preciso existir uma maquinaria inata, que nos permite certas capacidades, porque nem tudo em nosso comportamento é aprendido", observa Sabbatini. Ele lembra que os neurônios-espelho ainda são um mecanismo-chave para a aprendizagem. Um exemplo disso é que, desde bebês, somos capazes de imitar expressões faciais dos adultos, instintivamente reproduzimos caras e bocas. Isso acontece porque os neurônios-espelho começam a funcionar logo na primeira infância. Podemos, por exemplo, ampliar as nossas chances de sucesso em alguma tarefa, aprendendo com os "experts".

PARTICULARIDADES DOS NEURÔNIOS-ESPELHO

O pesquisador Giovanni Buccino destacou algumas particularidades do seu estudo com os neurônios-espelho:

- *Os neurônios só são ativados quando o experimentador interage com um objeto (como uma mão pegando uma banana).*
- *Os neurônios não são ativados quando a ação observada for simplesmente imitada, isto é, executada sem a presença do objeto.*
- *Os neurônios não são ativados durante mera apresentação de objetos.*
- *Nossa sobrevivência depende do entendimento das ações, intenções e emoções das outras pessoas.*

Experimentos com tomografia por emissão de pósitron mostraram que as áreas ativadas durante a observação de um sujeito pegando um objeto foram:

- *sulco temporal superior*
- *lobo parietal inferior*
- *giro frontal inferior*

(todos no hemisfério esquerdo)

METÁFORAS

Os neurologistas Paul McGeoch, David Brang e Vilayanur Ramachandran, da Universidade da Califórnia, nos Estados Unidos, mostraram que é graças aos neurônios-espelho que somos capazes de interpretar metáforas.

A empatia envolve regiões do cérebro que existem há mais de 100 milhões de anos e funciona como a "cola" que mantém as sociedades unidas, segundo o primatólogo holandês Frans de Wall, em seu livro "A Era da Empatia". Como Wall, os cientistas partem do princípio de que os nossos cérebros são produto da seleção natural e que as pressões do ambiente social determinaram quais características deveriam ser mantidas para as gerações futuras (e uma dessas marcas seriam os neurônios-espelho). "A maior parte dos gestos motores, como amarrar os sapatos, é aprendido por imitação, ou seja, tentativa e erro. Isso prevalece no reino animal, principalmente nos vertebrados", diz Sabbatini.

"hoje sabemos que temos um sistema que partilha percepção e ação. O acompanhamento permite o compartilhamento de emoções, presente no estado de empatia"

"Os estudos desses neurônios nos oferecem uma grande contribuição na compreensão da emoção: hoje sabemos que temos um sistema que partilha percepção e ação. O acompanhamento permite o compartilhamento de emoções, presente no estado de empatia. Isso nos possibilita formular teorias mais compatíveis com os achados biológicos", diz a psicóloga Cláudia Passos, que se dedica ao estudo de Ética e Biotecnologias em seu pós-doutorado pelo Programa de Pós-Graduação em Filosofia pela UFRJ.

Em "O Cérebro Empático" – Como, Quando e Por que?, a neurocientista alemã Tânia Singer e a filosofa francesa Frederique de Vignemont propõem quatro condições para que a empatia aconteça:

1) *Alguém está num estado afetivo, como medo, raiva ou tristeza, por exemplo.*
2) *Esse estado é isomórfico ao estado afetivo da outra pessoa*
3) *Esse estado é produzido pela observação ou imaginação do estado afetivo de outra pessoa*

4) A pessoa sabe que a outra pessoa é fonte do seu próprio estado afetivo.

"Os achados de imagem cerebral permitem que sejam identificadas áreas de 'acompanhamento' do cérebro que são ativadas no estado de empatia, mas não se sabe exatamente como essas áreas cerebrais atuam nos estados da empatia descritos por essas pesquisadoras. Pode ser que um dia possamos ter uma precisão maior do que acontece no cérebro empático", prevê Cláudia.

MORALIDADE

Estudos sugerem que as pessoas ajudam mais as outras quando têm empatia por elas, o que explica porque a empatia geralmente é associada ao senso moral, justiça, altruísmo e cooperação. As pesquisas com neurônios-espelho despontam como aliado no debate quanto à natureza de decisões morais. Elas reforçam a tese de que os comportamentos morais têm um traço afetivo porque envolvem a capacidade do indivíduo de sentir as emoções do outro, e dependem do sistema de recompensa (circuitos do cérebro ligados à sensação do prazer).

"Alguns teóricos defendem que as decisões morais são de natureza cognitiva e envolvem um pensamento moral. Mas os experimentos com neurônios-espelho fortalecem a ideia de que as emoções estão na base do sentimento moral. Isso significa dizer que não aprendemos apenas racionalmente, mas também somos educados sentimentalmente", diz a pesquisadora.

"... experimentos com neurônios-espelho fortalecem a ideia de que as emoções estão na base do sentimento moral. Isso significa dizer que não aprendemos apenas racionalmente, mas também somos educados sentimentalmente"

Apesar do entusiasmo da comunidade científica, a filosofia ainda despreza as descobertas das ciências cognitivas e a psicologia moral. *"A filosofia sempre operou com distinção entre fato e valor. Esses achados empíricos sobre neurônios-espelho são vistos com desconfiança, embora haja alguns naturalistas que tenham contribuído no diálogo com as ciências"*, completa.

A "corrida" em busca desses neurônios em diferentes áreas do cérebro ajudou a lançar luz sobre uma questão que há muito intriga os cientistas: o autismo. Um estudo com ressonância magnética funcional mostra uma falha do mecanismo de espelho nessas crianças. Ao contrário do que ocorre em crianças normais, as crianças autistas não imitam gestos no espelho quando se veem face a face. *"Crianças com autismo têm grande dificuldade para se expressar, compreender sentimentos como medo, alegria ou tristeza, não percebem o significado emocional das ações alheias. O autista tem dificuldade de interagir e se assusta com expressões faciais e ruídos. Tudo indica que há uma falha no sistema de neurônios-espelho"*, diz Machado.

Pesquisadores observaram crianças autistas e crianças normais enquanto elas assistiam ao experimentador agarrar um pedaço de comida para comer ou agarrar um pedaço de papel para colocar em um recipiente. A atividade elétrica do músculo envolvido na abertura da boca foi gravada. Os resultados mostraram a ativação dos neurônios correspondentes ao músculo da boca ao ver a comida em crianças normais, mas isso não aconteceu com as crianças autistas. Em outras palavras, enquanto a observação de uma ação feita por outra pessoa interferiu no sistema motor de uma criança normal que observava o movimento, o mesmo não aconteceu não no caso de uma criança autista.

"O autismo está associado a uma deficiência na habilidade de leitura da mente, na capacidade de interpretar as emoções do outro. É verdade que algumas crianças se mostram extremamente eficientes em outras habilidades cognitivas não sociais, como é o caso dos portadores de Síndrome de Asperger. Ainda assim, relatos de pessoas com esta síndrome atestam pouca ou nenhuma capacidade de introspecção", diz Sabbatini. Pessoas com síndrome de Asperger têm os mesmos traços dos autistas, mas com uma diferença: elas possuem grande capacidade cognitiva, o QI pode variar de normal até níveis muito mais altos.

DISTÚRBIOS NEUROLÓGICOS

Além de compreender melhor nosso comportamento, os estudos sobre neurônios-espelho podem ajudar na solução de questões de ordem prática, como a recuperação de pacientes com perda da função motora. Em 1992, o neurocientista indiano Vilayanur Ramachandran, diretor do Centro do Cérebro e da Cognição da Universidade da Califórnia, nos Estados Unidos, criou uma técnica que usa um espelho para tratamento de dor fantasma (pessoas que perderam um braço, por exemplo, sentem dores nesse membro como se ele ainda estivesse lá). A técnica permite que uma rede de neurônios responsáveis pelo controle de uma mão possa ser usada nos movimentos de outra mão numa determinada tarefa. A ideia é reeducar o cérebro com uma simples tarefa, em que a pessoa realiza movimentos com o braço saudável, vendo no espelho como se fosse o braço lesionado. (muito bem ilustrado num episódio de Dr. House).

"Nosso conhecimento do motor e a nossa capacidade de 'acompanhamento' nos permitem compartilhar uma esfera comum de ação com os outros, dentro do qual cada ato motor ou cadeia de atos motores, sejam eles nossos ou dos demais, são imediatamente detectados e intencionalmente compreendidos antes e independentemente de qualquer mentalização"

"Assim é possível enganar o cérebro, fazendo com que ele imite os movimentos do braço lesionado através do reflexo do braço não lesionado no espelho", diz Machado. A técnica

também tem sido empregada para recuperação do movimento em pessoas que sofreram AVC (derrame). Alguns pacientes são mais beneficiados que outros, dependendo do local da lesão e da duração do déficit após o AVC. Estimativas atestam que cerca de um décimo da população mundial será vítima de déficit motor por causa do AVC.

Às vezes, a perda do movimento está ligada também à alteração de visão. Isso acontece porque, nas fases iniciais do derrame, o cérebro apresenta um edema, deixando também temporariamente alguns nervos atordoados e "desligados" que os especialistas chamam de "paralisia aprendida". *"Caso exista ainda neurônios-espelho sobreviventes, a terapia espelho poderia revivê-los"*, diz Machado.

Durante a terapia, essas células tanto podem responder a gestos já praticados quanto a não aprendidos. O que significa que a capacidade desses neurônios de reagir à observação de uma tarefa não depende obrigatoriamente da nossa memória. A tendência é imitar, inconscientemente, aquilo que observamos, ouvimos ou percebemos. *"Tanto existe reação como aprendizagem durante o processo de reabilitação, há uma dupla função"*, diz Machado. Mas ele ressalva: *"Se há uma lesão nesse circuito, isso vai levar a um tipo de interferência, talvez não haja integração das informações"*.

A antiga visão de que o cérebro é dividido em módulos autônomos com funções específicas e que interagem pouco uns com os outros vem do século passado e a neurologia ainda tem se baseado nela. Uma lesão em um dos módulos traria um problema neurológico irreversível. *"Os achados, no entanto, sugerem que é necessário repensar a visão de que o cérebro trabalha de forma seriada e hierárquica com seus módulos e substituí-la por uma nova visão mais dinâmica. O cérebro trabalha de forma integrada em paralelo e não de forma seriada. Existe atividade de várias áreas do cérebro ao mesmo tempo"*, diz Machado. Segundo ele, ao invés de pensar os módulos cerebrais como inflexíveis, devemos pensar em um equilíbrio dinâmico como conexões sendo constantemente formadas e reformadas em respostas a mudanças ambientais.

Charton Baggio Scheneider

AUTOAVALIAÇÃO DOS SISTEMAS REPRESENTACIONAIS

Experienciamos o mundo, colhemos e juntamos informações usando nossos sentidos. Pensar é usar os sentidos internamente. Pensamos vendo imagens, ouvindo, sentindo (tendo sensações) e falando (diálogo interno).

Então, quando pensamos, "reapresentamos" a informação para nós mesmos internamente. A PNL denomina nossos sentidos de Sistemas Representacionais. Usamos nossos **Sistemas Representacionais** o tempo todo, mas tendemos a usar alguns mais do que outros. Por exemplo, muitas pessoas usam o sistema auditivo digital para conversar consigo mesmas, essa é uma maneira de pensar.

Descubra como você prefere se comunicar com os outros e como você gosta de ser comunicado. Isto o ajudará a se dar conta dos modos pelos quais você pode construir relações mais efetivas com outras pessoas, quer dizer, falar no idioma delas.

INSTRUÇÕES:

Para cada uma das seguintes declarações, coloque uma nota avaliativa em cada uma das quatro alternativas.
Mensure as alternativas na ordem que melhor o descreve.
Use o seguinte sistema para indicar suas preferências:

4 = Mais íntimo ao descrever
3 = Próxima melhor descrição
2 = Próximo melhor
1 = Menos descritivo de você

1. Eu tomo decisões importantes baseado em:

a) Meu feeling e nível de sentimentos

b) Qual modo soa o melhor

c) O que parece melhor para mim

d) Revisão precisa e estudo dos assuntos

2. Durante um argumento eu provavelmente serei mais influenciado por:

a) O tom de voz da outra pessoa

b) Se eu posso ou não ver o ponto de vista da outra pessoa

c) A lógica do argumento da outra pessoa

d) Se eu estou ou não em contato com os verdadeiros sentimentos da outra pessoa

3. Eu comunico o que se passa comigo mais facilmente pelo:

a) O modo como eu me visto e me vejo

b) Os sentimentos que eu compartilho

c) As palavras que eu escolho

d) Meu tom de voz

4. É mais fácil para mim:

a) Achar o volume ideal e afinando em um estéreo

b) Selecionar o ponto intelectualmente pertinente em um assunto interessante

c) Selecionar a mobília mais confortável

d) Combinar e selecionar cores ricas, atraentes

5.

a) Eu sou muito afinado com os sons dos ambientes

b) Eu sou perito em prover sentido de fatos e dados novos

c) Eu sou muito sensível às roupas que eu visto e como as sinto em meu corpo

d) Eu tenho uma forte resposta às cores e ao modo como vejo os ambientes

SEU SCORE

PASSO 1:

Copie suas respostas do teste para as linhas abaixo. Transfira as respostas dentro da ordem exata que elas são listadas.

	1		2		3		4		5
A	K		A		V		A		A	
B	A		V		K		AD		AD	
C	V		AD		AD		K		K	
D	AD		K		A		V		V	

PASSO 2:

Some todos os "As", todos os "Vs", todos os "Ks" e todos os "ADs" e transfira o total para os espaços abaixo:

$$V \ = \ _____$$

$$A \ = \ _____$$

$$K \ = \ _____$$

$$AD = \ _____$$

228

FEEDBACK

V: VISUAIS — As pessoas visuais frequentemente estão de pé ou sentam com os corpos e/ou cabeça erguida, com os olhos para cima. Elas respiram com a parte superior dos seus pulmões. Elas sentam frequentemente na parte dianteira da sua cadeira e tendem a ser organizados, limpos, bem tratados e em ordem. Elas memorizam vendo quadros e são menos distraídas com barulho. Elas têm frequentemente dificuldade em se lembrar de instruções verbais porque as suas mentes tendem a vagar. Uma pessoa visual demonstra interesse por um programa através de seus OLHARES. Aparecer é importante para elas. Elas são frequentemente magras e esbeltas. O sistema **visual** é usado para nossas imagens internas, visualização, "sonhar acordado" e imaginação. Com uma preferência visual esta pessoa pode ter interesse em desenhar, decorar interiores, moda, artes visuais, TV, filmes, fotografia etc.

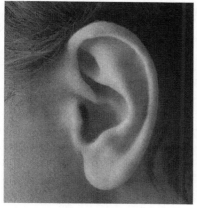

A: AUDITIVOS — As pessoas que são auditivas moverão os seus olhos lateralmente. Elas respiram com o meio do tórax. Falam tipicamente com elas mesmas, e são facilmente distraídas com o barulho. (Há algum movimento suave dos seus lábios quando elas falam com elas mesmas). Elas podem facilmente repetir as coisas que foram ditas a elas e o que falaram com você. Aprendem escutando, e normalmente com música e falando ao telefone. Elas memorizam por passos, procedimentos e sucessões (consecutivamente). A pessoa auditiva gosta de OUVIR como elas estão fazendo, e respondem a um certo tom de voz ou jogo de palavras. Elas se interessarão pelo que você tem a dizer sobre seu programa. O sistema **auditivo** é usado para ouvir sons internamente e reouvir as vozes de outras pessoas. Com uma preferência auditiva, esta pessoa pode ter interesse em línguas, escrever, música, treinamentos etc.

K: CINESTÉSICOS –

As pessoas que são cinestésicas estarão tipicamente respirando com o fundo dos seus pulmões, assim você verá o seu estômago movimentar-se quando elas respiram. Elas se movem com frequência e conversam muito lentamente. Elas respondem a recompensas físicas e ao toque. Elas também se aproximam muito mais intimamente das pessoas que uma pessoa visual. Elas memorizam fazendo ou caminhando por algo. Elas se interessarão por seu programa se "sentir certo". O sistema **cinestésico** é feito de sensação de equilíbrio, de toque e de nossas sensações. Com a preferência cinestésica, esta pessoa pode ter interesse em esportes, ginástica, dança etc.

AD: AUDITIVOS DIGITAIS – Estas pessoas

gastam uma quantia justa de tempo falando com elas mesmas. Elas querem saber se algo FAZ SENTIDO. Elas gastam um tempo para saber como as coisas funcionam dentro e fora de suas cabeças e tenderão a avaliar o processo, sistema, estrutura e a ordem. Elas amam listas. Se você compartilhar uma ideia com elas, deixe tempo para 'discutir' isto com elas antes de requerer uma resposta. Elas raramente serão espontâneas, pois querem 'refletir sobre as coisas'. Se você tiver um prazo final, então, chame-as, dê-lhes a informação ou faça seu pedido, então lhes diga que você a chamará novamente dentro de x minutos de forma que elas tenham tempo para pensar sobre o assunto. O sistema **digital** (ou auditivo digital) é a maneira de pensar usando palavras e falar consigo mesmo (diálogo interno). Quando o sistema representacional for o digital, esta pessoa pensa basicamente conversando consigo mesma e tende a ser mais racional e lógica.

O sistema mais usado é denominado sistema representacional primário, principal ou preferencial.

ESTRUTURAS DE COMUNICAÇÃO EFETIVA

INDICADORES DE CONDUTAS PERCEPTUAIS

VISUAL	AUDITIVO	CINESTÉSICO
Organizado	Fala consigo mesmo	Responde a estímulos físicos
Prolixo	Pode imitar vozes	Expressa muito c/o corpo
Observador	Gosta de música	Sente e mostra que sente
Quieto – move as mãos	Fala ritmicamente	Move-se muito
Cuida do seu aspecto	Dificuldade matemática e ortografia	Busca o comodismo
Boa ortografia	Pode repetir o escutado	Bom em laboratório
Memoriza imagens	Memoriza procedimentos	Memoriza caminhos
Concentrado com ruídos	Distrai-se facilmente	Prefere dramatizar/atuar
Dificuldade em recordar o que é falado	Aprende ouvindo	Aprende fazendo
Move olhos/pálpebras	Move lábios/subvocaliza	Move corpo, toca, se toca
Toca/aponta regularmente os olhos	Toca/aponta regularmente as orelhas	Toca-se e acaricia o corpo
Queixo erguido	Toca/aponta para a boca	Queixo para baixo
Olhos para cima	Olhos para as orelhas	Olhos para baixo

Respiração alta	Respiração média	Respiração baixa
VOZ: tom alto-rápido-claro	Média-cheia-cadenciada-rítmica-pausada	Sussurra ou grita, tom baixo ou lento
APRENDE: mapa ou global, propósito, claridade, visão	Diálogo interno/externo, testa alternativas verbais RESPONDE TUDO – RETÓRICO	Manipular, fazer, sentir, funcional ENTRETERIMENTO
RECORDA: o que vê	O que escuta	O que faz, sente, experimenta
CONVERSA: ver situação global com claros detalhes	Adora discutir. Odeia que o interrompam. Relato sequencial até o final	Tátil, gestos, movimentos
PALAVRAS: enfocar, ver, imagem, revelar, claro ...	Escutar, falar, soa, digo, etc...	Sentir, agarrar, sustentar, manejar, duro, quente ...
ORTOGRAFIA: vê e soletra	Soletra subvocalizando	Testa com sentimentos
LEITURA: veloz	Rítmica	Soletra com movimentos
ESCRITA: olha, prolixo	Fala enquanto escreve	Pressão, irregular, sucinto
IMAGINA: vividamente	Auditivo e sonoro	Intuição forte, associado

EXPLORANDO O FILTRO PERCEPTIVO

VISUAL

----

1. Encontre um fenômeno que você possa ver no seu ambiente externo e que seja estável ou repetitivo. Olhe para ele durante mais ou menos dez segundos.
2. Pare de olhar para o fenômeno e faça um desenho daquilo que você viu.
3. Encontre um parceiro e comparem os seus desenhos.
4. Revezem-se fazendo perguntas sobre a representação interna que vocês usaram para fazer o desenho. Isto é, o seu desenho é exatamente igual à sua representação interna? Caso não seja, como eles são diferentes?
5. Verifique especialmente quaisquer características importantes do desenho que pareçam ser diferentes do fenômeno externo.
6. Na tabela de "submodalidades", verifique a lista de submodalidades VISUAIS com o seu parceiro. Para cada distinção na submodalidade, olhe para o fenômeno focalizando aquele filtro em particular.
7. Compare as suas percepções de onde o fenômeno se encaixa nas diversas qualidades definidas em cada distinção na submodalidade, usando uma escala de um a dez (por exemplo, obscura = 1, brilhante = 10).
8. Explore com seu parceiro qual o ponto de referência que você pressupôs ou aceitou para determinar o grau de distinção na submodalidade. (Por exemplo: "Mais brilhante do que o quê?", "Brilhante comparado a quê?", "À sala?" "A outros objetos presentes no ambiente?", "À luz vinda de fora?")
9. Novamente, pare de olhar para o fenômeno e faça um desenho daquilo que você viu.
10. Compare o seu novo desenho com o seu parceiro e observe o que mudou.
11. Explore quaisquer mudanças nas representações internas que você usou para fazer os desenhos, examinando quais as distinções que, na submodalidade, tiveram maior impacto e influência sobre a sua percepção (mapa cognitivo interno).

AUDITIVO

1. Encontre um fenômeno que você possa ouvir no seu ambiente externo e que seja estável ou repetitivo. Escute com atenção durante mais ou menos dez segundos.
2. Pare de escutar o fenômeno e encontre uma maneira de reproduzir auditivamente aquilo que você ouviu, usando a sua voz.
3. Encontre um parceiro e comparem as suas reproduções.
4. Revezem-se fazendo perguntas sobre a representação interna que vocês usaram para criar as suas reproduções, isto é, a sua maneira de reproduzir o som é externamente igual à sua representação interna? Caso não seja, como eles são diferentes?
5. Verifique especialmente quaisquer características principais da reprodução que pareçam ser diferentes do fenômeno externo.
6. Na tabela de "submodalidades", verifique a lista de submodalidades AUDITIVAS com o seu parceiro. Para cada distinção na submodalidade, ouça novamente o fenômeno e preste atenção àquele filtro em particular.
7. Compare as suas percepções de onde o fenômeno se encaixa nas diversas qualidades definidas em cada distinção na submodalidade, usando uma escala de um a dez (por exemplo, moderado = 1, alto = 10).
8. Explore com seu parceiro qual o ponto de referência que você pressupôs ou aceitou para determinar o grau de distinção na submodalidade. (Por exemplo: "Mais alto do que o quê?", "Alto comparado a quê?", "Aos sons da sala?" "À outra lembrança que você tem daquele som?")
9. Novamente, pare de escutar o fenômeno e faça uma reprodução daquilo que você ouviu, usando a sua voz.
10. Compare a sua nova reprodução com o seu parceiro e observe o que mudou.
11. Explore quaisquer mudanças nas representações internas que você usou para fazer a sua reprodução, examinando quais as distinções que, na submodalidade, tiveram maior impacto e influência sobre a sua percepção (mapa cognitivo interno).

CINESTÉSICO

1. Encontre no seu ambiente externo um objeto que você possa tocar e que seja estável ou repetitivo. Sinta-o fisicamente durante mais ou menos dez segundos.

2. Pare de tocar o objeto. Reproduza as sensações físicas associadas àquilo que você tocou, usando partes das suas mãos ou de seus braços, de modo que outra pessoa possa experimentar as sensações tocando a(s) reprodução(ões) que você criou usando as suas mãos ou os seus braços. (Você pode reproduzir diferentes características separadamente e guiar as mãos do seu parceiro.)

3. Encontre um parceiro e comparem as suas reproduções físicas.

4. Revezem-se fazendo perguntas sobre a representação interna que vocês usaram para criar as suas reproduções com as mãos ou braços, isto é, a sua reprodução é externamente igual à sua representação interna? Caso não seja, como eles são diferentes?

5. Verifique especialmente quaisquer características principais da reprodução que pareçam ser diferentes do fenômeno externo.

6. Na tabela de "submodalidades", verifique a lista de submodalidades CINESTÉSSICAS com o seu parceiro. Observe o fenômeno e, para cada distinção na submodalidade, toque o objeto, focalizando aquele filtro em particular.

7. Compare as suas percepções de onde o objeto se encaixa nas diversas qualidades definidas em cada distinção na submodalidade, usando uma escala de um a dez (por exemplo, macio = 1, áspero = 10).

8. Explore com seu parceiro qual o ponto de referência que você pressupôs ou aceitou para determinar o grau de distinção na submodalidade. (Por exemplo: "Mais macio do que o quê?", "Macio comparado a quê?", "À pele da sua mão?" "A outros objetos presentes no ambiente?")

9. Novamente, pare de tocar o objeto e faça uma reprodução com as suas mãos ou com os braços.

10. Compare a sua nova reprodução com o seu parceiro e observe o que mudou.

11. Explore quaisquer mudanças nas representações internas que você usou para fazer as suas reproduções, examinando quais as distinções que, na submodalidade, tiveram maior impacto e influência sobre a sua percepção (mapa cognitivo interno).

OBTENDO SENTIDO DO MUNDO

Entrada da informação	Informação interna	Experiência subjetiva
Do mundo externo (Entra em nossas cabeças por nossos sentidos)	*Entra em nosso sistema nervoso e é interpretado como:*	*Informação construída ou recordada como:*
Visual (Olhos) →	Imagens →	V – Visual, Imagens
Auditivo (Orelhas) →	Sons →	A – Sons, Barulhos
Cinestésico (pele/corpo) →	Sentimentos →	K – Sensações, Sentimentos

PRÁTICA DO SISTEMA REPRESENTACIONAL

Exemplo 1. Meu futuro parece nebuloso.

Visual: Quando eu olho para o futuro, não me parece claro.

Auditivo: Eu não posso sintonizar meu futuro.

Cinestésico: Eu não consigo sentir o que vai acontecer.

Exemplo 2. Sarah não me escuta.

Auditivo: Sarah fica surda quando eu falo.

Visual: Sarah nunca me vê, até mesmo quando eu estou presente.

Cinestésico: Eu sinto que Sarah não sabe que eu estou vivo.

Exemplo 3. Rachel fica agitada as segundas-feiras quando o chefe esperar o relatório.

Cinestésico: Rachel fica agitada e nervosa as segundas-feiras.

Visual: Rachel não consegue focar as segundas-feiras quando está devendo o relatório.

Auditivo: Rachel ouve muita estática nas segundas-feiras quando está devendo o relatório.

AGORA É A SUA VEZ:

1. Meu chefe caminha em cima de mim como se eu fosse um tapete.

Traduza:

Traduza:

Traduza:

2. Eu sinto que eu sou depreciado.

Traduza:

Traduza:

Traduza:

3. Eu tenho dificuldade que olhar àquele problema.

Traduza:

Traduza:

Traduza:

4. Eu guio este projeto.

Traduza:

Traduza:

Traduza:

5. Ela parece uma menina doce.

Traduza:

Traduza:

Traduza:

6. Eu me pergunto, "Como eu entrei nisto?"

Traduza:

Traduza:

Traduza:

7. Eu posso imaginar como que ela é.

Traduza:

Traduza:

Traduza:

8. Algo me diz que eu estou cometendo um erro.

Traduza:

Traduza:

Traduza:

9. José pinta um quadro claro de desastre à frente.

Traduza:

Traduza:

Traduza:

10. Cheira a peixe morto para mim.

Traduza:

Traduza:

Traduza:

ACOMPANHAMENTO DE PREDICADOS

1. O Sujeito pensa em algo que deseja.

2. O Programador faz perguntas ao sujeito sobre este objetivo, identifica os predicados e iguala seus próprios predicados durante 1 minuto.

3. A seguir, também por 1 minuto, o Programador desacompanha, usando predicados em outros sistemas, observado as mudanças no Sujeito.

SOFISTICANDO:

- O Programador observa e acompanha a sequência dos predicados do sujeito.

- *"Posso ver claramente o que quero para mim mesma, mas não consigo ir na direção certa."*

- *Assim, você tem uma visão claro do que quer, mas não consegue entender como chegar lá?"*

EXERCÍCIO DE EMPARELHAR OS PREDICADOS

TEMPO: 15 min.

Este exercício requer três pessoas. Decida a pessoa "A", "B", e "C." "A" é o observador, "B" começa a atividade e "C" é executa a tarefa.

1. "B" conta uma breve história à "A." "A" responde a "B" usando os mesmos predicados (visual, auditivo, cinestésico) que "B" usou.

2. À conclusão do exercício, "B" diz para "A" como se sentiu com ele ao ter emparelhado os seus predicados.

3. "C" dá o feedback para "B" de como este se saiu.

4. Invertam as posições até todos terem passado por todos os papéis.

240

Os 4-TUPLES

Um 4-Tuple (4T) é um termo da PNL e representa (modelos) a experiência interna que um indivíduo tem em um determinado momento do tempo, e a equação 4T = VAKO é usada.

Isto significa que os seres humanos têm em qualquer momento um conjunto de experiências sensoriais consistindo do sentido visual (V), do sentido auditivo (A), do sentido cinestésico (isto é, sensação) (K) e do sentido olfativo (O) – que inclui o sentido gustativo (G) para simplificar. (Na terminologia da PNL, esses sentidos são chamados de **sistemas representacionais**.) É importante notar que os seres humanos não são necessariamente conscientes de todos os elementos da VAKO em determinados momentos.

Pode ser salientado que um 4T pode ter 1) elementos gerados externamente ou 2) elementos gerados internamente. No primeiro caso, o 4T consiste apenas em dados de entrada (entrada) dados do mundo externo e, portanto, é denotado como 4Te. com o sobrescrito "e"; enquanto no último caso, consiste apenas de dados vindos da memória interna, e é denotado como 4Ti com o sobrescrito "i".

Vale a pena notar que a noção de 4T nos permite definir o termo muito intangível, "pensamento" ou "pensamento", como "comportamento interno" – e assim substituir a distinção "comportamento externo/comportamento interno" pelo "comportamento"/pensando "distinção.

Aqui, torna-se óbvio que "estar aqui e agora" significa que – em última análise – nada além de ter a experiência interna dos 4Te; por outro lado, estar em Maya (mente etc.) não significa nada a não ser ter a experiência interna do 4Ti.

Místicos ou psicoterapeutas, especialmente aqueles pertencentes a escolas como a Gestalt Terapia, a Psicologia Humanista, etc., frequentemente defendem: "Responda ao que está acontecendo aqui e agora, ao invés de reagir a projeções passadas (Negócios Inacabados da Gestalt)!". O que isto significa é, em resumo, comportar-se espontaneamente, respondendo à experiência dos 4Te, em vez de reagir à experiência do 4Ti, se a terminologia da PNL for usada. (Um exemplo típico de reagir a uma projeção passada, em vez de responder ao que está acontecendo agora, pode ser encontrado quando alguém se comporta em relação a uma certa mulher de tal forma que ela é lembrada de sua própria mãe e reage a essa imagem da mãe em vez de a própria mulher em questão.)

PADRÕES COGNITIVOS: O MODELO ROLE

A meta do processo de modelagem ROLE é identificar os elementos essenciais de pensamento e comportamento utilizados para produzir uma determinada resposta ou resultado. Isso envolve identificar os passos críticos da estratégia mental e o papel que cada passo tem no "programa" neurológico global. Esse papel é determinado por quatro fatores que são indicados pelas letras que compõem o nome do Modelo **ROLE** -- **S**istemas **R**epresentacionais; **O**rientação; **L**igação; **E**feito.

Os **SISTEMAS REPRESENTACIONAIS** referem-se a qual dos cinco sentidos é o mais dominante naquele determinado passo mental da estratégia: **V**isual (visão), **A**uditivo (som), **C**inestésico (sensação), **O**lfativo (olfato), **G**ustativo (paladar).

Cada representação interna é representada para perceber certas qualidades básicas das experiências. Essas incluem características como cor, brilho, som, ruído, temperatura, pressão etc. Essas qualidades são chamadas em PNL de "submodalidades", pois são subcomponentes de cada um dos sistemas representacionais.

A **ORIENTAÇÃO** refere-se à maneira como uma determinada representação sensorial é enfocada, (**e**)xterna pelo mundo externo ou (**i**)nteriormente por meio de experiências (**r**)ecordadas ou (**c**)onstruídas. Por exemplo, quando vemos algo, o vemos na nossa mente, no mundo externo ou na nossa lembrança?

As **LIGAÇÕES** referem-se a como uma etapa específica ou representação sensorial está ligada às outras representações. Por exemplo, algo é visto no ambiente externo que se relaciona a sentimentos internos, imagens lembradas ou palavra? Um sentimento particular está associado a quadros construídos, recordações de sons ou outros sentimentos?

Há dois modos básicos de unir representações consecutivas e simultaneamente. Associações sequenciais agem como *âncoras* ou gatilhos de modo que uma representação segue outra em uma cadeia linear de eventos.

Associações simultâneas acontecem com o que é chamado de sinestesias. Associações dessa natureza referem-se ao contínuo sobrepor de representações sensoriais. Certos tipos de sentimentos podem ser associados a certas qualidades de imagem -- por exemplo, visualizando a forma de um som ou ouvindo uma cor. Certamente, esses dois tipos de ligação são essenciais ao pensamento, à criatividade e à organização geral de nossas experiências.

EFEITO refere-se ao resultado, efeito ou propósito de cada passo no processo do pensamento. Por exemplo, a função do passo poderia ser gerar ou introduzir uma representação sensorial, testar ou avaliar uma representação sensorial em particular ou operar uma mudança em alguma parte de uma experiência ou comportamento em relação ao objetivo.

PISTAS FISIOLÓGICAS: TRANSFORMANDO O ROLE EM UM BAGEL

Os elementos do modelo ROLE lidam principalmente com processos cognitivos. Para funcionar, porém, esses programas precisam da ajuda de certos processos físicos e fisiológicos para sua consolidação e expressão. Juntas, essas diversas pistas são denominadas de modelo **BAGEL**[10] Essas reações físicas são importantes para o ensino ou desenvolvimento de certos processos mentais assim como para sua observação externa e confirmação. Os elementos primários de comportamentos envolvidos na modelagem BAGEL são:

> **P**ostura Corporal
> **P**istas de Acesso
> **G**estos
> **M**ovimentos Oculares
> **P**adrões de Linguagem

1. Postura Corporal

As pessoas assumem geralmente posturas sistemáticas e habituais quando em pensamento profundo. Essas posturas podem indicar muito sobre o sistema representacional que ela está usando. A seguir, temos alguns exemplos típicos:

- **Visual:** Inclinado para trás com a cabeça e os ombros para cima ou curvados, respiração superficial.
- **Auditivo:** Corpo apoiado para frente, cabeça levantada, ombros para trás, braços cruzados.
- **Cinestésico:** Cabeça e ombros para baixo, respiração profunda.

2. Pistas de Acesso

Quando as pessoas estão pensando, sugerem ou disparam certos tipos de representações de diversos modos que incluem: forma de respirar, "grunhidos e gemidos" não-verbais, expressões faciais, estalar de dedos, coçar a cabeça, e assim por diante. Algumas dessas sugestões são idiossincráticas ao indivíduo e precisam ser "calibradas" por uma outra pessoa. Muitas dessas expressões, porém, estão associadas a determinados processos sensoriais.

- **Visual:** Respiração peitoral curta, piscar de olhos, voz mais alta e mais rápida.

---

[10] No original inglês: **B**ody Posture, **A**ccessing Cues, **G**estures, **E**ye Movements, **L**anguage Patterns.

244

- **Auditivo:** Respiração diafragmática, sobrancelha franzida, variação do tom de voz e do ritmo da voz.
- **Cinestésico:** Respiração abdominal profunda, voz mais pausada e lenta.

3. Gestos

As pessoas geralmente tocarão, apontarão ou usarão gestos indicando os órgãos dos sentidos que estão usando para pensar. Alguns exemplos típicos incluem:

- **Visual:** Toca ou aponta os olhos; gestos feitos ao nível do olho.
- **Auditivo:** Aponta ou gesticula perto das orelhas; toca a boca ou o queixo.
- **Cinestésico:** Toca o tórax e a área do estômago; gestos feitos abaixo do pescoço.

4. Movimentos Oculares

Movimentos oculares automáticos e inconscientes acompanham geralmente processos de certos pensamentos que indicam o acesso de um dos Sistemas Representacionais.

5. Padrões de Linguagem

Um método primário de análise Neurolinguística é procurar determinados padrões linguísticos, como "predicados", que indicam um sistema representacional neurológico particular ou uma submodalidade, e como aquele sistema ou qualidade está sendo usado no programa global de pensamento. Predicados são palavras como verbos, advérbios e adjetivos que indicam ações ou qualidades, ao invés de coisas. Esse tipo de linguagem é selecionado tipicamente de forma inconsciente e assim reflete a estrutura inconsciente subjacente que a produziu.

Charton Baggio Scheneider

APROXIMAÇÃO: O CORPO ENTRA EM CONTATO

A PROXÊMICA NA COMUNICAÇÃO NÃO-VERBAL

Proxêmica é o termo criado por Edward T. Hall, refere-se *"às observações e teorias inter-relacionadas, relativas ao uso que o homem faz do espaço como elaboração especializada da cultura."*

Parte componente da comunicação não verbal, este assunto é fascinante e ao mesmo tempo de extrema relevância, pois é parte integrante do nosso comportamento, e mais: rege nossa relação com o mundo, a sobrevivência e o desenvolvimento da tecnologia.

Knapp[11], em uma tentativa de sistematizar os campos da comunicação não verbal, propôs o seguinte:

1. cinésica **(movimento do corpo);**
2. proxêmica **(uso e organização do espaço físico);**
3. paralinguagem **(modificação das características sonoras da voz);**
4. tacêsica **(linguagem do toque); e**
5. características físicas **(forma e aparência do corpo)."**

O uso do espaço na comunicação não-verbal, ou seja, como o homem estrutura (consciente ou inconscientemente) seu próprio espaço e como esta relação é determinada pelos aspectos culturais e sensoriais (visual, auditivo, olfativo e tátil), estes aspectos sofrem "ajustes" de cultura para cultura (Norte-Americanos possuem uma relação com seu meio, bem diferente dos alemães ocidentais, por exemplo).

A proxêmica nos permite entender melhor o espaço que nos rodeia.

Cada cultura estabelece diferentes tipos de contato. Existem culturas em que o contato físico não é permitido em público, enquanto em outras ele ocorre frequentemente. Essas diferenças culturais levaram a uma distinção entre culturas de alto e baixo contato. As culturas de contato elevado são aquelas em que as distâncias entre as pessoas tendem a ser menores. Em contraste, em culturas com baixo contato o espaço entre pessoas que interagem é muito maior.

---

[11] KNAPP, M.L. Nonverbal communication in human interaction. New York: Holt, Rinehart and Winston. 1972.

Essas diferenças culturais não aparecem apenas no contato, mas também estão presentes no espaço. A distância entre as pessoas e a configuração do ambiente indicam que a distância é considerada aceitável. Os espaços que diferentes culturas usam podem ser divididos em três perspectivas: **Fixas** (ex.: paredes e portas), **semi-fixas** (ex.: mobiliários) e o **espaço das relações interpessoais** (interação humana). Imagine que a proxêmica está presente em algumas situações possíveis do nosso nascimento, na nossa relação com os demais, durante o percurso de nossa vida, e no final de nossas vidas.

Os espaços fixos são as estruturas imóveis que marcam a distância. Os mais reconhecidos são as fronteiras entre países, mas também as disposições que as casas têm; a estrutura das famílias; os edifícios; a composição das cidades; ou as árvores que podemos encontrar dentro de uma cidade. Todos esses aspectos determinam, em parte, as distâncias que mantemos com outras pessoas.

"Cerca de trinta polegadas do meu nariz é a borda da minha pessoa, e todo o ar intacto no meio é o meu território herdado privado. Desconhecido, a menos que com olhos íntimos eu faça sinais fraternos. Tome cuidado, não se aproxime: não tenho canhão, mas eu cuspo".

- Wystan Hugh Auden

O espaço semifixo é aquele em que os objetos não limitam o movimento, pois podem ser movidos. Uma porta pode ser aberta ou fechada. Existem dois tipos de espaços semifixos. Os *sociófugos* são aqueles que fazem com que as pessoas estejam em movimento pois algo as incomoda, como cadeiras ou modificações do lugar das coisas no supermercado, de modo que seja preciso procurá-las. Por outro lado, os *sociopetos* são aqueles que incitam conversas ou interações. Como, por exemplo, os assentos usados por terapeutas ou mesas redondas que favorecem a conversa.

Finalmente, o espaço pessoal ou informal é aquele em torno do nosso corpo. Enquanto as culturas nórdicas tendem a ser distantes, as mediterrâneas, latinas e tropicais são muito próximas. Elas usam mais o contato físico e as distâncias entre as pessoas são muito curtas.

A DISTÂNCIA NA PROXÊMICA

Hall demonstrou que a distância social entre os indivíduos pode ser relacionada com a distância física. O espaço pessoal dá lugar à distância que ocorre entre pessoas em diferentes interações. A distância que mantemos de outras pessoas dependerá, além da nossa cultura, do relacionamento que temos. Com isso em mente, surgem quatro tipos de distâncias:

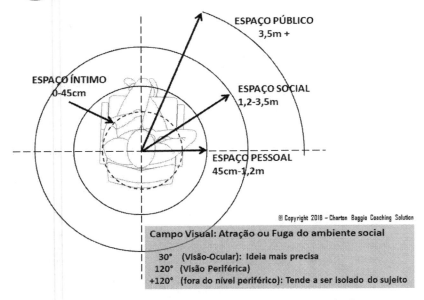

1. Distância íntima. Essa distância ocorre em relacionamentos íntimos, apaixonados, mas também com familiares e amigos íntimos, embora com estes últimos a distância ocorra de forma mais distante. A distância íntima é uma invasão do espaço pessoal, portanto, nem todos a aceitam. A distância íntima é para abraçar, tocar ou sussurrar (possui cerca de 15-45 cm).

2. Distância pessoal. O contato com essa distância é dado sem invadir o espaço pessoal. É usado com pessoas próximas, com pessoas que conhecemos quando conversamos com alguém. Embora varie entre culturas, esse espaço geralmente é a distância de um braço. A distância pessoal é a distância para interação com amigos próximos (sua área é de 45–120 cm).

3. Distância social. É a distância que mantemos com estranhos. Nós a usamos com pessoas sem um relacionamento de amizade, com as quais não há proximidade emocional, quando estamos encontrando uma pessoa ou em reuniões de trabalho. A distância social é o campo para interação entre conhecidos (sua área varia de 1,2-3,5 m).

4. Distância pública. Esta é uma distância de mais de 3,5 metros. É a distância ideal para se dirigir a um grupo de pessoas. A distância exige que o tom de voz seja mais alto e nós o usamos em palestras e conversas. A distância pública, como o próprio nome indica é a área para se falar em público.

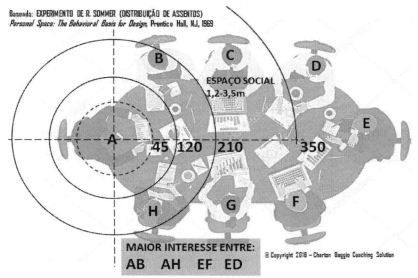

Baseado: EXPERIMENTO DE R. SOMMER (DISTRIBUIÇÃO DE ASSENTOS)
Personal Space: The Behavioral Basis for Design, Prentice Hall, NJ, 1969

ESPAÇO SOCIAL
1,2-3,5m

45 120 210 350

MAIOR INTERESSE ENTRE:
AB AH EF ED

© Copyright 2016 – Charton Baggio Coaching Solution

Hall indicou que diferentes culturas mantêm diferentes padrões de espaço pessoal. Nas culturas latinas, por exemplo, aquelas distâncias relativas são menores e as pessoas não se sentem desconfortáveis quanto estão próximas das outras; nas culturas nórdicas, ocorre o oposto.

As distâncias pessoais também podem variar em função da situação social, do gênero e de preferências individuais.

Embora existam muitos fatores envolvidos, a proxêmica é muitas vezes similar nas interações que temos no nosso dia a dia. As distâncias e os contatos que temos com outras pessoas serão diferenciados pela proximidade emocional que temos com elas. Mesmo assim, o uso do espaço também irá influenciar, colocando impedimentos ou favorecendo a proximidade.

EM BUSCA DE RESULTADOS MENSURÁVEIS

Nosso cérebro é "**Teleológico**", palavra que vem do grego: *Telos*, (resultado, fim ou objetivo). Ele está sempre em busca de um resultado, seja ele positivo ou negativo. Para ele isto – positivo/negativo – não é computado, ele apenas processa a informação que nós lhe inserimos – seja ela boa ou ruim – e no caso de nós não darmos a ele nenhuma meta, ele próprio criará uma para suprir a falta em seus mecanismos de obtenção de resultados; e, isto não quer dizer que ele optará por uma boa alternativa! Você tem a responsabilidade de colocar dentro dele bons programas para que ele vá em busca do resultado.

> *"Existem reis e profetas. Os reis têm o poder; os profetas têm os princípios."*
>
> – TONY BENN

Para se tornar um comunicador de excelência e atingir os seus resultados é preciso ter "**Atitude**", se você tiver atitude, terá resultados. Para isso você precisa de um tripé:

Nós não podemos ter um resultado sem possuirmos uma atitude compatível. Nós precisamos nos decidir a fazer o que estamos fazendo.

O processo de decisão já foi detalhado num capítulo à parte – aqui o que eu gostaria é de fazer uma complementação – falar sobre ele. Mas, o que é se decidir?

Decidir é o ato que vem da decisão, que é uma palavra derivativa, ou seja, é composta da formação de duas outras: "de" + "cisão".

A palavras decisão vem das raízes latinas "*dê*", que significa <u>origem</u> e "*caedere*", que quer dizer <u>separar</u>, fazer algo único, partir, optar por uma parte.

Quando nós estamos decididos, nós fizemos uma escolha por uma alternativa e por ela nos baseamos – nos comprometemos. Ou seja, quando nós estamos decididos, nós cortamos todas as outras alternativas e ficamos somente com uma – única e exclusivamente. Não há outra escolha a não ser esta! Isto é ser decidido.

"São nossas decisões e não as nossas condições que determinam nosso destino."

Sempre que estamos em dúvida quanto ao caminho, nós estaremos incongruentes. Ou seja, nós não estaremos por inteiro, pois, existir/á uma parte que dirá para nós: "Vá por aqui!" e outra estará dizendo: "Não! Vá por este outro caminho."

Quando nós não estamos por inteiro cem por cento focados (decidido) sobre algo, nós estamos divididos; e, divisão gera dúvida e a dúvida confusão; o que acaba nos fazendo ficar "empacados".

Agora, quando nós estamos decididos, não há nenhuma incongruência em nosso ser, não há nenhuma divisão, nenhuma confusão. Nós estaremos cem por cento focados no nosso alvo. Sem decisão, nós perdemos energia e vice-versa.

As habilidades que você necessita para atingir o seu objetivo desejado (resultado) podem ser das mais diversas, entre elas, a habilidade de comunicação, a habilidade de persuasão, de influenciar, de negociar, de planejar, de estipular metas e objetivos, de realizar mudanças, de solucionar conflitos, entre outras; que irão nos ajudar na nossa trajetória até a obtenção do nosso resultado.

"No momento de nossas decisões estabelecemos nosso destino."

Utilizando-se da decisão, das habilidades e do comprometimento para atingir nosso resultado nós acabamos por nos dar conta de que nós estamos tendo "atitude" – atitude de vencedor.

Sendo que numa venda o tempo máximo para uma pessoa confiar ou não confiar em você (processo este feito pela estrutura mais antiga do nosso cérebro – chamado de sistema "reptiliano") é de apenas **três segundos**. Isso mesmo; em apenas três segundos uma pessoa confia ou não em você – e, nos primeiros dez segundos nós podemos abrir ou fechar a mente de uma pessoa sobre tudo aquilo que nós vamos dizer e mostrar.

Se o tempo que dispomos para abrir caminho para dar início a nossa venda é tão curto como poderemos fazê-lo então de maneira proveitosa?

Esta é uma questão que diz respeito a nossa atitude, ela diz respeito ao nosso ser por inteiro (congruente) e sobre o nosso comprometimento, bem como de nossa decisão de estar fazendo isto no aqui e agora e das nossas habilidades refinadas de comunicar.

Devemos começar por nos dar conta de que nós seres humanos, somos possuidores de **"Zonas de Aproximação"**, ao qual, qualquer pessoa que se aproximar de nós vai entrar num campo onde ela poderá estar afetando a nossa segurança e/ou o nosso conforto.

A **Zona de Segurança** é à distância entre você e um indivíduo que o deixa seguro (bem), sem se sentir ameaçado pela presença da outra parte (pessoa).

Já, a **Zona de Conforto** é a região que fica mais ou menos pela metade do percurso entre você e seu interlocutor que está numa distância em que você se sinta seguro (a zona de conforto é mais ou menos a metade do percurso da zona de segurança).

Na Zona de Conforto nós não estaremos mais seguros, mas ainda assim nós estaremos nos sentindo confortáveis com a presença desta pessoa.

Caso ela venha a se aproximar ainda mais atravessando esta barreira tudo estará terminado – você não conseguirá mais prestar atenção a ela, pois suas preocupações primordiais estarão em recomeçar a restabelecer a sua segurança e o seu conforto e sua mente estará tão ocupada com isto que tudo o que ele disser não irá afetar em nada a você causando o fracasso de sua negociação – você não comprará.

Por estas razões é muito importante saber identificar qual é a Zona de Segurança e a de Conforto de nosso interlocutor (cliente, etc.) para podermos levar adiante a nossa explanação sem resistências por parte dele.

De forma que, para você ser um bom comunicador, toda a sua atenção tem que estar no seu cliente – o que na Gestalt chama-se estar em *Up-Time* (voltado para fora – para o exterior). Se você não nota a outra pessoa, você fica aberto a interpretações. Portanto, você deve observar se ela está confortável, se ela falou primeiro, o que está havendo durante a comunicação, o que está aprendendo sobre a pessoa; enfim, atentos a tudo.

"As decisões transformam os sonhos em realidade."

A primeira coisa que você deve aprender é a habilidade de olhar à pessoa que vai estar com você – e, ela lhe mostrará como agir naquele momento. Tudo o que você tem que fazer é observar. E, isso significa que você e ela se tornam um par, vocês se aproximam das formas ou posturas.

Você não usa mímica ou acompanhamento, nenhum dos dois. Você descobrirá quando as pessoas estão confortáveis com você é quando estão similares a você.

Quando nós estamos confortáveis com as pessoas, nós assemelhamos as suas posturas de uma forma não consciente. Portanto, a primeira coisa que você deve fazer é **notar a outra pessoa**.

O objetivo disso é criar uma ligação de comunicação de tal forma que você e ela possam chegar no assunto ou permanecer no assunto.

O único objetivo de se fazer isto (igualar a postura) é para que você possa obter um rapport muito mais rápido porque quando alguém está desconfortável parece estranho. Então, nós podemos trabalhar com muito mais eficácia.

Pode-se utilizar isto com alguém do mesmo nível que você, com um patrão ou subordinado; com o açougueiro, o carteiro, com seus familiares, enfim com qualquer pessoa. É bom fazer as pessoas se sentirem confortáveis e ter rapport com elas. A medida que você for se desenvolvendo, perceberá que após os dois primeiros minutos de rapport você poderá ter qualquer postura que quiser; porque, uma vez que esteja ligado a pessoa não interessa mais.

Mas, se por acaso você trocar os pés pelas mãos e o rapport for quebrado você poderá restabelecê-lo. Portanto, lembre-se que o objetivo primordial é tornar as pessoas confortáveis.

Os problemas que às vezes surgem são porque nós não sabemos como obter um rapport. Você simplesmente poderia esquecer de não se tornar à vontade e ficar à vontade, e assim poderia entrar direto no assunto.

Quando você tem o conhecimento de obter rapport você não tem que se sentir bem para fazer alguém se sentir à vontade, porque; ninguém sabe o que está acontecendo dentro de você. Se eu estou observando alguém, eu esqueço de mim mesmo. Isso faz sentido!

O que você vai acabar descobrindo é que todos os estilos de comunicação não há conflito. Há sim, diferenças nos estilos e a maior flexibilidade que nós temos e as diversas maneiras que nós pudermos combinar rapport com a outra pessoa, quanto mais flexível, mas nós conseguimos. O seu poder pessoal é saber onde você está mesmo que não esteja falando.

Existem pessoas que perdem negócios ou que são ofendidas por não saberem o que fazer, porque estão com a cabeça quente. Elas estão muito bem em seu desempenho na sua comunicação e há de repente uma interrupção e elas não sabem como obter o rapport de volta.

Então, se você disser alguma coisa errada e você observar uma grande mudança na pessoa aonde elas vão de uma posição para outra – você saberá que alguma coisa aconteceu. Mas, em vez de ficar sem auxílio ou então parado você sabe que pode voltar a retomar o quadro.

Há muitas pessoas muito casuais que são intimidadas por pessoas que caminham de forma ereta e com postura – tudo que você precisa fazer para se sentir mais à vontade é mudar a postura. É tão mais fácil pensar que há algo de errado com sua personalidade.

O que eu quero que você se dê conta é que as pequenas coisas em comunicação (na arte de persuadir e influenciar) é que causam as maiores dificuldades. Nunca são as coisas grandes.

A maioria de nós até não aprendermos estes conhecimentos achamos que é a personalidade tóxica de alguém ao invés de ser simplesmente uma coisa tão simples como não ser acompanhado.

Numa venda os dois passos mais importantes a serem levados em consideração é a **aproximação** entre você e o cliente e que é **o corpo que entra em contato** (lembre-se 55% de uma comunicação é feito pela fisiologia).

Quando nós estamos interagindo (venda/negociação) os olhos as expressões faciais, a respiração, os braços e até mesmo os nossos pés estão se comunicando – no entanto isto tudo equivale a apenas dois por cento do processo de persuasão, 98% do impacto persuasivo é exercido dentro de nós – e a imagem mental que nós formamos sobre nós e a situação – é a "atitude" (decisão – habilidades – comprometimento) de ser realmente fiel e acreditar profundamente naquilo que nós estamos fazendo.

Uma atitude (representação interna) negativa irá gerar resultados negativos – uma atitude positiva irá levá-lo até onde sua imaginação puder alcançar.

Quando estamos negociando ou vendendo, nós devemos ter sempre em mente que nós não vendemos ideias (ou produtos); e sim, que nós vendemos **fantasias**! Isso mesmo; vendemos a fantasia.

Vejamos: um corretor de seguros não vende uma apólice onde você e/ou sua família receberá milhões no caso de alguma coisa negativa ocorrer – eles vendem sim é a "segurança" de que este ato (assinar a apólice) irá trazer para você e/ou sua família – isto é uma fantasia.

Ou, uma agente de cosmético – ela não vende perfumes, cremes, loções, batons, etc., ela vende a fantasia que ela consegue colocar na pessoa sobre a "beleza" – de como ela ficará mais bonita, atraente, charmosa... No caso de um médico, ele não receita remédios, ele receita saúde. Uma agente de viagens nos vende a fantasia de sua viagem – o prazer de realizá-la. E até mesmo o agente funerário não nos vende um caixão ele vende sim é a paz (fantasia) para nosso ente querido.

Quando formos vender algo devemos nos esforçar ao máximo para satisfazer as fantasias de nossos clientes – assim eles compram e ficam satisfeitos. É simples! Nós seres humanos não compramos com a razão, nós compramos sim é com a emoção – com a nossa intuição – e, só depois nós vamos colocar a razão para funcionar.

Max Bazerman, da *Universidade de Northwestern* é um dos grandes estudiosos do campo das grandes negociações desvendou os cinco principais erros cognitivos que os negociadores cometem. São eles:

1. **Deixar de considerar os julgamentos da outra parte.**
2. **A tendência à escalada não racional de compromisso com um rumo anterior de ação, e a aumentar o conflito.**
3. **A tendência a ter um enquadramento limitado na sua perspectiva do conflito.**
4. **A tendência a ser muito confiantes de que vão predominar nas situações de disputas**
5. **A tendência a ver as negociações do seguinte modo:** *"Se você ganhar eu perco"* **e vice-versa, mesmo quando não é verdadeiro.**

ACOMPANHANDO E LIDERANDO - O MEIO PARA A PERSUASÃO

O COMUNICADOR EXITOSO

Acompanhar e liderar juntam muitas técnicas e abordagens para a comunicação efetiva. Uma forma de considerar seu valor é a seguinte: **Acompanhar é o conjunto de técnicas empregadas para se conseguir e manter o rapport. Liderar é o conjunto de técnicas usadas para dirigir o diálogo para a direção desejada.**

ACOMPANHAR

Tipicamente, acompanhar diz respeito às formas que se escolhe para estabelecer rapport. Observar o cliente e selecionar um ou mais aspectos de sua linguagem corporal. Logo, você adapta sua própria linguagem corporal para espelhar aqueles aspectos do cliente. Na maioria das situações espontâneas, este acompanhamento ocorrerá também de forma espontânea. Apenas é necessário eleger conscientemente formas de acompanhamento se a pessoa sente que está faltando algo no diálogo. São úteis as combinações dos seguintes itens de linguagem corporal, mas você pode desenvolver aquele que preferir, e deve também ser sensível ao que funciona com um determinado cliente.

- **Ritmo respiratório**

- **Postura**

- **Ritmo que se fala (modulação)**

- **Tom de voz**

- **Velocidade que se fala**

- **Gestos**

LIDERAR

Liderar assume que você sabe onde quer se dirigir com o diálogo. Deve, pelo menos, ter um objetivo geral e quanto mais específico melhor, a menos que tenha grande tolerância para a ambiguidade e possa utilizá-la bem. Liderar é em parte como escrever um esquema para um trabalho ou artigo em sua mente, que traga adiantado os caminhos que você deseja fazer no diálogo. Ter o mapa mental permite manter as coisas no seu curso enquanto você alcança seu objetivo. Liderar a atenção do cliente para direções específicas requer técnicas específicas. São úteis as seguintes combinações:

- **Quando se fala, as perguntas lideram o pensamento do cliente**

- **As âncoras corporais, gestuais ou tonais** podem eliciar uma resposta desejada num ponto escolhido dentro do diálogo

- **A retradução** ajuda o cliente a perceber coisas de formas novas e úteis

- **O passeio ao futuro** ajuda os clientes a imaginarem uma situação

- **A velocidade verbal** pode ser utilizada para acalmar ou excitar o cliente, segundo a necessidade

- **Os acessos visuais** podem ser empregados para focalizar atenção mediante gestos, movimentos, sinais de colocação em algum lugar ou outras ajudas visuais

Desarmando (*Fogging* = Esfumaçamento) e Perguntando

> *"O melhor soldado não ataca.*
> *O lutador superior vence sem violência.*
> *O maior dos conquistadores vence sem esforço.*
> *O gerente mais bem-sucedido dirige sem impor.*
> *Isto é chamado não-agressividade inteligente.*
> *Isso é chamado superioridade dos homens."*
>
> – Lao-Tese, Tao Te-King

As interações entre as pessoas parecem funcionar melhor quando as emoções são positivas. Um objetivo baseado no processo é evitar a obtenção de respostas emocionalmente negativas, em vez de positivas ou neutras, quando se dialoga com alguém.

Em que ponto as entrevistas, encontros e apresentações se desarticulam, se desfazem, falham ou estropiam? A resposta é: **quando o desacordo de opiniões se converte em discussão ou conflito.**

Você não pode comunicar-se telefonicamente se há estática. As emoções são a estática que impedem a comunicação humana.

Como o indivíduo evita o desacordo? Existem várias facetas para a resposta:

1. **Planeje sua atitude e comentários iniciais para prevenir tons ou posturas competitivas ou argumentativas,** ou seja, palavras de "combate" como os pioneiros costumavam chamá-las.

2. **Não tente, por inadvertência, ganhar pontos às custas da outra pessoa.**

3. **Tente marcar pontos para benefício mútuo, com atitude contínua:** *"Como posso ajudá-lo?"*

4. **Use o desarme e perguntas para conduzir o diálogo em direções úteis.**

5. **O poder destas técnicas significa que você nunca necessita sentir-se na defensiva.**

A essência do padrão **desarmar** (esfumaçamento)/**perguntar** é **"estar de acordo em princípios, não no conteúdo"** – permitindo que você faça a pergunta condutora. Por exemplo, *"Não que te sentes bastante seguro. Como chegaste a esta conclusão?"* ou *"O que teria ocorrido se X e Y tivessem sido considerados também, como tu terias mudado tua forma de pensar?"* Sempre perguntando: **Quem? O quê?**

Onde? Quando? Por quê? e **Como?** – quando o contexto nos indica em direção ao nosso propósito.

O mecanismo de desarme (esfumaçamento) segue o princípio de que num diálogo, a ausência de feedback funciona assim também. Sem retorno, cessa a agressão.

AS PERGUNTAS funcionam causando um vazio mental que imediatamente fica cheio de imagens que representam as respostas das pessoas tanto quanto as expressões externas que estão em correlação com aquele pensamento.

Você pode deixar de pensar num elefante rosa? Não há alternativa, a mente responde.

A CONDUÇÃO como técnica, se baseia na pressuposição de que você deve saber para onde quer conduzir o diálogo.

No contexto do **ESFUMAÇANDO & PERGUNTANDO** você dará uma sequência ao conteúdo de suas perguntas para levar a pessoa passo-a-passo através de alguns segmentos de informação até que ela mesma chegue à conclusão que você tem em mente.

A primeira referência a esta combinação de técnicas se encontra na autobiografia de Benjamin Franklin. Ele escreve em sua autobiografia que como polemista vigoroso e enérgico, usualmente ganhava as discussões, mas, como resultado, gerava ressentimentos por parte de seus opositores. Dizia-se que Franklin era um sujeito brilhante, mas insensível, obstinado e egoísta, que costumava dizer: *"Eu ganho e tu perdes!"* Ele discutia, mesmo sabendo que realmente ninguém ganhava nada em uma discussão onde um perde. Os ressentimentos se agravam e a resistência circula subterraneamente para atormentar o vencedor. Um bom amigo chamou sua atenção e mostrou o melhor caminho para fazer valer seus pontos de vista e deixar um sentimento positivo em seu adversário.

> *"Desenvolvi o hábito de expressar-me em termos de despretensiosa timidez, nunca usando, quando avançava em alguma coisa que pudesse ser discutida, as palavras "certamente", "indubitavelmente", ou qualquer outra que desse um ar de certeza à uma opinião. Mas eu diria: 'Eu imagino (ou entendo) que uma coisa seja assim e assim; parece para mim.'; ou, 'Eu não pensaria isso ou aquilo, por tais e tais razões.'; ou, 'Isso é assim, se não me engano'. Acredito que esse hábito tenha sido de grande vantagem para mim, quando tive ocasião de inculcar minha opinião e persuadir homens a tomar*

providências que eu, de tempos em tempos, me empenhava em promover."

– Benjamin Franklin

A seguinte é uma técnica simples para fazer mudar o modo de pensar de outra pessoa: Quando a outra pessoa expressa sua opinião, reconheça o que foi dito, esteja de acordo com o princípio exposto, não necessariamente com o conteúdo ou a opinião que a pessoa expressa. Reconheça que a pessoa tem a sua própria opinião.

A seguir, **FORMULE A PERGUNTA** sobre **QUEM? QUANDO? POR QUÊ? ONDE? COMO?** e como a pessoa formulou tal opinião (*Kipling's Six Serving Men*). Use as sucessivas respostas para conduzi-la ao seu objetivo.

O reconhecimento amável da opinião da outra pessoa não gera implicitamente críticas para a mesma, ou ofensas, como ocorreria com a ideia contrária. Então, mediante a formulação de uma pergunta, você pode conduzir o diálogo para onde quiser, parecendo para a outra pessoa que foi ela quem chegou à conclusão que você pretendeu, sem que ela jamais descubra tal fato. Rapidamente, após poucos intercâmbios neste tipo de diálogo, você mudará o modo de pensar da outra pessoa.

A RESISTÊNCIA é o resultado do desacordo ou da discussão. O Persuasor Amistoso jamais a experimenta. Um modo simples de se usar, como "ponta da língua" em situações de diálogo é avaliar a mescla de três importantes condutas que atuam em qualquer comunicação interpessoal.

O psicólogo da Universidade de Harvard, David McClelland, ensinou sobre os motivos do **PODER**, das **RELAÇÕES INTERPESSOAIS** e do **ÊXITO**. O Persuasor Amistoso e astuto observará o modo como o cliente se expressa e mentalmente poderá anotar os motivos da outra pessoa no diálogo, segundo estes três itens mencionados.

Perguntar e **Conduzir** neutralizam o motivo e permitem que o Persuasor Amistoso se concentre no rapport que necessita para estabelecer uma efetiva relação interpessoal, a qual, alternativamente, serve como satisfação para ambos: o cliente e o persuasor.

Como modelo dos três motivos combinando com o Desarmar-Perguntar e Conduzir, o Persuasor Amistoso tem uma habilidade impressionante para o modo de pensar de um cliente de um NÃO para SIM.

> **"A pessoa que é muito insistente em seus próprios pontos de vista encontra poucos para concordar com ela."**
>
> – Lao-Tse, Tao Te-King

O FOGGING

Fogging é uma técnica para o Practitioner e não para o paciente.

MODA	UNIVERSO	TU ÉS UM SER VIVO
↓	↑	↑
SAPATO	ÁGUA	TU ÉS HUMANO
↓	⇓	↑
PÉS	ÁTMOS	TU ÉS IDIOTA

MORAL
---

a) CONCORDAR NO PRINCÍPIO É DISCORDAR NO CONTEÚDO.
b) FAZER PERGUNTAS QUE CONDUZAM O PROCESSO PARA DIREÇÕES MAIS ÚTEIS.

GERAL

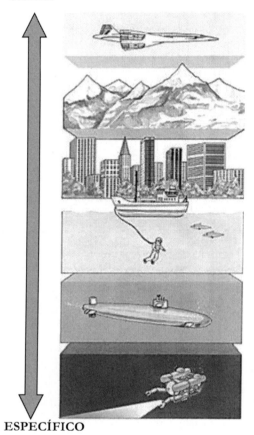

ESPECÍFICO

FEEDBACK POSITIVO

Feedback é uma palavra inglesa que significa realimentar ou dar resposta a um determinado pedido ou acontecimento.

Em PNL o objetivo do feedback deve ser o de ajudar a outra pessoa a poder fazer alguma coisa de forma diferente no futuro, ou seja, melhorar habilidades e comportamentos.

Em um ou em outro momento, nós estamos do lado recebedor de um conselho ou de um feedback. Às vezes, é porque nós o solicitamos para melhorar a forma como fazemos alguma coisa ou o nosso bem-estar geral. Outras vezes, podemos receber um feedback não solicitado ou que não queremos, simplesmente porque aquele que forneceu o feedback sente que ele ou nós podemos nos beneficiar se ele oferecer essa informação.

Fornecer ou receber feedback, seja solicitado ou não, é um componente comum na interação com as outras pessoas. Nós, generosamente, fornecemos as nossas opiniões aos outros na esperança de que eles irão, de alguma maneira, mudar os seus pensamentos ou comportamentos. Nós acreditamos que o feedback será benéfico para eles ou para nós.

Sempre aborde o feedback como uma oportunidade para crescer e melhorar a sua vida. Você não tem que concordar com ele; simplesmente reconheça que aquele que deu o feedback está desejando ajudá-lo de alguma maneira.

Geralmente aqueles que dão feedback estão bem-intencionados. O problema é que o mecanismo de comunicação usado pode não ser o mais apropriado.

No processo de desenvolvimento da competência interpessoal o feedback é um importante recurso porque permite que nos vejamos como somos vistos pelos outros. É ainda, uma atividade executada com a finalidade de maximizar o desempenho de um indivíduo ou de um grupo.

Uma forma popular de feedback é o "sanduíche feedback" que consiste em críticas "ensanduichadas" entre dois comentários positivos, ou seja:

- **Faça um comentário positivo específico.**
- **Crítica e/ou sugestão para melhorar.**
- **Comentário positivo geral.**

FEEDBACK X CRÍTICA

O feedback deve ser usado para ajudar o ciente a poder fazer alguma coisa de forma diferente no futuro, ou seja, melhorar suas habilidades e seus comportamentos. Um bom hábito a ser adquirido é o sanduíche de feedback.

1. Reconheça o que está sendo feito certo ou diga algo positivo sobre o que você acha que a pessoa é (i.e.: é inteligente, é esforçada, é rápida etc.) a nível de identidade.
2. Dê o feedback, que deverá ser sobre o comportamento (está, fez, falou etc.), *nunca sobre a identidade*, e baseado no sensorial (eu vi, ouvi, li, etc.), específico (ontem, hoje etc., em vez de sempre, as vezes).
   a. Focalize o comportamento e não a pessoa. Isso irá reforçá-la. Em sua mente, separe o comportamento da identidade.
   b. Lembre-se: "As pessoas têm comportamentos, não são seus comportamentos."
   c. Evite usar as palavras: *mas, porém, contudo,* etc. Em vez disso use "e".
   d. Em vez de: "Eu gosto muito de você, mas........." Diga: "Eu gosto muito de você e gostaria..."
3. Termine com outro reconhecimento sobre as habilidades ou capacidades, orientado ao futuro e em positivo (eu acredito que sendo... como você é, será capaz, de no futuro, agir de forma a...).

O sanduíche:

- Algo positivo sobre a identidade (*você é ...*)
- Comportamento a ser mudado (*sensorialmente definido*)
- Algo positivo sobre a identidade (*sendo tão ...*)

Lembre-se, a função do feedback é ajudar o outro a fazer algo de forma diferente no futuro, melhorar habilidades e comportamentos. A crítica somente diz o que está errado ou desagradando, não ajuda a melhorar. É também muito importante ter estratégias eficientes para lidar com críticas.

FORNECENDO FEEDBACK

Fornecer ou receber feedback, seja solicitado ou não, é um componente comum na interação com outras pessoas. Nós, generosamente, fornecemos as nossas opiniões às outras pessoas na esperança de que elas irão, de alguma maneira, mudar os pensamentos ou comportamentos delas. Isto é, de uma maneira que nós acreditamos que será benéfico para elas ou para nós.

Mas será que elas estão realmente ouvindo o que estamos dizendo? Será que estamos apresentando o nosso feedback de maneira que a outra pessoa esteja aberta para receber ou pelo menos considerar?

Existem muitas abordagens diferentes para fornecer feedback. De um lado do espectro estão aquelas que nunca lhe cumprimentaram pelo que você fez bem feito, mas somente oferecem feedback quando existe alguma coisa que precisa ser corrigida. Se você já esteve sujeito a esse tipo de feedback, sabe que depois de algum tempo, você começa a ignorar esse tipo de pessoa e até mesmo evita envolvê-la em qualquer conversa expressiva. No outro lado do espectro, estão aquelas que suavizam o feedback de tal forma que você não tem certeza do ponto que elas estão tentando evidenciar.

Geralmente aqueles que dão feedback estão bem-intencionados. O problema é que o mecanismo de comunicação usado pode não ser o mais apropriado.

Então, como você pode fornecer feedback? Eu creio que precisa haver um certo equilíbrio – deixar as pessoas ou equipes saberem o que estão fazendo certo e, portanto, fazerem mais e também deixar que saibam onde há espaço para melhorias.

SANDUÍCHE FEEDBACK

Uma forma popular de feedback é o sanduíche feedback. De uma forma mais simples, isso significa que você ensanduicha um feedback que pode ser interpretado de alguma maneira como negativo entre comentários positivos. Quando feito apropriadamente, pode fornecer um bom equilíbrio entre aquelas coisas que as pessoas ou a equipe fizeram bem e aquelas áreas onde o fornecedor do feedback acredita que a pessoa/equipe pode melhorar.

O sanduíche feedback tem as suas desvantagens:

- **Metaforicamente, essa abordagem é vista, muitas vezes, como o pão de hambúrguer (o feedback positivo) e a carne (o feedback negativo ou construtivo). Isso não é favorável, como a 'carne' da questão pode realmente ser algo sobre como a outra pessoa fez algo particularmente bem. Ou seja, a 'carne' não tem que ser negativa.**
- **O feedback positivo pode ser muito fraco e aquele que o recebe entende isso como uma tentativa velada de somente criticar.**
- **Aquele que fornece o feedback, ou porque não tem confiança no que gostaria de dizer ou porque não quer preocupar aquele que o recebe, pode colocar muita ênfase no feedback positivo e fornecer pouca 'carne' ou orientação sem valor para melhorar.**

- Sabendo que o feedback irá incluir tantos pontos positivos como negativos, aquele que o recebe pode se perguntar quão relevante é todo o feedback. Isto é, foram alguns pontos introduzidos ou foi colocada ênfase injustificada em um ou mais pontos simplesmente para proporcionar mais equilíbrio?

O sanduíche feedback é um bom lugar para começar e a questão é: como podemos melhorá-lo?

Conheça o contexto

Algumas vezes, na tentativa de sermos úteis, fornecemos feedback sem conhecer o contexto ou a finalidade.

Por exemplo, suponha que eu construí um carro baixo, elegante, com alta potência, porém com apenas o assento do piloto. Sem conhecer o contexto, você pode criticá-lo por não ser um carro de família. Entretanto, se o contexto (a minha intenção) era desenvolver um carro de corrida revolucionário, o seu feedback está fora de discussão e sem utilidade para mim.

Antes de fornecer o feedback, determine o contexto/finalidade.

Foque na melhoria em vez de críticas

Demasiadas vezes, o feedback é compreendido como crítica. Para superar isso, identifique o assunto e depois faça sugestões sobre o que a pessoa pode fazer de diferente na próxima vez para melhorar o que ela já está fazendo bem ou para evitar dificuldades potenciais.

Evite ser apanhado pelas regras

Nós temos regras para tudo: algumas vezes estão por escrito e, outras vezes, apenas implícitas. Existem sempre exceções para as regras. Antes de dar feedback, confira para ver se a regra realmente se aplica à situação.

Eu me lembro de ter recebido feedback de um colega numa apresentação que fiz. Ele ressaltou que durante a apresentação, eu tinha me virado de costas para a audiência para ajustar um flip chart. Ele continuou dizendo que, de acordo com uma organização muito respeitada sobre falar em público, virar suas costas para a audiência é algo que simplesmente não se faz – geralmente uma boa regra. Eu continuei falando com ele e descobri que, de maneira nenhuma, as minhas ações tinham diminuído o prazer dele na minha apresentação e que, não ajustar o flip chart, poderia ter resultado em outros problemas durante a apresentação. Era tudo uma questão de que havia uma regra e eu tinha violado essa regra.

Use os níveis lógicos da PNL como guia

Os níveis lógicos da PNL podem ser usados como guia para apresentar o seu feedback. Você pode escolher se focar em:

1) Ambiente – **onde, quando e com quem. Isto é, a pessoa pode ter escolhido um local, uma hora ou o grupo de pessoas inapropriado (ou numeroso).**

2) Comportamento – **o que especificamente ele fez ou não fez?**

3) Estratégias/Capacidades – **você pode querer comentar sobre a abordagem dele (estratégia) ou talvez a capacidade/habilidade que ele demonstrou ou falhou em demonstrar.**

4) Crenças/Valores – **a menos que a pessoa tenha realmente declarado as suas crenças e valores, é difícil dar feedback ao nível das crenças e valores. Entretanto, você pode fazer perguntas sobre as crenças e os valores dela e então, fornecer o feedback baseado nessa informação.**

5) Identidade – **neste nível, saiba que o melhor é evitar qualquer feedback negativo, como por exemplo, "você é incompetente". Mais apropriadamente, comente sobre os comportamentos que o levaram a essa conclusão.**

6) Espiritualidade/Propósito – **aqui você pode querer fazer perguntas sobre o propósito das ações dela e a conexão a um sistema maior.**

Fale o que é verdade para você

Fale com o coração e converse sobre o impacto das ações da pessoa em você. Por exemplo, quando você fez X, eu senti Y. Aquele que recebe o feedback pode argumentar sobre o impacto das ações dele sobre os outros, contudo não pode discutir sobre o impacto que as ações dele tiveram em você.

Seja claro quanto ao seu propósito

Quando for dar feedback, pergunte-se: "Qual é o propósito desse feedback que estou dando?" Se for para provar que você sabe mais do que qualquer outro, para levar a outra pessoa para baixo do seu nível ou que parece ser a coisa a ser feita; então talvez você deve reconsiderar e analisar o que pode fazer para ir adiante.

Às vezes, o seu propósito é nobre e apropriado, mas o seu feedback está focado naquele que recebe o feedback e que está desempenhando um comportamento específico. Um comportamento que você pode achar fácil de ser feito, mas que o recebedor do feedback pode sentir que é muito determinado, não factível ou não aceitável. Nessa situação, pode ser mais apropriado levantar o assunto e, depois, se oferecer como voluntário para trabalhar com a outra pessoa para examinar outras maneiras como esse assunto pode ser enfrentado.

Assegure-se que o destinatário está aberto para receber feedback

Antes de dar um feedback, tenha certeza de que você foi convidado a fazer isso ou pergunte para a pessoa se ela apreciaria receber um feedback. Se a resposta for não, então mude para alguma outra coisa. Dar feedback quando não for solicitado ou apreciado é simplesmente uma perda de tempo. Ele pode satisfazer uma necessidade de curto prazo que você tem e pode não construir um relacionamento saudável, que dê apoio mútuo para você e a outra pessoa.

RECEBENDO FEEDBACK

Em um ou em outro momento, nós estamos do lado recebedor de um conselho ou de um feedback. Às vezes, é porque nós o solicitamos para melhorar a forma como fazemos alguma coisa ou o nosso bem-estar geral. Outras vezes, podemos receber um feedback não solicitado ou que não queremos, simplesmente porque aquele que forneceu o feedback sente que ele ou nós podemos nos beneficiar se ele oferecer essa informação.

Então, como podemos receber um feedback de maneira saudável e respeitosa?

Seja criativo

Receba o feedback com um estado mental rico em recursos. Isto é, sinta-se confiante, tenha prazer em ser quem você é, seja flexível e veja as oportunidades. Ao fazer isso, você se coloca num estado mental melhor para ouvir o que está sendo proposto, sugerir alternativas e para continuar melhorando a sua vida. Se precisar de auxílio para acessar um estado mental rico em recursos, você pode considerar a leitura da introdução de um livro de PNL, contratar um coach de PNL ou participar de um treinamento de PNL.

Se você não está num estado mental rico em recursos ou a hora não é apropriada, negocie uma hora e um local onde você poderá estar totalmente presente. Você pode até informar para aquele que fornece o feedback, que ao aceitar essa mudança, isso irá colocá-lo num estado mental mais aberto e receptivo.

Processe como uma sugestão

Note que você não tem que concordar com o feedback. Reconheça-o simplesmente como uma sugestão que você pode aceitar ou rejeitar. Considere que ele é dado a você com uma intenção positiva. Se foi oferecido com a intenção de puxá-lo para baixo, ao nível da outra pessoa, reconheça que isso não é assunto seu, agradeça pelo feedback recebido e vá em frente.

Você pode argumentar que, no ambiente de trabalho, o feedback não pode ser visto como sugestão. Mais propriamente, ele é uma ordem ou uma diretriz e você não tem outra escolha a não ser implementá-lo conforme apresentado.

Eu diria que em qualquer ambiente de trabalho razoável, você tem a oportunidade de esclarecer o assunto e examinar diferentes formas e meios para resolver a questão. Se não for esse o caso, você tem a opção de procurar trabalho em outro lugar. Permanecer onde você está e suportar esse tipo de comportamento, é apenas um convite para desilusões e doenças. Você e sua família merecem coisa melhor do que isso.

Obtenha esclarecimentos

Às vezes, quando você recebe um feedback, você pode não entender completamente o que estão dizendo ou pode receber um feedback que não pediu. Ao invés de simplesmente rejeitá-lo, obtenha esclarecimentos ao:

- **Examinar a intenção de quem deu o feedback.**
- **Usar o Metamodelo da PNL – por exemplo, quem, o que, quando, onde, como especificamente, comparado com o que?**
- **Determinar como quem deu o feedback acredita que as coisas ficariam diferentes se você seguisse o feedback dele.**

Você pode achar que concorda com todo o plano dele, mas a abordagem sugerida por ele não está alinhada com as suas crenças, suas estratégias, etc. Nessas circunstâncias, você pode contar com o apoio dele (negociar) para descobrir caminhos alternativos para atingir o mesmo resultado.

Examine o problema e as sugestões de diferentes perspectivas

Use as posições perceptivas da PNL para esclarecer o que pode acontecer se você seguir ou não o conselho fornecido. Isso também pode lhe dar mais clareza sobre como modificar o conselho fornecido para melhor atender às suas necessidades.

Use como uma oportunidade para melhorar

Sempre aborde o feedback como uma oportunidade para crescer e melhorar a sua vida. Você não tem que concordar com ele; simplesmente reconheça que aquele que deu o feedback está desejando ajudá-lo de alguma maneira.

Evite o feedback abusivo ou inapropriado

Se em algum momento, você interpretar o feedback como abusivo ou inapropriado, pode escolher examinar se aquele que o deu, está ele mesmo aberto ao feedback. Se a resposta for sim, isso pode ser fornecido de uma maneira saudável e respeitosa como descrito no artigo Fornecendo Feedback. Se não, você pode examinar formas e meios de minimizar ou evitar receber feedback dessa pessoa ou da mesma maneira no futuro.

Termine com um obrigado

O que você faz com o feedback e como reage a ele é escolha sua. Em vez de discutir sobre pontos individuais, respeite que o que foi lhe apresentado, foi feito com a intenção de ajudá-lo. Escolha que partes do feedback, talvez nenhuma, você irá implementar ou examinar em mais detalhe.

Agradeça a quem lhe forneceu o feedback e aja adequadamente.

CHART ALFABÉTICO (EDIÇÃO PESSOAL)

Com este exercício, você estará "editando" uma experiência, dividindo e coordenando diferentes canais de atenção. O exercício envolve usar o quadro abaixo. As várias letras do alfabeto, impressas em negrito, serão lidas em voz alta. As letras "D," "E" e "J" são sugestões relativas ao movimento de suas mãos. Quando o "D" estiver abaixo de uma letra que você estiver lendo, você elevará sua mão direita levemente. Com o "E" erguerá sua mão esquerda e com o "J" será a sugestão relativa ao movimento de suas duas mãos juntas.

Assim, na versão mais simples do exercício, você lerá o cartaz da seguinte maneira: (diga em voz alta) "A" (eleva a mão direita), (diga em voz alta) "B" (eleva a mão esquerda), (diga em voz alta) "C" (eleva ambas as mãos), (diga em voz alta) "D" (eleva a mão esquerda), e assim sucessivamente.

Para que este processo faça a edição pessoal:

1. Selecione uma situação (problema) que ocorre periodicamente na qual você quer aumentar a qualidade de sua experiência, i.e., ter mais escolhas do que você tem atualmente para responder.

2. Manter esta situação em mente, enquanto passa pelo exercício do chart alfabético.

3. Quando você terminar, pense novamente na situação e note que mudanças você experimenta conforme você percebe ou responde àquela situação.

Por exemplo, você se sente diferente agora sobre ela? Você ouve ou vê a informação que não era óbvia ou disponível antes, a qual faz uma diferença dentro de como você responde? Talvez você perceba que você se fixa em uma certa parte da experiência, e pode perceber uma perspectiva mais ampla depois de passar pelo exercício.

Outras variações deste exercício envolvem percorrer verticalmente cada coluna (i.e., A,F,K,P,U) ao invés ou horizontalmente, ou ler de trás para frente o alfabeto, ou pulando uma letra, etc.

A	B	C	D	E
D	E	J	E	D

F	G	H	I	J
E	J	D	D	J

K	L	M	N	O
D	E	E	J	J

P	Q	R	S	T
D	J	E	D	D

U	V	X	Y	Z
J	E	E	J	D

CRENÇAS LIMITANTES VS. DE SUCESSO

CRENÇAS LIMITANTES	CRENÇAS DE SUCESSO
➤ Se inicialmente não der certo, desista!	✓ Qualquer coisa vale a pena ser feita, mesmo malfeita!
➤ Sou vítima das circunstâncias.	✓ Sou responsável pelos meus atos.
➤ Trabalho a gente atura até as férias chegarem.	✓ Trabalho = a prazer.
➤ Adversidade é sinal de derrota iminente.	✓ *"O segredo do sucesso é fazer de sua vocação sua distração."* (Mark Twain)
➤ Pode-se ser sortudo ou azarado.	✓ Na adversidade se esconde a semente da vitória.
➤ O comportamento limita.	✓ Comportamento = a excelência.
➤ Só quando me derem algo que eu preciso então eu dou minha ajuda também.	✓ Se eu der aos outros o que eles precisam, então eles me darão o que eu preciso.
➤ Tenho de ser perfeito.	✓ Sou imperfeito e gosto disto!
➤ Tenho de agradar a todos.	✓ Quero agradar a muitos, começando comigo!
➤ Não sou capaz.	✓ Sou tão capaz como qualquer outro!
➤ Algo de ruim vai acontecer.	✓ Tudo o que acontece é por uma boa razão!
➤ Se fracassar eu morro!	✓ A natureza do universo é mudança!
➤ Não posso mudar.	✓ Posso mudar!

CODIFICANDO A FONTE DO SUCESSO OU DO FRACASSO

Existem três princípios que regem nossa vida; o primeiro refere-se que nosso cérebro tem fluxos de pensamentos; ou seja, nós seres humanos vivemos a vida sempre seguindo o caminho mais fácil, metaforicamente falando, isto é semelhante a um rio que segue o seu leito.

Segundo, é preciso ter em conta que é a nossa estrutura psicológica que determina qual é o caminho mais fácil para nós percorrermos - como acontece com o rio, não é a água e sim o seu leito que determina para onde a água irá correr. E, terceiro; nós podemos mudar a nossa estrutura psicológica; o que quer dizer que a estrutura cerebral mexida, mexe com o jeito com o qual nós agimos. Isto se realiza através de uma comunicação neural (no sistema nervoso) - aqui a estrutura neurológica faz diferença. Nós podemos aprender a reconhecer as estruturas que estão governando nossa vida e assim mudá-las. Com isso nós teremos poder para criar o que realmente quisermos em nossa vida.

> **"Se você diz que pode, ou diz que não pode –**
> **VOCÊ ESTÁ SEMPRE CERTO."**
>
> - Henry Ford

AS CRENÇAS

Como disse Henry Ford, uma crença é exatamente isso, se você acredita que pode - você está absolutamente certo! Se, no entanto, você acreditar que não pode - você continuará certo. As crenças são somente um sentimento de certeza. Nem todas as crenças estimulam seu bem-estar ou sucesso.

Existem crenças que nos limitam e crenças que nos apoiam em nossos projetos (em nossa vida como um todo). Vejamos algumas das principais crenças que nos limitam em nossos resultados:

Tenho que ser perfeito. Esta crença tem uma conotação narcísea ao qual pode ser muito prejudicial ao desenvolvimento de nossos projetos, pois corremos o risco de entrar num círculo vicioso onde acontece mais ou menos assim: "eu só posso começar quando eu souber o resultado, e eu só saberei o resultado quando eu começar" - não leva a lugar algum.

Tenho que agradar a todos. Esta síndrome de querer agradar a todos muitas vezes se esquece do principal que é o agradar a nós mesmos também como parte deste todo. Sua causa mais frequente é a perda a autoestima.

Não sou capaz. Aqui nossa autoestima já está bastante alterada e nosso moral decai a patamares muito insignificantes bem como nosso desempenho.

Algo de ruim vai me acontecer. São as pessoas pessimistas, que acham que todos estão contra elas e que o universo inteiro está conspirando contra sua pessoa. O resultado desta crença é o rebaixamento do moral, a desconfiança, a inação, o uso de fofoca para tentar aliviar a imensa culpa de que estas pessoas sentem.

Não posso mudar. Esta crença é a principal causa de falências de empresas. A não aceitação do princípio universal de mudança é extremamente prejudicial a qualquer sistema; seja este empresarial, social, político, econômico ou humano. Como resultado desta crença podemos esperar sabotagens, conspirações, dissimulação, falsidade - em qualquer plano de mudança que esteja sendo implantado.

Se eu fracassar eu morro! As pessoas que assim pensam levam a vida tentando ter sucesso, no entanto, elas não fazem nada sem antes passar por um amplo estudo, uma investigação detalhada, e assim por diante - que nada mais é do que a protelação do fazer para que se evite o fracasso. Resultado - nenhum, pois passou tanto tempo estudando e preparando que outros já passaram a sua frente e não adianta mais seguir com isto. A única alternativa é iniciar tudo de novo - entra-se num círculo vicioso de inação.

Se inicialmente não der certo, desista. Se fizer uma vez e não der certo, pare de tentar, pois não vai funcionar mesmo. Estas pessoas pensam e agem desta forma. Os seus resultados são zero. Não possuem persistência na obtenção de seus objetivos.

Trabalho a gente tolera até que as férias cheguem. São pessoas que passam o ano inteiro sofrendo, se martirizando, pois, consideram a sua atividade (trabalho) um fardo que tem que ser carregado. Elas não aproveitam e não aceitam que podem se divertir e se descontrair mesmo enquanto estiverem trabalhando. O resultado é um alto índice de estresse e uma baixa autoestima.

A adversidade é sinal de derrota eminente. Se isto não está dando certo - vai dar problema? Se já começou dando errado o que acontecerá daqui para frente. É melhor sair deste projeto logo antes que acabe sobrando para mim. Estas pessoas se escondem atrás de intensas burocracias, leis, regras, normas - as quais, usam para justificar suas inações.

Eu posso ter sorte ou azar. Um dos dois, "tomara que a gente não tenha tanto azar desta vez", "tomara que a gente tenha sorte", "se Deus quiser a gente vai ter bastante sorte"; e por aí segue. As pessoas que falam assim, pensam assim. Elas deixam tudo por conta do acaso.

O comportamento limita. O jeito que a pessoa se comporta não é o fator mais importante, existem muitas outras coisas mais poderosas que o comportamento, mesmo assim; estas pessoas costumam pensar e falar desta forma: "Eu não sei me comportar desse jeito!", "Eu não consigo fazer aquilo!". Elas têm que dar a culpa para alguma coisa, mesmo que para isso tenham que se culpar a si mesmas.

Quando me derem algo que eu preciso, então eu dou minha ajuda também. São as pessoas que ficam na sua, não dão nada - não lhe tomam nada. Se alguém lhe der alguma coisa, este é considerado o "amigão" então ela dá também. São pessoas que como diz o ditado popular: "Ficam sempre atrás do muro".

Todos nós temos crenças limitantes. É uma questão de nós sabermos que nós controlamos estas e mudamos quando nós quisermos. Vejamos agora algumas das principais crenças de sucesso (ou seja, suportivas):

Sou imperfeito e gosto disso! Esta é uma crença mais realística pois aceita limitação e imperfeições. Quando assim agimos podemos recontextualizar nossos pontos fracos tornando-os mais fortes e maximizar nossos potenciais.

Quero agradar a muitos, começando por mim! Se quisermos agradar aos outros temos que começar a agradar a nós mesmos pois, se nós estivermos nos sentindo desapreciados, com baixa autoestima, desmotivados, deprimidos e assim por diante; ninguém vai querer nem chegar perto. Portanto, agradar a si próprio em primeiro lugar é condicionante para agradar aos outros. Ninguém pode dar aquilo que não tem!

Sou tão capaz quanto qualquer um! Um pressuposto extremamente útil é o da modelagem que diz que se alguma pessoa pode fazer bem feito alguma coisa, qualquer um pode fazê-lo também desde que se saiba como.

Tudo o que acontece é por uma boa razão! Esta é a crença em que o Universo conspira a seu favor. Este é o mundo da abundância - do ganha/ganha. Quando passamos a acreditar desta forma, realizamos um reenquadre diferencial que os permite levar a diante nosso empreendimento.

A natureza do Universo é mudança! Tudo dentro do Universo muda constantemente, as marés, as fases lunares, as estações do ano e assim por diante. É um processo contínuo de transformação e renovação. É o aprendizado constante, a evolução contínua. É a habilidade de navegar através das "ondas" - o "*breakthrough*" (romper barreiras).

POSSO MUDAR! Quando nos damos está permissão as coisas começam a acontecer de uma maneira nova. O universo começa a conspirar intensamente a nosso favor e conseguimos atingir uma evolução altamente consistente e poderosa.

Qualquer coisa que vale a pena ser feita, vale a pena mesmo malfeita. Como disse Schaw: *"Quem nunca errou, nunca fez outra coisa."* O fazer, o agir é importante para o nosso sucesso. Thomas Edison não consegui criar a lâmpada em sua primeira tentativa - no entanto, hoje é impossível viver sem elas.

Sou responsável pelos meus atos. Esta é uma crença estimulante. Quando assumimos o comando de nosso navio podemos direcionar suas velas para onde desejarmos navegar. É uma escolha pessoal.

Trabalho = Prazer. Não é necessário fazer o que se gosta, e sim gostar do que se faz. É uma inversão de papéis! Em qualquer coisa que você faz é possível de se ter prazer, não importa o que isto seja; basta você saber reenquadrar o contexto ao qual está inserido.

Na adversidade se esconde a semente da vitória. Está na adversidade as bases para a solução. É nela que crescemos. Existem inúmeros exemplos, como o de diversas empresas e mesmo pessoas que enriquecem em tempos de crise e recessão. Para estas pessoas a crise pode ser perigo ou oportunidade, é uma questão de escolha. Sua escolha! No entanto, elas optam pela segunda opção e crescem e desenvolvem-se de maneiras inimagináveis.

Os problemas são o embrulho das soluções. Não existe solução que se apresente para nós como solução, toda solução se apresenta para nós como um problema. Estes escondem dentro deles a semente da vitória ou da solução.

Se nós nos preocuparmos com alguma coisa, se alguma coisa nos causar preocupação - este é o sinal de que nós possuímos a solução; nós estamos com o acesso a capacidade de resolvê-lo. Então, deem boas-vindas aos problemas! Pois, quando os problemas surgem, também surgem com eles a solução.

Nada ocorre por acaso e sim por ação apropriada. Como bem diz William James, *"Um navio vai para o oriente, outro para o ocidente, implícitos pelo mesmo vento. Mas, é a disposição das velas e não os ventos que os orientam para onde ir."* Esta é uma crença fundamental. Só se consegue alguma coisa na vida através da ação. O nosso cérebro, é "teleológico" (ou seja, ele vai sempre em busca de uma meta.). O cérebro tem um sistema quase perfeito de busca de metas. Nós somos "*Gold Trivinns*", nós estamos todo o tempo atrás de gols, como um torpedo teleguiado. Fazendo ações, nós conseguimos resultados.

Comportamento = Excelência. Nossos comportamentos podem ser iguais a excelência desde que saibamos como eliciar os processos adequados para cada ação (desempenho) e implantar em nossa estrutura cerebral. A este procedimento dá-se o nome de modelagem.

Aqui é necessário fazer uma diferenciação a respeito de comprometimento e envolvimento. Comprometimento é muito mais do que envolvimento. Metaforicamente podemos utilizar uma fábrica de linguiça para descrever está diferenciação entre os dois. O funcionário está envolvido com o processo de fabricação, o porco está comprometido. Esta é a diferença.

Se eu der aos outros o que eles precisam, então; eles me darão o que eu precisa. Esta é a visão das pessoas de sucesso. São aquelas que estão sempre fazendo doações, não só em forma de caridade (que é dar a quem precisa); mas também, em forma de generosidade (que é dar para quem pode não estar precisando).

Não é por acaso que existem tantas alas hospitalares, fundações, institutos, e assim por diante com o nome de fulano de tal. São pessoas que fazem doações enormes e nem por isso ficam mais pobres - pelo contrário, estão cada vez mais ricas.

O Universo é um eco. O que nós mandamos, nós recebemos de volta. Os milionários são aqueles que mais doam, e também eles são os que mais recebem.

É importante sabermos que mesmo as crenças suportivas não são verdadeiras e que todas as crenças, sejam elas quaisquer que sejam; são limitações. Nós seres humanos, estamos dentro de um vidro que possui tampa (e, estamos fechados dentro deste). Isto foi criado por nós, e não funcionamos sem elas. As crenças são as nossas limitações, são as nossas tampas. Nós podemos ou não ficar com as tampas que possuímos. Nós podemos adquirir um jeito de fazer as tampas mudarem.

SE UMA CRENÇA O LIMITA, ADOTE UMA NOVA CRENÇA.

Quando manejamos conscientemente os nossos limites (tampas), estaremos utilizando um dos mais poderosos instrumentos que nós possuímos para alcançar os resultados.

TODAS AS NOSSAS CRENÇAS SÃO VERDADEIRAS E ABSOLUTAS MENTIRAS, QUE PODEM NOS ATRAPALHAR OU NOS AJUDAR.

As crenças são mentiras pois elas são passíveis de serem mudadas conforme a quantidade de informação que nós dispusermos. Elas não são estáticas. Elas mudam.

Nós todos trabalhamos com uma infindável série de crenças. Porém quando nos damos conta de que elas são mentiras, isto pode facilitar muito o nosso caminho.

AS CRENÇAS

As convicções agem como principal filtro neurológico que determinam como nós percebemos a realidade externa. Nossas convicções sobre o que nós avaliamos como importante ou não, formam poderosamente nossas percepções. Crenças são apenas sentimentos de certeza. Nem todas as crenças apoiam seu bem-estar ou seu sucesso. Todas as crenças são limitações. Você tem a escolha de aceitar os limites ou ter novas crenças. Se uma crença o limita, adote uma nova crença e veja o que acontece. Conscientemente, lidar com suas crenças é a mais poderosa ferramenta que você tem para conseguir seus objetivos.

Exemplos:

"Eu não sou inteligente o bastante"

"Jamais vou conseguir ir em frente, porque não tenho instrução suficiente"

LISTE CINCO CRENÇAS QUE O RESTRINGEM:

1. _____
_____
_____

2. _____
_____
_____

3. _____
_____
_____

4. _____
_____
_____

5. _____
_____
_____

LISTE CINCO CRENÇAS QUE O FORTALECEM:

1. _____
_____

2. _____
_____

3. _____
_____

4. _____
_____

5. _____
_____

Exemplos:

"Aquilo que não sei, eu posso aprender"

"Sempre há uma maneira para quem sabe como agir"

RECURSOS DE MELHORIA: MUDANÇA DE CONVICÇÃO

REUNINDO INFORMAÇÃO E PREPARAÇÃO

1. **CONVICÇÃO**

   "Pense em uma convicção que você tem sobre você que você deseja não ter, porque o limita de algum modo, ou teve consequências indesejáveis. Como você representa está convicção em sua experiência interna?"

2. **DÚVIDA**

   "Agora, pense em algo que você dúvida. Poderia ser verdade ou poderia não ser: você não está seguro. Como você representa esta dúvida em sua experiência interna?"

3. **DIFERENÇAS**

   Faça uma análise para achar os contrastes e liste as diferenças de submodalidades entre a CONVICÇÃO e a DÚVIDA.

4. **TESTANDO**

   - Teste cada uma das submodalidades de cada vez <u>em sua lista de diferenças</u>.

   - Retire qualquer uma que seja mais poderosa para mudar a convicção em dúvida.

   - Depois de testar uma submodalidade, volte ao modo como ela estava originalmente antes de testar a próxima.

5. **NOVAS CONVICÇÕES**

   "Que nova convicção você gostaria de ter no lugar da convicção que você tem agora e não gosta?"

ESTEJA SEGURO DE QUE ESTÁ DECLARANDO EM TERMOS POSITIVOS, SEM NEGAÇÕES.

NÃO INSTALE CONFIANÇA SEM COMPETÊNCIA!

- *"Eu posso aprender a mudar com respeito ao feedback";* em vez de *"eu não posso mudar o que eu faço."*

- Também esteja seguro que seu par pensa na nova convicção em termos de uma **habilidade**, ou um **processo**, em vez de já ter alcançado uma meta desejável.

- **Você também precisa pedir para a pessoa que confira a ecologia:**

  o *"Se você tem esta nova convicção, como poderia lhe causar problemas?"*

  o *"Como poderia incrementar sua vida?"*

  o *"Como seu marido ou sua família responderão diferentemente a você se você tiver esta nova convicção?"*

- Modifique a nova convicção por levar em conta qualquer possível dificuldade.

  o Seu par não tem de lhe dizer qual é a nova convicção.

  o Tudo o que você necessita é uma palavra para identificar o novo conteúdo.

EXTRAINDO SEUS VALORES

VALORES ATRAENTES
---

1. Clarifique seu destino.
   a. Que tipo de pessoa eu quero me tornar no final das contas em minha vida?
   b. O que eu quero ser em minha vida?
2. Quais precisam ser meus valores mais elevados para poder alcançar meu destino definitivo?
3. Veja sua atual lista e pergunte-se: O que eu ganho tendo este valor nesta posição em minha lista?
4. O que poderia custar eu ter este valor nesta posição em minha lista?
5. Que valores eu preciso eliminar para alcançar meu destino definitivo?
6. De que outros valores eu preciso acrescentar na minha lista para alcançar meu destino definitivo?
7. Em que ordem estes valores precisam estar para alcançar meu destino definitivo?
8. Tenha certeza de que não há nenhum conflito na hierarquia.

REGRAS ATRAENTES
---

1. Torne fácil experimentar - diga suas Regras Atraentes deste modo: "A qualquer hora que eu..."
2. Faça um menu: "A qualquer hora que eu faço" a), ou b), ou c).
3. Você deve estar no controle: o mundo externo não determina isto.

Exemplo de valores: Eu me movo por amor.

Exemplo de regras: Eu experimento amor a qualquer hora que eu:

   a) estou amando; ou
   b) estou bem com os outros; ou
   c) me lembro do amor que eu sempre tenho em meu coração; ou
   d) noto o amor nos outros.

VALORES REPELENTES
---

1. Junte suas ideias numa lista de Valores Repelentes baseado na seguinte pergunta: Que estados emocionais eu preciso evitar para alcançar meu destino definitivo?

2. Quais "Valores Repelentes" eu preciso mais evitar? (Os ponha numa hierarquia)

REGRAS REPELENTES

1. Faça difícil experimentar seus Valores Repelentes de forma que você tenha que fazer algo constantemente para experimentar o negativo.
2. Diga suas "Regras Repelentes" para fazer difícil experimentar:
   "Só se eu constantemente... "

   a. *"Acredita-se na ilusão de... "* (Eu sou negativo)
   b. *"Focar na falsa convicção de que alguém pode... "*
      (me envergonhar)
3. Declare a solução para sua "Regra Repelente" da seguinte maneira: Eu evito a ilusão consistente de fracasso.

   Eu **somente experimentaria isto se eu fosse focalizar constantemente na falsa convicção de que eu já posso cair**, em vez de _____ (percebendo que eu tive sucesso a qualquer hora que eu aprendo algo e/ou dou 100%).

REGRAS REPELENTES - EXEMPLOS:

a) Consistente raiva imprópria

Só se eu fosse constantemente tratar severamente as pessoas, em vez de me lembrar que todo o mundo tem regras diferentes e que elas estão fazendo o melhor que elas podem com os recursos que elas têm, e não sobre mim.

b) Consistente sentimento impróprio de rejeição

Só se eu fosse consistente acredita na ilusão de que alguém pode me rejeitar, em vez de perceber que eu sou a única pessoa que determina como eu me sinto.

c) Consistente fracasso debilitante

Só se eu fosse constantemente focalizar na falsa crença de que eu posso falhar, em vez de perceber que eu tive sucesso a qualquer hora que eu aprendo algo e/ou dou 100%.

EXEMPLOS DE VALORES & REGRAS ATRAENTES

I. Amor

a) a qualquer hora que eu estou bem com os outros
b) a qualquer hora que eu estou amando
c) a qualquer hora que eu me lembro do amor que eu sempre tenho em meu coração
d) a qualquer hora que eu noto o amor nos outros
e) a qualquer hora que eu amo a criança brincalhona em mim

II. Saúde

a) a qualquer hora que eu trato meu corpo com carinho e respeito
b) a qualquer hora que eu me exercito
c) a qualquer hora que eu empurro meu corpo para ampliar seus limites atuais

III. Sucesso

a) a qualquer hora que eu agradeço por estar vivo
b) a qualquer hora que eu alcanço um resultado
c) a qualquer hora que eu me mantenho meus padrões
d) a qualquer hora que eu me levo para além de meus limites atuais
e) a qualquer hora que eu consigo que as outras pessoas sejam mais do que elas podem ser

---

EXEMPLOS DE VALORES & REGRAS REPELENTES

I. Consistente raiva imprópria

Só se eu fosse constantemente tratar severamente as pessoas, em vez de me lembrar que todo o mundo tem regras diferentes e que elas estão fazendo o melhor que elas podem com os recursos que elas têm, e não sobre mim.

II. Consistente sentimento impróprio de rejeição

Só se eu fosse consistente acredita na ilusão de que alguém pode me rejeitar, em vez de perceber que eu sou a única pessoa que determina como eu me sinto.

III. Consistente fracasso debilitante

Só se eu fosse constantemente focalizar na falsa crença de que eu posso falhar, em vez de perceber que eu tive sucesso a qualquer hora que eu aprendo algo e/ou dou 100%.

Agora está na hora de você entrar em ação.

Pergunte-se: *"Que sentimentos são os mais importantes em minha vida?"* Então, continue perguntando, *"O que é muito importante em minha vida?"* até que você obtenha todas as respostas. Coloque cada uma na "Coluna de Valores". Em seguida coloque-os na Hierarquia do mais ao menos relevante, comparando todos os Valores entre si, através da pergunta: *"O que é mais importante em minha vida _____ ou _____?"*

Use o espaço da próxima página para suas respostas.

 *Charton Baggio Scheneider*

Valores	Hierarquia
O que é mais importante em sua vida?	O que é mais importante em sua vida, _____ ou _____?

As Restrições e a Bolacha Sensorial

Dentro da **Neurociência** existe uma área conhecida como **Neurociência Cognitiva** que estuda o pensamento, o aprendizado e a memória. O estudo do planejamento, do uso da linguagem e das diferenças entre a memória para eventos específicos, e a memória para a execução de habilidades motoras, são exemplos da análise ao nível cognitivo. Segundo Eric Kandel, ganhador do Prêmio Nobel em Fisiologia e Medicina em 2000, a neurociência atual é a neurociência cognitiva, uma união de neurofisiologia, biologia desenvolvimentalista, anatomia, biologia celular e molecular e psicologia cognitiva.

O cérebro é composto de muitas células nervosas, que se comunicam enviando sinais elétricos e químicos entre si. Esses sinais controlam nossos corpos e comportamento. Kandel estudou como as memórias são armazenadas por essas células nervosas. Seu avanço veio em 1970, quando ele estava na Universidade de Nova York estudando um caracol marinho com um sistema nervoso simples. E, ele descobriu que, como o caracol aprendeu, os sinais químicos mudavam a estrutura das conexões entre as células, conhecidas como sinapses, onde os sinais são enviados e recebidos. Ele passou a mostrar que memórias de curto e longo prazo são formadas por diferentes sinais. Isso é verdade em todos os animais que aprendem, de moluscos ao homem.

A sensação e a percepção são o ponto de partida para a pesquisa moderna dos processos mentais. John Locke e seus colegas sustentaram que **todo conhecimento é obtido por meio da experiência sensorial** – *daquilo que nós vemos, ouvimos, sentimos, degustamos e cheiramos* (os 4-Tuples). Locke propôs que, ao nascimento, a mente humana seria como uma tabula rasa, uma folha vazia onde a experiência deixaria suas marcas. Suponhamos que a mente pudesse ser, como se diz, um papel em branco sem quaisquer letras, sem quaisquer ideias; como então ela poderia ser mobiliada? De onde vêm todos os materiais da razão e do pensamento? Da ***experiência*** – que se fundamenta todo nosso conhecimento e, a partir dela, em última análise, ele se origina.

As experiências que passamos em nossas vidas são informações que chegam ao sistema nervoso central na forma de estímulos sensoriais. O encéfalo processa essas informações procurando compará-las com outras que já estejam previamente guardadas, reconhecendo-as ou não. Esse mecanismo não envolve apenas os aspectos físicos dessa informação (cor, forma, tamanho), mas também as relacionando com os aspectos diretamente ligados aos sentimentos e emoções. Após seu processamento, um conjunto de sensações é memorizado com a informação recebida que pode ser agradável ou não.

Os cinco órgãos dos sentidos são canais de captação dessas novas informações, mas eles apresentam algumas limitações. Por exemplo, nem todas as frequências sonoras são percebidas pelo nosso sistema auditivo, isto é, nem todos os sons que percebemos, são interpretados pelo nosso encéfalo.

Além disso, nossas percepções diferem qualitativamente das propriedades físicas dos estímulos, visto que o sistema nervoso extrai somente determinadas partes da informação de cada estímulo, enquanto ignora outras, e assim interpreta esta informação no contexto das estruturas encefálicas e das experiências prévias. Assim, nós recebemos ondas eletromagnéticas de diferentes frequências, mas as percebemos como as cores vermelho, azul e verde. Recebemos ondas de pressão dos objetos vibrando em diferentes frequências, mas ouvimos sons, palavras e música.

Cores, sons, sabores e odores são criações mentais construídas pelo encéfalo a partir da experiência sensória. Elas não existem, como tal, fora do encéfalo. Mesmo que nossas percepções quanto ao tamanho, forma e cor dos objetos sejam derivadas de padrões de luz que chegam às nossas retinas, nossas percepções, ainda assim, parecem corresponder às propriedades físicas dos objetos. Na maioria das vezes podemos usar nossas percepções para manipular um objeto e predizer aspectos do seu comportamento. A percepção permite que organizemos características essenciais de um objeto o suficiente para podermos manipulá-lo apropriadamente. Assim, nossas percepções não são registros diretos do mundo ao nosso redor. Ao contrário, elas são formadas internamente, de acordo com as limitações impostas pela arquitetura do sistema nervoso e por suas habilidades funcionais.

A realidade existente ao nosso redor, no mundo exterior, é filtrada por diversos mecanismos, muitas vezes, distorcendo-os. Somente as informações que chegam a ser processadas pelo nosso encéfalo é que constroem uma realidade própria, dentro da interpretação de nosso próprio sistema nervoso, sempre baseado em nossas capacidades cognitivas.

Tem sido dito que a beleza está nos olhos de quem a vê. Como hipótese... essa ideia indica claramente o problema central da cognição... o mundo da experiência é produzido pelo homem que a vivencia... Com certeza existe um mundo real de árvores, pessoas carros e mesmo livros, que tem uma grande relação com a nossa experiência desses objetos. Nós, no entanto, não temos acesso direto ao mundo real, nem a qualquer de suas propriedades.

Tudo o que sabemos sobre a realidade é mediada não somente pelos órgãos do sentido, mas também por complexos sistemas que interpretam e reinterpretam a informação sensória... O termo "cognição" se refere a todos os processos pelos quais uma aferência sensória é transformada, reduzida, elaborada, armazenada, recuperada e utilizada.

A percepção da realidade criada pelo seu cérebro (realidade subjetiva) corresponde totalmente à realidade existente ao seu redor (realidade objetiva) ou é apenas parcial? E se essa realidade (subjetiva) pudesse ser influenciada ou alterada se tivéssemos um controle maior dos padrões de pensamentos utilizados por nossa memória para comparar informações pré-concebidas com as novas? Não teríamos outra conscientização de uma mesma realidade (objetiva)?

A Realidade Objetiva é aquela intangível pela restrição perceptiva de nossos cinco sentidos. A Realidade Subjetiva é aquela resultante da assimilação dos estímulos externos filtrados pela nossa capacidade cognitiva que nem sempre corresponde à realidade objetiva e na qual orientamos nossa vida em função da mesma, tornando-se assim, plenamente mutável. A ciência já conhece a capacidade de reorganização e reestruturação de nossas conexões neurais (neuroplasticidade). Técnicas de reprogramação mental surgem a cada dia. Até quando continuaremos a vivenciar experiências que culminem na obrigação de vivermos dentro de uma realidade insatisfatória e desagradável, se dentro de nós mesmos existe a possibilidade de fazer mudanças e transformar nossas realidades? Tudo depende da conscientização e da vontade de cada um.

No entanto, existem diversas barreiras naturais para a entrada das informações existentes no mundo exterior para dentro da nossa neurologia (mundo interno). Assim, este fantástico hardware (nosso cérebro) possui softwares em sua estrutura mais profunda que nos ajuda a nos capacitar, porém, também que nos limita, e podemos sintetizar isso em três restrições que a Programação Neurolinguística baseia sua estrutura de trabalho, são elas: as Restrições Neurológicas, as Restrições Sociais e as Restrições Individuais, já falamos destas estruturas (neurológica, social e individual) acima, agora vamos vê-las de outro espectro sobre como elas nos restringem.

Estudaremos mais adiante formas de romper e passar por estas limitações ("restrições") quando estudarmos o **Metamodelo de Linguagem**, por enquanto vamos conhecer esta estrutura para então depois podermos começar a aprender a desafiá-las e ampliar nosso Modelo de Mundo.

RESTRIÇÕES NEUROLÓGICAS

As **Restrições Neurológicas** segundo o Metamodelo são o que o nosso cérebro e corpo são capazes e incapazes de fazer e realizar, ou seja, tudo aquilo que nossos sentidos são incapazes/capazes de fazer.

As restrições neurológicas fazem parte do nosso Sistema Nervoso Central, e como todos os processos, estão agindo em todo momento enquanto estamos vivos.

Para entender melhor sobre as restrições neurológicas, vou escrever alguns exemplos:

- *Não podemos voar pois nossa biologia não permite.*
- *Não podemos ver espectros de cores e nem ondas depois de determinado grau.*
- *Não podemos ouvir determinados sons e certas frequências.*
- *Não podemos ir em determinadas altitudes.*
- *Não podemos fazer o que fazíamos a anos atrás pois nosso físico envelhece.*

Logo, o ser humano é limitado por várias restrições neurológicas, mas, nada que nos impeça de viver melhor do que estamos vivendo agora.

As restrições neurológicas em si são tudo o que somos e sobre a nossa idade. Todo nosso sistema biológico. Portanto, lembre-se, ao invés de usar, comer, beber substâncias que destroem mais ainda suas restrições neurológicas, coma, beba e mexa-se para ganhar mais possibilidades e prolongar as restrições que você já tem.

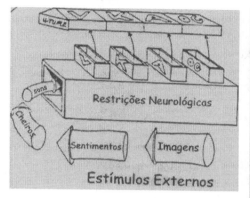

Para entendermos está dinâmica, os **estímulos externos** (*imagens, sentimentos, cheiros, sons...*) chegam até nós através de nossos cinco sentidos e vão ser processados por uma das mais maravilhosas máquinas jamais inventadas – nosso cérebro.

Esta incrível máquina irá processar cada um dos estímulos (VAKO/G, ou 4-Tuples) e irá criar uma memória ou processo, a qual chamamos de uma Bolacha Sensorial (Visual, Cinestésica [Sensação/Emoção], Auditiva, Olfativa e Gustativa).

Assim podemos ver a segunda restrição...

RESTRIÇÕES SOCIAIS

As **Restrições Sociais** perante o Metamodelo são relativas e externas, são o conjunto de crenças e valores que uma cultura lhe impõe de maneira inconsciente, ou seja, não é necessário lhe falar o que você está impedido/permitido fazer.

As restrições sociais são referentes ao aonde você está e sobre qual cultura dominante em um momento. Um exemplo, você não pode ir andar na rua pelado, pois, sua cultura e as pessoas não acham isso um comportamento normal. Porém fazer numa praia de nudismo é um comportamento normal.

Você talvez conheça a neve, porém se lhe deixarmos sozinho no Alasca, suas chances de sobrevivência serão mínimas, no entanto, se colocarmos um esquimó sozinho lá, suas chances são fantásticas. Por quê? Porque mesmo sendo dois seres humanos, com as mesmas limitações e possibilidades neurológicas possuem uma grande diferença quando se trata de cultura e sociedade. Um esquimó tem cerca de 56 palavras diferentes para definir "neve". Nós, apenas uma: "neve". Assim ele consegue ver o mesmo que nós (neurologia), porém, ele faz distinções (cultura/sociedade) que nós não fazemos – e, isso ele obteve de sua cultura de sua educação.

Não precisamos sair do Brasil para validar o poder desse processo restritivo na comunicação, os regionalismos, vejamos o exemplo do pãozinho de cada dia: em São Paulo e no Rio é "pão francês". Em Minas Gerais "pão de sal", em Pernambuco "pão aguado", no Rio Grande do Sul "pão cacetinho", na Paraíba

"pão careca", bengalinha, entre outros... "Churrasquinho" em Minas Gerias vira "Espetinho" no Rio, onde Churrasquinho é um pão com carne dentro...

Logo restrições sociais dependem do momento e do local, se tem um grupo de pessoas que pensam de determinada maneira, eles formam uma cultura, se esse grupo está junto, então naquele momento aquilo é permitido.

Exemplos de restrições sociais:

- *Sair para trabalhar com a camisa do time.*
- *Ir para o estádio com a camisa do time.*
- *Ir para uma festa de casamento de terno.*
- *Esconder brigas de casal dos seus filhos.*

A cultura, os hábitos e a língua formam os principais aspectos restritivos de um grupo de pessoas. Um exemplo são executivos que viajam ao exterior e estudam estas sociedades, para ajustar seus comportamentos ao contexto novo social.

Mas as restrições sociais são produtivas, elas evitam que você faça mal a alguém ou aos outros, lembre-se, todo comportamento em conjunto, foi herdado por um motivo, não foi feito ou construído atoa.

Para evitar erros de comunicação é fundamental entender o significado das palavras e símbolos em cada cultura. Isso é tão importante que se não observado pode levar alguém a abufelar-se.

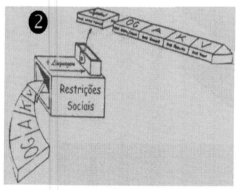

Nossa **Bolacha Sensorial** então irá passar por um processador que adicionará a ela uma estrutura de linguagem que a identificará das demais experiências. Isto se dá através de nossas **Restrições Sociais.**

O processo de colocar palavras e significados é aprendido desde a infância e é influenciado pelo meio e pela época em que se vive. Este processo pode determinar mudanças na percepção simplesmente pela maior ou menor capacidade sociocultural (vocabulário).

Então, chegamos a nossa última restrição, as...

RESTRIÇÕES INDIVIDUAIS

As **Restrições Individuais** perante o Metamodelo e a PNL *são limites impostos por você mesmo a você*, nelas também poderíamos colocar as restrições neurológicas, mas, para especificarmos melhor, separamos as neurológicas das individuais.

Nossas escolhas nos levam a caminhos, cabe a você escolher qual é o melhor e qual valerá a pena

As restrições individuais são nossas crenças e valores, ou seja, aquilo que acreditamos conseguir, poder e ser feito, como aquilo que achamos ser o certo e errado, elas dizem sobre as nossas escolhas. Em si, formam as restrições sociais, pois, um grupo são várias pessoas alinhadas no seu pensamento.

As restrições individuais *é tudo que você se limita por você mesmo*. O nosso emocional e o nosso comportamento nos impulsiona e limita para várias atitudes no dia a dia, essas atitudes definem com o tempo que seremos e somos, elas definem até parte de nossa neurologia com os alimentos que consumimos, logo, nossas escolhas.

Podemos escolher ficar atoa e ver televisão, ou podemos imaginar um futuro e ler um livro para aprender algo. Podemos escolher o que desejarmos, até quanto vamos ganhar, e acredite, você escolhe isso.

Isso fica nítido quando chegamos aos limites da pessoa, quando uma pessoa começa a brigar com você para lhe provar que o melhor para ela não é possível, ele é possível, mas a pessoa que não o quer.

É nas restrições individuais que o Metamodelo está, que a PNL está, que o mundo está, você! Sem você, o mundo não existe, pois, o mundo precisa de alguém para percebe-lo e chama-lo de mundo.

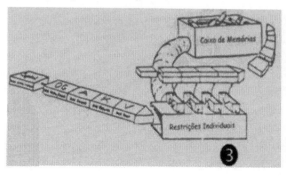

... Então nossa Bolacha Sensorial agora adicionada de uma simbologia ou linguagem passa por mais um processador, que é o processador das **Restrições Individuais**, que irá adicionar a esta "bolacha" (experiência) uma

"bolacha" similar a ela, para então ser guardada, arquivada na nossa **"Caixa de Memória"**.

Toda e qualquer experiência atual só é devidamente rotulada e arquivada após esta comparação obrigatória. Assim, todas as nossas experiências emocionais, por exemplo, sofrem interferência e são literalmente modificadas pelas primeiras memórias com aqueles sentimentos. As chamadas **"Experiências de Referência"**[12].

---

[12] **Estrutura de Referência** é a soma de todas as referências que compõem a história de vida de uma pessoa. Designa também a representação integral da qual derivam outras representações, dentro de alguns sistemas. Por exemplo: a estrutura profunda serve como estrutura de referência para a estrutura superficial.

AS ESTRUTURAS MENTAIS

ESTRUTURA DE SUPERFÍCIE

As orações derivadas da estrutura profunda que os nativos numa língua usam para falar e escrever. **Por exemplo:** *"A cadeira foi quebrada".*

ESTRUTURA PROFUNDA

Representação linguística completa da qual se derivam as estruturas superficiais acima mencionadas. **Por exemplo:** *"João quebrou a cadeira em três pedaços, usando um martelo".*

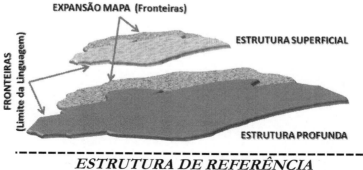

ESTRUTURA DE REFERÊNCIA

A soma total das experiências da vida de uma pessoa.

Também, a mais completa representação da qual se derivam outras representações dentro de alguns sistemas; **por exemplo:** a estrutura profunda serve como estrutura de referência para a estrutura de superfície.

Exemplo: Experiência sensorial específica: VAKO/G

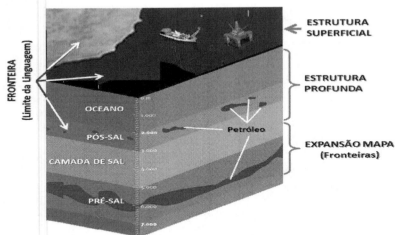

O METAMODELO DE LINGUAGEM

Sempre que uma pessoa fala sobre uma experiência, sua descrição verbal omitirá uma grande parte dela. As palavras resumem uma experiência complexa e detalhada. O que você vai ter é, no máximo, uma representação limitada da experiência total.

A cada vez que você reúne informação, você recorre à sua experiência pessoal para fazer uma representação interna do que a outra pessoa fala para:

1. Compreendê-la

    e

2. Para saber que você precisa reunir mais informações e poder completar a sua representação interna. Enquanto estiver fazendo isto, existe uma forte tendência para suprimir ou distorcer informações, ou ainda para acrescentar detalhes que não foram mencionados pela outra pessoa e que nem se encontram na representação interna daquela pessoa.

O Metamodelo é um conjunto de perguntas que lhe permite reunir informações que especifiquem a experiência de alguém, a fim de conseguir uma melhor representação daquela experiência. Este é um dos instrumentos essenciais que fará a diferença para um bom Practitioner de PNL.

Você pode ser capaz de usar todas as técnicas de PNL de maneira elegante, mas se não consegue especificar exatamente onde e quando usá-las, você talvez chegue a uma solução fantástica, para uma coisa errada. Se você não sabe como reunir informações, é como se fosse um cirurgião com um bisturi muito afiado, sem, no entanto, saber onde cortar.

REALIDADE VS. ALUCINAÇÃO

Leia a estória a seguir apenas uma vez:

Um homem de negócios acabara de apagar as luzes da loja quando um homem apareceu e exigiu dinheiro.

O proprietário abriu uma caixa registradora.

O conteúdo da caixa foi esvaziado e o homem saiu correndo.

Um membro da polícia foi notificado imediatamente.

Veja a próxima página e responda às perguntas sem olhar de novo a estória, fazendo um círculo na resposta apropriada. O ponto de interrogação significa que a informação fornecida na estória não lhe permite responder à pergunta.

AFIRMAÇÕES SOBRE A ESTÓRIA:

Declaração acerca da história: Verdadeiro - Falso – Desconhecido (?)

V / F / ?   **1.** Um homem apareceu após o proprietário ter apagado as luzes da sua loja.

V / F / ?   **2.** O ladrão era um homem.

V / F / ?   **3.** O homem não exigiu dinheiro.

V / F / ?   **4.** O homem que abriu a caixa registradora era o proprietário.

V / F / ?   **5.** O proprietário da loja esvaziou o conteúdo da caixa registradora e fugiu.

V / F / ?   **6.** Alguém abriu uma caixa registradora.

V / F / ?   **7.** Após ter esvaziado o conteúdo da caixa registradora, o homem fugiu.

V / F / ?   **8.** Apesar da caixa registradora conter dinheiro, não é especificada a quantia.

V / F / ?   **9.** O ladrão exigiu dinheiro do proprietário.

V / F / ?   **10.** A estória refere-se a uma série de acontecimentos onde se faz referência a apenas três pessoas: o proprietário da loja, um homem que pediu dinheiro, e um membro da força policial.

V / F / ?   **11.** Os seguintes acontecimentos na loja são verdadeiros: alguém exigiu dinheiro, uma caixa registradora foi aberta, seu conteúdo foi esvaziado, e um homem saiu correndo da loja.

Vá para o capítulo final deste livro e tenha acesso ao Gabarito.

NOTAS SOBRE O METAMODELO

METAMODELO

Conjunto explícito de instrumentos de obtenção de informação linguística, desenhado para reconectar a linguagem de uma pessoa com a experiência representada por sua linguagem.

MODELO / MODELAMENTO

Uma representação de algo / o processo de representar algo. (Um mapa/processo que envolve os três filtros universais: generalização, deleção e distorção).

REPRESENTAÇÃO

Imagem de algo que é diferente da coisa em si mesma; por exemplo, um mapa, um modelo.

DELEÇÃO OU OMISSÃO

Um dos três filtros universais do processo de modelamento humano; processo mediante o qual certos aspectos do mundo são excluídos da representação criada. Dentro do sistema da língua, a supressão é um processo transformacional na qual se eliminam certas partes da estrutura profunda e, portanto, não aparecem na estrutura superficial. Presta-se atenção seletivamente a certa dimensão da experiência, excluindo outras.

GENERALIZAÇÃO

Um dos três filtros universais de modelamento humano; processo mediante o qual uma experiência específica passa a representar a categoria completa da qual é membro.

DISTORÇÃO

Um dos três filtros universais do modelamento humano; processo mediante o qual a relação entre as partes de um modelo se representa de forma diferente das relações que se supõe deveriam representar. Um dos exemplos mais comuns de distorção do modelamento é representar um processo como um evento, distorção que se denomina como nominalização.

NOMINALIZAÇÃO

A representação linguística de um processo como um evento.

O METAMODELO

A experiência é representada em nossa mente por uma **ESTRUTURA PROFUNDA**. A Estrutura Profunda é comunicada através de uma **ESTRUTURA SUPERFICIAL**. Em outras palavras, a Estrutura Superficial é o que é falado (escrito) e a Profunda é o seu significado. Nós, como temos o Português como língua nativa, temos intuições sobre o significado da linguagem. Em várias ocasiões essas intuições nos suprem com os significados (estrutura profunda) que não são mostrados na estrutura superficial.

Exemplo: *"O carro foi fabricado."*

A Estrutura Superficial é o que está escrito. A Estrutura Profunda, entretanto, contém mais dados que não estão aí expressos: quem fabricou, quando, que carro, que cor,...

A LINGUAGEM É UMA REPRESENTAÇÃO DA EXPERIÊNCIA HUMANA E NÃO A EXPERIÊNCIA EM SI – A LINGUAGEM É UM MODELO.

Como a linguagem é um modelo, ela também é afetada pelos filtros universais:
GENERALIZAÇÃO, **DELAÇÃO** e **DISTORÇÃO**. Muitas vezes algumas pessoas usam uma linguagem desconectada da experiência original.

O **METAMODELO** pode ser classificado em três distinções:

1. **Obtenção de informações**
2. **Limites do modelo (de quem fala)**
3. **Boa Forma Semântica**

O Metamodelo é um instrumento linguístico que serve para reconectar a linguagem à experiência que a originou.

A OBTENÇÃO DE INFORMAÇÕES

É a categoria de perguntas de Metamodelo que permite que se obtenha uma representação mais rica do modelo de mundo do cliente.

DELEÇÃO

Quando algo foi omitido ou removido da Estrutura Superficial e que existe na Estrutura Profunda. As perguntas do Metamodelo sistematicamente recuperam o material deletado.

DELEÇÃO (Simples ou Comparativa)

O índice Referencial desapareceu completamente.

O ***desafio*** deverá recuperar a informação deletada.

DELEÇÃO SIMPLES:

Cliente: Estou bravo.

Programador: **Com quem? / Sobre o quê?**

Cliente: Estou triste.

Programador: **Sobre o quê?**

Cliente: Estou apavorado.

Programador: **De quê? / De quem?**

DELEÇÃO COMPARATIVA:

É quando a frase do cliente traz uma comparação, sem que na Estrutura Superficial haja indicação do que o cliente está comparando.

Cliente: Ele é mais esperto.

Programador: **Comparado com quem?**

Cliente: Pedro é o melhor.

Programador: **É o melhor comparado com quem?**

FALTA DE ÍNDICE REFERENCIAL

É quando uma categoria de objetos/eventos é mencionada na Estrutura Superficial do cliente, porém, o cliente não se refere a nenhum objeto/evento específico na estrutura sensorial. A falta de índice referencial é um bom exemplo de deleção e generalização concomitantes. A não especificação de quem ou o que executa a ação do verbo.

O **desafio** deverá obter a especificação do índice referencial.

Cliente: As pessoas me apavoram.

Programador: **Que pessoas especificamente o apavoram?**

Cliente: Os carros podem ser muito perigosos.

Programador: **Que carro especificamente é perigoso?**

Cliente: Os homens não prestam.

Programador: **Que homem especificamente não prestam?**

Você pode não obter sua predição no primeiro desafio:

Cliente: Eles me rejeitam.

Programador: **Que pessoas o rejeitam especificamente?**

Cliente: As pessoas do departamento de vendas.

Programador: **Que pessoas do departamento de vendas?**

Cliente: Marília, a recepcionista.

Charton Baggio Scheneider

EXERCÍCIO DE METAMODELO I

(Trios, 5' cada posição)

1. O sujeito diz uma frase com uma deleção ou referencial não especificado. Uma forma de fazer, isto é, pensando-se em algo de forma muito específica, dizendo o mínimo sobre isso, sendo o mais vago possível.

2. O programador identifica o erro do modelo, observando o que não está dentro da sua imagem interna ou que não tenha sido detalhado e desafia:
   QUEM, O QUE, QUAL ESPECIFICAMENTE, COMPARADO COM QUÊ?

3. O sujeito dá uma resposta breve e o Programador observa como a sua própria representação interna se modificou.

VERBOS INESPECÍFICOS

São verbos que não indicam completamente qual a ação que está ocorrendo, ou qual o sistema representacional que a pessoa está processando. Após ter conhecimento de que tipo de pessoas, lugares e coisas estão envolvidas, é hora de saber como estes se relacionam. Você já tem os personagens, agora falta saber o cenário. O *desafio* procurará a especificação de como ocorre o **PROCESSO**.

Cliente: Meu marido me irrita.

Programador: **Como especificamente seu marido a irrita?**

Cliente: Minha mãe me aborrece.

Programador: **Como especificamente sua mãe a aborrece?**

Cliente: Eu sei que estou cansado.

Programador: **Como especificamente você sabe que está cansado?**

EXERCÍCIO DE METAMODELO II

(Trios, 5' cada posição)

1. O sujeito pensa em um acontecimento muito específico e diz o menos possível sobre ele, através de uma frase vaga.
2. O Programador desafia: "COMO, ESPECIFICAMENTE?". (Mais tarde, você vai querer perguntar, em primeiro lugar por coisas, mas agora, para tornar as coisas mais simples, pergunte sobre o processo).
3. O Sujeito e o Programador observam como as suas representações internas mudam quando o Programador desafia e o Sujeito especifica.
4. O Meta-Programador também poderá notar mudanças internas e observar os processos que o Programador não especificou.

NOMINALIZAÇÃO

É o processo pelo qual um verbo é transformado em um nome, assim, mudando um processo em andamento para um objetivo estático. Na maioria das vezes em que a nominalização ocorre, o cliente percebe o material

> **Nominalizações são PROCESSOS transformados em EVENTOS, ou VERBOS transformados em SUBSTANTIVOS.**

nominalizado como algo imutável. A nominalização é um exemplo de distorção. Para se desafiar tal distorção é necessário que o Programador torne a nominalização em verbo novamente. Exemplo: ***"A decisão está tomada"*** = ***"Quem está decidindo o quê?"***

Quando, por erro de modelo, um verbo é transformado em um nome, ou seja, uma ação/processo é tornada(o) estática(o), dificultando mudanças.

O ***desafio*** deverá transformar o EVENTO novamente em PROCESSO, ou o SUBSTANTIVO novamente em VERBO.

Cliente: Eu quero amor.

Programador: **Você quer ser amada por quem?**

Cliente: A decisão está tomada.

Programador: **Sobre o que especificamente você está decidindo?**

Quem está decidindo o quê?

Cliente: Na minha vida só tem frustração.

Programador: **O que especificamente está frustrando você?**

Outros exemplos:

Nominalização: Desafio:

Frustração   Como/ quem frustra quem?

Alegria   Quem está contente com quem?

Produtividade   Quem produz o quê, como?

Confiabilidade   Quem confia em quem para fazer o quê?

     Quem é confiável para fazer o quê?

Liberdade   Quem está livre de quê (ou para fazer o quê)?

Zanga   Quem está zangado sobre o quê (com quem)?

Relações   Quem se relaciona com quem, e como?

DICA:

Para se saber se o predicado é uma nominalização ou é um nome verdadeiro, pergunte-se se é possível trocar o nome, se sim é um nome verdadeiro (ex.: carro, casa, mesa, homem), se não, é nominalização (amor, frustração, angústia, tristeza, raiva, compreensão, decisão).

Ou faça a seguinte frase: Um(a) _____ em andamento. Se encaixar é uma nominalização, se não fizer sentido é apenas um nome normal.

Exemplo:

- *Um amor em andamento* (Nominalização),

- *Uma mesa em andamento* (Nome).

Em português, palavras que terminam com **"ão"** (Decisão; Compreensão, Ilusão, etc...) costumam ser nominalizações e podem ser facilmente convertidas em verbos.

EXERCÍCIO DE METAMODELO III

(trios, 5' cada posição)

1. O Sujeito inventa uma frase com uma ou mais nominalizações.
2. O Programador identifica e **desafia** a nominalização, transformando-a em um processo, e fazendo perguntas para descobrir a informação suprimida.
3. O Sujeito verifica como é a sua experiência interna quando o Programador faz o **desafio**.

Isto é um pouco mais complexo do que especificar nomes e processos, porque o **desafio** indagará sobre processos e coisas.

A questão principal é: Esta pessoa está usando a palavra como uma coisa estática ou como um processo dinâmico? Houve alguma informação suprimida? Baseado no que ouvi, consigo criar um filme detalhado que representa aquela frase?

O objetivo é então de transformar a nominalização de volta a um processo e recuperar quaisquer informações que tenham sido supridas.

LIMITES DO MODELO (DE QUEM ESTÁ COMUNICANDO)

QUANTIFICADORES UNIVERSAIS

São generalizações onde um exemplo é representativo de toda uma categoria. Exemplos: todos, nenhum, sempre, ninguém, nada, nunca, etc... Na frase *"Os homens são uma droga"*, existe um "Todos" e um

> Existem duas maneiras de se **desafiar** Quantificadores Universais:
>
> 1. **Exagerá-lo;**
> 2. **Desafiá-lo como tendo falta de índice referencial.**

"Sempre" embutidos, mesmo que a frase não contenha um quantificador universal explícito.

Cliente: Ninguém me ama.

Programador: **Você quer dizer ninguém em todo o mundo?**

Quem especificamente não a ama?

309

Cliente: Eu estou sempre certo.

Programador: **Você quer dizer cada instante, o tempo todo?**

    Quando especificamente você está certo?

Cliente: Todo homem fede.

Programador: **Todo até o último homem da terra?**

    Que homem especificamente fede?

Outro exemplo: *"Os homens são uma droga".*

DESAFIOS:

1) Repita o quantificador universal em forma interrogativa: *"TODOS os homens?"*

2) Exagere: "Você está querendo dizer que CADA UM dos homens que você conheceu ATÉ HOJE, em sua vida inteira, tem sido uma droga TOTAL e COMPLETA?"

3) Contraexemplo: "Você já encontrou um homem que não o fosse?" ou "Você consegue se lembrar de algum momento em que um homem não era uma droga?"

4) "Que homem, especificamente, é uma droga?", vai esclarecer de quem a pessoa está reclamando. "Você se refere a alguém em particular?"

OPERADORES MODAIS

Quando a Estrutura Superficial do cliente pressupõe que não há escolhas. Como a linguagem não é a experiência, a falta de escolhas pode não existir no

> Existem duas formas de desafiá-los:
>
> - **O que aconteceria se...?**
> - **O que o impede de...?**

mundo real, mas somente no modelo do cliente. Desafiando os operadores modais o Programador expande o modelo do cliente incluindo novas escolhas.

DE NECESSIDADE

Exemplo: Devo, é necessário, tenho de, preciso, exijo, etc...

Cliente: Eu tenho de limpar a casa.

Programador: **Que acontece se você não a limpar?**

Cliente: Tenho de terminar o projeto até sábado.

Programador: **O que acontece se não o terminar?**

Desta forma, é possível reunir informações sobre as consequências projetadas.

DE POSSIBILIDADE

Exemplo: Posso, não posso, sou capaz, não sou capaz, etc...

Cliente: Eu não posso sair agora.

Programador: **O que o impede? O que aconteceria se saísse?**

Cliente: Eu não consigo me concentrar direito.

Programador: **O que o impede? / O que aconteceria se se concentrasse direito?**

EXERCÍCIO DE METAMODELO IV

(trios, 5' cada posição)

1. O Sujeito cria uma frase com um quantificador Universal e/ou um Operador Modal explícito.
2. O Programador o identifica e *desafia*.
3. O Meta-Programador verifica a frase e *desafia*.

Por exemplo: *"Todas as mulheres sempre passam pelas portas antes dos homens."*

EXERCÍCIO DE METAMODELO V

(trios, 5' cada posição)

Como no anterior, porém desta vez, identifique e *desafie* os Operadores Modais e os quantificadores Universais não-verbais, implicitamente expressos no tom de voz, na postura, etc.

Por exemplo: *"As mulheres sempre passam pelas portas antes dos homens."*

EXERCÍCIO DE METAMODELO VI

(trios, 5' cada posição)

1. O Sujeito inventa uma frase.
2. O Programador *desafia*, na ordem em que os mesmos foram expostos.
3. Após cada *desafio*, o Sujeito dará uma resposta muito breve. Então o Programador fará novo *desafio* da frase **original** do Sujeito (Não desafie as frases de resposta do Sujeito ainda).

BOA FORMA SEMÂNTICA

Existem três tipos de Padrões Linguísticos que violam a Boa Forma Semântica e, por conseguinte, revelam limites/erros de modelo (Distorções):

1. **Causa e efeito**
2. **Leitura da Mente**
3. **Performativo Perdido**

São duas situações ou experiências ligadas por uma relação de Causa e efeito no mapa do locutor. **Situação "X" causa "Y".**

O **desafio** deve perguntar como especificamente este processo ocorre ou buscar um exemplo onde o processo não ocorre.

CAUSA E EFEITO

É pressupor que existe uma relação de causa e efeito entre dois eventos não necessariamente relacionados. No campo da terapia, é relacionar como causa de uma emoção/sentimento próprio a atitude e/ou comunicação emitida por outro ser humano ou coisa. O **desafio** para este erro de modelo é: *"Como especificamente...?"*

Cliente: Meu trabalho me irrita.

Programador: **Como especificamente seu trabalho o irrita?**

Cliente: Minha mulher me deixa furioso.

Programador: **Como especificamente sua mulher o enfurece?**

Cliente: Meus filhos me fazem perder a paciência.

Programador: **Como especificamente seus filhos a fazem perder a paciência?**

Outro exemplo: *"Ele me fez ficar zangado."*

Como ele fez você ficar zangado?

Ele já tinha feito alguma vez isso, sem que você se zangasse?

LEITURA DA MENTE

É pressupor ter uma informação sobre o estado interno de uma outra pessoa (pensamentos, atitudes, gostos, desgostos) sem indicar como tal informação foi

> Existem duas maneiras de **desafiar** tal erro:
>
> **1)   De acordo com quem...?;**
> **2)   Ouço você dizer que...**
> *"Está ruim", "É certo", "É bom que você tenha vindo hoje".*

obtida. O **desafio** para este erro de modelo é: **"Como especificamente...?"**

Ler a mente é agir como se você soubesse o que a outra pessoa está pensando ou sentindo (a Leitura da Mente pode estar certa, dependendo também da sua calibração com a pessoa). O **desafio** buscará a fonte de informação.

Cliente: Eu sei que ele me odeia.

Programador: **Como especificamente você sabe que ele a odeia?**

Cliente: Eu sei quando minha mulher está brava comigo.

Programador: **Como especificamente você sabe quando sua mulher fica brava com você?**

Cliente: Eu sei que satisfaço minha esposa sexualmente.

Programador: **Como especificamente você sabe que satisfaz sexualmente sua esposa?**

PERFORMATIVO PERDIDO

É comum não darmos informações sobre quem está emitindo a própria comunicação. O mais correto seria colocar em frente a cada declaração própria. **"Eu estou dizendo a você que..."** o que indicaria quem está falando. Muitas vezes, o cliente apresenta frases com suas próprias crenças, porém, apresentando-as como verdades universais.

O que está faltando nestes exemplos? O "executor" da frase (quem está fazendo a avaliação) está faltando, assim como para quem a avaliação é verdadeira.

Cliente: É errado amar a duas pessoas ao mesmo tempo.

Programador: **De acordo com quem?**

Cliente: A homossexualidade é uma perversão.

Programador: **De acordo com quem?/Eu ouvi você dizer para mim que a homossexualidade é perversão?**

Cliente: Álcool reduz a tensão.

Programador: **Álcool reduz a tensão para quem?**

EXERCÍCIO DE METAMODELO VII

(trios, 5' cada posição)

1) O Sujeito cria uma frase que tem um ou mais desses padrões (Performativo Perdido, Leitura da Mente e/ou Causa e Efeito). (Comece com apenas um padrão, depois combine-os entre si).

2) O Programador identifica e ***desafia*** os padrões.

3) O Meta-Programador detecta: *"O Programador está desafiando de maneira apropriada?". "Algum desses três padrões deixou de ser desafiado?".*

DICAS PARA A UTILIZAÇÃO DO METAMODELO ELEGANTEMENTE

1. Atenção ao processo de RAPPORT.

2. Use um tom de voz macio e uma velocidade de fala moderada.

3. Mantenha sua atenção no seu objetivo. Use o tempo que for necessário, de maneira descontraída, direta e precisa.

4. Use "suavisadores" antes dos desafios:

   a. *"Eu imagino se..."*

   b. *"Será que você pode me dizer..."*

   c. *"Eu estou curioso se..."*

5. De tempos em tempos, repita as palavras dele(a); assegure-se que sejam **exatamente** as mesmas palavras que foram usadas.

6. Se o sujeito não sabe onde começar, você poderá oferecer-lhe um "menu" desde que:

   a. Exista uma longa demora antes dele(a) começar a falar;

   b. O comportamento não verbal do sujeito indica que ele(a) não tem uma representação interna do que falar;

   c. Ele(a) parece estar entrando em um estado de confusão (e você quer evitar isso).

TABELA RESUMO DO METAMODELO

TRANSFORMAÇÕES	PERGUNTAS
DELEÇÕES: Simples e Comparativa	
Após 7 anos eu acabei de perder contato.	*Contato com quem?*
Parece uma tarefa impossível!	*Parece para quem? Impossível p/ quem?*
Agora eu nem ao menos falo com ela.	*Sobre o quê?*
O outro é melhor.	*Melhor do que o quê?*
Eu aprendi tanto com você.	*O quê especificamente?*
Você é legal.	*Comparado a quem/ o quê?*
Você descobriu que o mundo parece diferente.	*Diferente do quê?*
FALTA DE ÍNDICE REFERENCIAL	
Reuniões me deprimem.	*Quais reuniões?*
Eu tenho um certo entendimento.	*Qual entendimento?*
As pessoas me assustam.	*Quem especificamente...?*
Este é o último.	*Quem especificamente é...?*
VERBOS INESPECÍFICOS	
Eu posso lidar com o assunto.	*Como especificamente?*
Ele não vai me deixar só.	*Como especificamente ele não vai deixá-la só?*
Ele me ama.	*Ama-a? De que maneira?*
Quando ele começa a falar tenho vontade de...	*Como ele começa? / Vontade como?*
Estou bloqueado!	*Como você está bloqueado?*
NOMINALIZAÇÕES	
Não há respeito por aqui.	*Quem não está respeitando quem aqui?*
Ele necessita mais força.	*Ficar mais forte de que jeito?*
Conhecimento é poder.	*Para quem, conhecer é poder?*
Há um monte de confusão.	*Quem está confundindo quem e de que maneira?*
QUANTIFICADORES UNIVERSAIS	
Eu nunca vou fazer de novo.	*Nunca?*
Não há nada que eu necessite.	*Nada?*
Todo mundo anda estressado.	*Todos os seres na terra?*
Para ter certeza, eu sempre confiro tudo.	*Sempre? Tudo?*
OPERADORES MODAIS DE NECESSIDADE & POSSIBILIDADE	
Eu não posso fazer nada.	*O que o impede?*
Eu gostaria de deixá-lo, mas não posso.	*O que aconteceria se você o deixasse?*
As pessoas não podem saber.	*O que aconteceria se soubessem?*
Eu não devo fazer essas coisas.	*O que o impede?*

TRANSFORMAÇÕES	PERGUNTAS
CAUSA E EFEITO	
Minha família me deixa louco.	*Como eles o deixam louco?*
Quando ele sorri, eu fico confusa.	*Como o sorrir dele a deixa confusa?*
Sua recusa em me escutar me deixa triste.	*Como a recusa dele a deixa triste?*
O tom de voz dele me irrita?	*Como o tom de voz dele a irrita?*
LEITURA DA MENTE	
Eu sei o que o faz feliz.	*Como você sabe...?*
Eu lamento estar aborrecendo-o.	*Como você sabe que...?*
Eu sei que ela está carente.	*Como você sabe que ela...?*
PERFORMATIVO PERDIDO	
Não é bom ser inflexível.	*Não é bom para quem?*
Isso não é importante.	*Não é importante de acordo com quem?*
Isso é uma coisa estúpida de se fazer.	*É estúpida de acordo com quem?*
As pessoas deveriam saber isso.	*Para quem é verdade que as pessoas deveriam saber isso?*
Fracasso é um passo necessário para o crescimento das pessoas.	*Necessário na opinião de quem? Quem diz isso?*

CASOS DE ESTUDO APLICANDO O METAMODELO

1. Escolha de cada parágrafo abaixo, uma frase que você desafiará, sendo uma por parágrafo (três no total).

2. A frase escolhida representa mais apropriadamente uma generalização, deleção ou distorção.

3. A frase é uma violação de que categoria específica do metamodelo? (Para responder use outra folha, se necessário).

CATEGORIAS DE METAMODELO

GENERALIZAÇÃO	DELEÇÃO	DISTORÇÃO
Quantificadores Universais	Deleção Simples	Causa-Efeito
Operad. Modais Necessid.	Deleção Comparativa	Leitura da Mente
Operad. Modais Possibilid.	Falta de Índice Referencial	Performativo Perdido
	Verbos Inespecíficos	
	Nominalizações	

CASO DE ESTUDO UM

Quero ser feliz. Quero realmente sentir amor, desfrutar e estar bem comigo mesmo. Sei que quando for realmente feliz me sentirei melhor. Outros desfrutarão da minha companhia e todas estas coisas não importarão nunca mais. Às vezes, quando elas aparecem, sinto como que me estejam escolhendo. Eu só quero que eles entendam como se sinto. Então sei que serei feliz.

Oração ou Frase:

Gen./Del./Dist.:   Categ. Metamodelo:

Pergunta Desafiante:

Oração ou Frase:

Gen./Del./Dist.:   Categ. Metamodelo:

317

Pergunta Desafiante:

Oração ou Frase:

Gen./Del./Dist.:   Categ. Metamodelo:

Pergunta Desafiante:

CASO DE ESTUDO DOIS

Ninguém faz o que se supõe que façam. Eu sou o único responsável por estes projetos. Não posso trabalhar mais neste ambiente. Necessito da cooperação dos outros membros desta equipe..., mas, como de costume, eles sempre têm escusas do porquê de sua parte do trabalho não estar completa. Todo o tempo termino completando todo o trabalho eu próprio. Eles deveriam ser mais responsáveis.

Oração ou Frase:

Gen./Del./Dist.:   Categ. Metamodelo:

Pergunta Desafiante:

Oração ou Frase:

Gen./Del./Dist.:   Categ. Metamodelo:

Pergunta Desafiante:

Oração ou Frase:

Gen./Del./Dist.:   Categ. Metamodelo:

Pergunta Desafiante:

CASO DE ESTUDO TRÊS

João deveria saber que eu cumpro com minhas obrigações. Ele me deixa nervoso. Eu sei que ele vai fazer uma má avaliação de meu desempenho, no final do mês. Eu não gosto dele e suas indicações me confundem. É ruim ficar se queixando, mas ele deveria saber como me incomoda.

Oração ou Frase:

Gen./Del./Dist.:   Categ. Metamodelo:

Pergunta Desafiante:

Oração ou Frase:

Gen./Del./Dist.:   Categ. Metamodelo:

Pergunta Desafiante:

Oração ou Frase:

Gen./Del./Dist.:   Categ. Metamodelo:

Pergunta Desafiante:

GLOSSÁRIO DE TERMOS DE PNL

Acompanhar - Adotar partes do comportamento de outra pessoa para aumentar o rapport. Obter e manter rapport com outra pessoa, entrando no seu modelo de mundo. É possível acompanhar crenças, ideias e comportamentos. Acompanhar a si próprio é dar atenção à sua própria experiência sem imediatamente tentar mudá-la.

Acuidade sensorial - O processo de aprender a fazer distinções mais finas e mais úteis das informações sensoriais que obtemos do mundo. Um dos pilares da PNL.

Além da identidade - O nível de experiência no qual você é mais você e mais conectado aos outros. Um dos níveis neurológicos. Frequentemente chamado de nível espiritual.

Ambiente - O onde, o quando e as pessoas com quem estamos. Um dos níveis neurológicos.

Ambiguidade de pontuação - Ambiguidade criada pela fusão de duas frases separadas em uma única oração.

Ambiguidade fonética - A que ocorre entre duas palavras que têm o mesmo som, mas significados diferentes (concerto/concerto, estático/extático).

Ambiguidade sintática - Ambiguidade provocada pela construção da frase, criando uma duplicidade de sentido. O mesmo que anfibologia.

Análise contrastante - Comparar dois ou mais elementos e procurar as diferenças críticas entre eles para compreendê-los melhor.

Analógico - Que oscila de forma contínua, como o mercúrio em um termômetro.

Âncora - Qualquer estímulo que evoque uma resposta. Âncoras mudam nosso estado. Podem ocorrer naturalmente ou ser estabelecidas de forma intencional.

Ancoragem - O processo pelo qual qualquer estímulo ou representação (externa ou interna) fica conectado a uma reação e a dispara.

Anfibologia - Ambiguidade provocada pela construção da frase, criando uma duplicidade de sentido. Também chamada ambiguidade sintática.

Associado - Dentro de uma experiência, enxergar através dos próprios olhos, de plena posse de todo os seus sentidos.

Através do tempo - Ter uma linha de tempo na qual você está dissociado de sua linha de tempo e, portanto, tem consciência do passar do tempo.

Auditivo - Relativo à audição.

Automodelagem - Modelar seus próprios estados de excelência como recursos.

Busca ou pesquisa transderivacional - É essencialmente o processo de pesquisar na sua experiência passada por memórias e/ou representações mentais para encontrar uma referência para um comportamento ou julgamento atual.

Calibração - Perceber com precisão o estado de outra pessoa através da leitura de sinais não-verbais.

Campo unificado - Estrutura unificadora da PNL. Uma matriz tridimensional de níveis neurológicos, posições perceptivas e tempo.

Capacidade - Uma estratégia bem-sucedida para realizar uma tarefa. Uma habilidade ou um hábito. Também uma maneira habitual de pensar. Um dos níveis neurológicos.

Cinestésico - Relativo ao sentido do tato. Sensações tácteis e sensações internas como sensações e emoções lembradas e o senso de equilíbrio.

Citação - Padrão linguístico no qual a mensagem é expressa como se fosse de outra pessoa.

Comando embutido - Um comando que está embutido em uma sentença mais longa. É demarcado por tom de voz ou gestos.

Como se - Usar a imaginação para explorar as consequências de pensamentos ou ações "como se" tivessem ocorrido quando na realidade não aconteceram. Uma forma de planejamento por sequência imaginária de acontecimentos futuros.

Comportamento - Qualquer atividade, incluindo os processos mentais. Comportamento é um dos níveis neurológicos.

Conciliação de objetivos - O processo de agrupar vários objetivos, otimizando as soluções. É a base das negociações onde todos saem ganhando.

Condições de boa formulação - Um conjunto de condições para expressar e pensar a respeito de um objetivo ou resultado e que o torna tanto alcançável quanto verificável.

Congruência - Estado de integridade. Alinhamento de crenças, valores, habilidades e ação de tal maneira que você "faz o que está dizendo". Estar em rapport consigo mesmo.

Consciente - Relativo a tudo que está na nossa percepção (consciência) no momento presente.

Contexto - O cenário específico, como tempo, local e pessoas presentes, que dá significado a um evento. Certas ações são possíveis (por exemplo, em família), ações estas que não são permitidas em outros contextos (por exemplo, no trabalho).

Crenças - As generalizações que fazemos sobre outros, sobre o mundo e sobre nós mesmos que se tornam nossos princípios operacionais. Agimos como se fossem verdadeiras e são verdadeiras para nós.

Critério - O que é importante para a pessoa dentro de um determinado contexto.

Critérios de boa formulação - Uma maneira de pensar e expressar o objetivo que o torna passível de ser atingido e verificado. Esses critérios são a base da conciliação de objetivos e das soluções mutuamente satisfatórias.

Deleção - Omissão de uma parte de uma experiência.

Descrição baseada nos sentidos - A informação que pode ser diretamente observada e comprovada pelos sentidos. Trata-se da diferença entre dizer "Seus lábios estão levemente separados, revelando uma parte dos dentes, e os cantos de sua boca estão ligeiramente elevados" e "Ela está feliz" - que é uma interpretação.

Descrição múltipla - Processo de descrever a mesma coisa a partir de diferentes pontos de vista.

Descrição tripla - Processo de perceber e descrever a experiência através da primeira, segunda e terceira posição.

Desequiparação - Adoção de padrões de comportamento diferentes dos de outra pessoa com a finalidade de interromper sua comunicação com você (em uma reunião ou conversa), ou a maneira dela se relacionar com ela mesma.

Dessemelhar - Adotar padrões de comportamento diferentes dos de outra pessoa; quebrar o rapport a fim de redirecionar ou interromper uma reunião ou conversa.

Diálogo interno - Falar consigo mesmo.

Digital - Capaz de estados distintos, mas não é uma escala contínua. Por exemplo, um interruptor de luz, que pode estar ligado ou desligado, mas não um pouco ligado ou um pouco desligado.

Dissociado - Que não está dentro de uma experiência, que observa ou ouve de fora.

Distorção - Processo pelo qual algo na experiência interior é representado de maneira incorreta e limitadora.

Ecologia- Uma preocupação e exploração das consequências gerais de seus pensamentos e ações na teia geral de relacionamentos na qual você se define como parte. Ecologia interna é como os diferentes pensamentos e sentimentos de uma pessoa se encaixam para torná-la congruente ou incongruente.

Eliciação - Provocação ou evocação de uma forma de comportamento, de um estado ou de uma estratégia.

Encadeamento - Sequenciar uma série de estados.

Enquadramento - Uma maneira de ver alguma coisa; um ponto de vista específico. Por exemplo, o enquadramento da negociação vê comportamento como se fosse uma forma de negociação.

Epistemologia - O estudo de como sabemos o que sabemos.

Equiparação - Adoção de partes do comportamento, das habilidades, crença ou valores de outra pessoa com a finalidade de aumentar o rapport.

Equiparação cruzada - Equiparação da linguagem corporal de uma pessoa com um movimento do tipo diferente. Por exemplo, mover sua mão no ritmo de sua fala.

Equivalência complexa - Duas afirmações consideradas como significando a mesma coisa, uma forma de comportamento e uma capacidade. Por exemplo: "Ele não está olhando para mim, portanto não está ouvindo o que digo".

Espelhamento - Equiparação exata das partes do comportamento de outra pessoa.

Espelhamento cruzado - Acompanhar a linguagem corporal de uma pessoa com um movimento diferente, por exemplo, bater o pé no ritmo da sua fala.

Espelhar - Copiar de maneira precisa segmentos do comportamento de outra pessoa.

Espiritual - Ver "Além de identidade".

Estado - A maneira como a pessoa se sente, o seu humor. A soma de todos os processos neurológicos e físicos de uma pessoa num determinado momento. O estado em que nos encontramos afeta nossas capacidades e nossa interpretação da experiência.

Estado associado - Estar dentro de uma experiência, vendo através de seus próprios olhos, estando plenamente em seus sentidos.

Estado dissociado - Estar distanciado de uma experiência, vendo, ouvindo e sentindo como se estivesse do lado de fora. De alguma forma sentir-se "fora" ou "desligado".

Estado emocional - Ver "Estado".

Estado-base - O estado mental normal e habitual.

Estados de recursos - A experiência neurológica e física quando a pessoa tem recursos.

Estratégia - Uma sequência de pensamentos possível de ser repetida que leva a ações que consistentemente produzem um resultado específico.

Estrutura "como se" - Fingir que um acontecimento ocorreu, para poder pensar "como se" ele tivesse ocorrido, o que permite encontrar soluções criativas para os problemas e ultrapassar mentalmente obstáculos aparentes a fim de chegar às soluções desejados.

Estrutura - Um contexto ou uma maneira de perceber algo, como por exemplo na estrutura de objetivos, estrutura de rapport, estrutura de recapitulação etc.

Estrutura de superfície - A forma visível derivada da estrutura profunda através de omissão, distorção e generalização. Em linguística transformacional, as palavras que são efetivamente ditas.

Estrutura profunda - Em gramática transformacional, essa é a forma linguística completa da afirmação da qual a estrutura superficial (o que foi efetivamente dito) é derivada. De modo geral, é a estrutura mais geral que dá margem a uma forma visível específica.

Evocar - Entrar em contato com um estado mental através do comportamento. Também significa coleta de informação, seja pela observação direta de sinais não-verbais ou das perguntas do metamodelo.

Exteriorização - Estado no qual a atenção e os sentidos estão voltados para fora. (uptime)

Filtros perceptivos - Ideias, experiências, crenças e linguagem que dão forma ao nosso modelo de mundo.

Feedback - Os resultados de suas ações que retornam para influenciar seus próximos passos. Um dos pilares da PNL.

Filtros perceptivos - Ideias, experiências, crenças e linguagem que dão forma ao nosso modelo de mundo.

Fisiológico - Relativo à fisiologia, à parte física de uma pessoa.

Flexibilidade - Ter muitas escolhas de pensamento e comportamento para alcançar um resultado. Um dos pilares da PNL.

Generalização - Processo pelo qual uma experiência específica passa a representar toda uma classe de experiências ou todo um grupo de experiências.

Gustativo - Relativo ao paladar.

Hierarquia de critério - É essencialmente a ordem de prioridade que uma pessoa aplica para suas ações.

Hipnose - estado alterado de consciência e percepção, de profundo relaxamento, no qual o consciente e o inconsciente podem ser focalizados por ficarem mais receptivos à sugestão terapêutica.

Identidade - A autoimagem ou autoconceito. Quem a pessoa acha que é. A totalidade do ser. Um dos níveis neurológicos.

Incongruência - Estado de conflito. O estado de não estar em rapport consigo mesmo, tendo um conflito interno que se expressa em seu comportamento. Pode ser sequencial - por exemplo, uma ação seguida de outra que a contradiz - ou simultânea - por exemplo, concordância em palavras, mas com tom de voz duvidoso.

Inconsciência - Tudo o que não está dentro da nossa percepção no momento.

Inconsciente - Tudo o que não está em sua consciência no momento presente.

Intenção - O propósito de uma ação, o resultado que se deseja obter com ela.

Intenção positiva - O propósito positivo subjacente a qualquer ação ou crença.

Interiorização - Estado leve de transe em que a atenção se volta para dentro, para os próprios pensamentos e sensações. (downtime)

Interrupção de padrão - Mudar o estado de uma pessoa um tanto abruptamente, frequentemente através de sua desequiparação.

Inventário - A consciência de suas experiências visuais, auditivas, cinestésicas, olfativas e gustativas em um dado momento.

Lados - Aspectos da personalidade que às vezes possuem intenções conflitantes.

Liderar ou conduzir - Mudar aquilo que você faz com rapport suficiente para que outra pessoa siga.

Linguagem corporal - A maneira pela qual nos comunicamos através de nosso corpo, sem sons ou palavras. Por exemplo, através de nossa postura, nossos gestos, expressões faciais, aparência e pistas de acesso.

Linguística - estudo da linguagem que usamos para ordenar nossos pensamentos e comportamentos e nos comunicarmos com os outros.

Linha do tempo - A linha que conecta seu passado a seu futuro. O "lugar" onde armazenamos imagens, sons, e sensações de nosso passado e nosso futuro.

Linha temporal - A forma como armazenamos imagens, sons e sentimentos de nosso passado, presente e futuro.

Mapa da realidade - A representação do mundo singular de cada pessoa construída a partir de suas percepções e experiências individuais. Não é apenas um conceito, mas toda uma maneira de viver, respirar e agir.

Mediação - A habilidade de resolver uma disputa entre partes e pessoas.

Meta - Radical que define o que existe num nível lógico diferente. Derivado do grego, significa "acima" ou "além".

Metacognição - A capacidade de saber o que se conhece: ter uma habilidade e poder explicar como ela é realizada.

Meta-estado - Estado sobre estados. Por exemplo, ter raiva de estar cansado.

Metáfora - Comunicação indireta através de uma história ou figura de linguagem implicando uma comparação. Em PNL, metáfora abrange similaridades, histórias, parábolas e alegorias. Implica, de forma aberta ou oculta, que uma coisa é como outra.

Metamodelos - Modelo que identifica os padrões de linguagem que impedem ou obscurecem o significado da comunicação. Utiliza a distorção, a omissão e a generalização e perguntas específicas que vão esclarecer e colocar em questão a linguagem imprecisa, para ligá-la a uma experiência sensorial e à estrutura profunda.

Metaposição - Uma posição externa a uma situação que permite que você a veja de forma mais objetiva. Também usada para a posição de observador em exercícios de PNL.

Metaprogramas - Filtros que aplicamos sistematicamente à nossa experiência.

Modelagem - Processo de discernir a sequência das ideias e comportamentos que permitem a alguém fazer uma tarefa. É a base da aprendizagem acelerada e da PNL.

Modelo - Uma descrição prática da maneira como algo funciona e que tem como propósito a utilidade. Uma cópia generalizada, omitida ou distorcida, mas não demasiadamente simples, para ser útil.

Modelo de mundo - O mesmo que mapa da realidade.

Modelo Milton - O inverso do metamodelo. Utiliza padrões de linguagem bastante vagos para acompanhar a experiência de outra pessoa e ter acesso a recursos inconscientes. Uma série de padrões de linguagem modeladas por Grinder e Bandler a partir de Milton Erickson.

Mudança de primeira ordem - Uma mudança que não tem ramificações futuras.

Mudança de segunda ordem - Mudança que tenha extensas ramificações para áreas outras que não aquela onde a mudança ocorreu.

Negociação - O processo de tentar obter seu resultado lidando com outra parte que pode desejar um resultado diferente.

Neurolinguística - é o estudo das relações entre a linguagem e os processos neurológicos (audição, visão, sensações, olfato e paladar).

Níveis neurológicos - Também conhecidos como níveis lógicos da experiência: ambiente, comportamento, capacidade, crença, identidade e nível espiritual.

Nível lógico - Algo está num nível lógico superior quando inclui algo que se encontra num nível lógico inferior.

No tempo - Ter uma linha de tempo com o "agora" passando pelo seu corpo. Quando você está "no tempo", não percebe sua passagem, mas é "levado junto".

Nominalização - Termo linguístico para o processo de transformar um verbo em um substantivo abstrato e a palavra para o substantivo assim formado. Por exemplo: "relacionar" passa a ser "um relacionamento" - um processo se tornou uma coisa.

Novo código - Abordagem da PNL, segundo o trabalho de John Grinder e Judith Deluzir, contida no livro "Turtles all the way down".

Objetivo - Resultado específico que se deseja alcançar. Baseia-se nos sentidos e obedece a critérios de boa formulação.

Olfativo - Relativo ao olfato.

Omissão - No discurso ou no pensamento, exclusão de uma parte da experiência.

Operador modal de necessidade - - Palavras que implicam regras quanto ao que é necessário. Por exemplo, "deveria, "deve", "ter que" e "não deveria".

Operador modal de possibilidade - Palavras que implicam regras quanto ao que é possível. Por exemplo, "posso", "não posso", "possível", "impossível".

Orientar - Modificar o próprio comportamento e estabelecer rapport, para que outra pessoa o siga.

Partes - Aspectos da personalidade que às vezes possuem intenções conflitantes.

Pilares de PNL - Você, pressuposições, resultado, rapport, flexibilidade e feedback (acuidade sensorial).

Pistas de acesso - As maneiras pelas quais ajustamos nossos corpos através de nossa respiração, postura, gestos e movimentos oculares para pensarmos de determinadas maneiras.

Pistas de acesso oculares - Movimentos dos olhos em certas direções que indicam pensamento visual, auditivo ou cinestésico.

Pistas visuais de acesso - Movimentos oculares em determinadas direções, que indicam pensamento visual, auditivo ou cinestésico.

PNL - Programação Neurolinguística é definida como o estudo da estrutura da experiência subjetiva, o que pode ser deduzido e predito por ela já que se crê que todo o comportamento tem uma estrutura. (Richard Bandler)

A parte "Neuro" da PNL reconhece a ideia fundamental de que todos os comportamentos nascem dos processos neurológicos da visão, audição, olfato, paladar, tato e sensação. Percebemos o mundo através dos cinco sentidos. "Compreendemos" a informação e depois agimos. Nossa neurologia inclui não apenas os processos mentais invisíveis, mas também as reações fisiológicas a ideias e acontecimentos. Uns refletem os outros no nível físico. Corpo e mente formam uma unidade inseparável, um ser humano.

A parte "Linguística" do título indica que usamos a linguagem para ordenar nossos pensamentos e comportamentos e nos comunicarmos com os outros.

A "Programação" refere-se à maneira como organizamos nossas ideias e ações à fim de produzir resultados. A PNL trata da estrutura da experiência humana subjetiva, de como organizamos o que vemos através dos nossos sentidos. Também examina a forma como descrevemos isso através da linguagem e como agimos, intencionalmente ou não, para produzir resultados.

Do livro: Introdução à Programação Neurolinguística - J.O'Connor/J.Seymour

Ponte para o futuro - Ensaio mental de um objetivo para assegurar que o comportamento desejado irá ocorrer.

Posição perceptiva - O ponto de vista que adotamos num determinado momento para ter consciência de alguma coisa. Pode ser o nosso próprio ponto de vista (primeira posição), o ponto de vista de outra pessoa (segunda posição), ou o de um observador objetivo (terceira posição).

Postulado de conversação ou conversacional - Forma hipnótica de linguagem, uma pergunta que é interpretada como uma ordem.

Predicados - Palavras que, baseadas nos sentidos, indicam o uso de um determinado sistema representacional.

Pressuposições - Ideias ou crenças que são pressupostas, ou seja, consideradas como dadas e sobre as quais se age. Um dos pilares da PNL.

Primeira posição - Maneira de perceber o mundo unicamente do nosso próprio ponto de vista. Estar em contato com a nossa realidade interna. Uma das três posições perceptivas.

Programação neurolinguística - O estudo da excelência e o modelo de como as pessoas estruturam sua experiência.

Quantificadores universais - Termo linguístico que se aplica a palavras como: "todos" e "sempre", que não admitem exceções. Uma das categorias do metamodelo.

Quebra de estado - O uso de movimento, som ou imagem para mudar o estado emocional.

Rapport - Um relacionamento de confiança e responsividade com você mesmo ou com os outros. Um dos pilares da PNL.

Recapitulação - Revisar ou resumir, usando as palavras-chave, os gestos e a tonalidade de voz de outra pessoa.

Recurso - Qualquer coisa que possa ajudá-lo a alcançar um resultado. Por exemplo, fisiologia, estados, pensamentos, crenças, estratégias, experiências, pessoas, eventos, bens, lugares e histórias.

Remodelar - O mesmo que ressignificar.

Representação - Uma imagem mental; informações sensoriais codificadas ou armazenadas na mente.

Representações internas - Padrões de informação que criamos e armazenamos em nossa mente, combinando imagens, sonhos, sensações, cheiros e paladares.

Ressignificação - Compreender uma experiência de forma diferente, dando a ela um significado diferente.

Ressignificação de conteúdo - Tomar uma afirmação e dar-lhe um novo significado, voltando a atenção para outra parte do conteúdo e perguntando: "O que mais isto poderia significar?"

Ressignificação de contexto - Mudar o contexto de uma declaração dando-lhe outro significado, através da pergunta: "Onde essa reação seria adequada?"

Ressignificar - Mudar a estrutura de referência para lhe dar um novo significado. O mesmo que remodelar.

Resultado ou objetivo - Uma meta desejada, específica e sensorialmente baseada. Você sabe o que verá, ouvirá e sentirá quando o tiver alcançado. Um dos pilares da PNL.

Segmentação - Mudar sua percepção, subindo ou descendo um nível lógico. O metamodelo segmenta para baixo a parir da linguagem, solicitando instâncias específicas. O Modelo Milton segmenta para cima a partir da linguagem, incluindo uma série de instâncias específicas possíveis em uma estrutura de frase geral. A metáfora segmenta para o lado para um significado diferente no mesmo nível. A segmentação para baixo implica descer ao nível inferior para obter um exemplo específico daquilo que se está estudando. Isto pode ser feito na relação entre membros e classe, ou partes e todo.

Segunda posição - Aquela em que se percebe o mundo do ponto de vista de outra pessoa, em harmonia e em contato com a realidade dela. Uma das três posições perceptivas

Sinergia - Esforço coordenado de vários subsistemas na realização de uma tarefa complexa ou função. Diz-se que o todo supera a soma das partes.

Sinestesia - Uma ligação automática de um sentido para outro. Por exemplo, quando o som da voz de uma pessoa faz com que você se sinta bem.

Sistema condutor ou orientador - O sistema representacional que você usa para acessar informações armazenadas. Por exemplo, para algumas pessoas, uma imagem mental de um período de férias trará de volta a experiência inteira.

Sistema preferencial - O sistema representacional que a pessoa usa habitualmente para pensar de maneira consciente e organizar sua experiência.

Sistema principal - O sistema representacional que encontra informações para alimentar a consciência.

Sistema representacional - Os diferentes canais através dos quais nós representamos informações internamente, usando nossos sentidos: visual (visão); auditivo (audição); cinestésico (sensação corporal); olfativo (olfato) e gustativo (gosto).

Sistema representacional preferido ou preferencial - O sistema representacional que um indivíduo tipicamente usa para pensar de forma consciente e organizar sua experiência.

Sistema vestibular - Sistema representacional que lida com a sensação de equilíbrio.

Sobrepor - Usar um sistema representacional para ter acesso a outro; por exemplo, criar uma cena e depois ouvir os sons dessa cena.

Submodalidades - As distinções finas que fazemos em cada sistema representacional, as qualidades de nossas representações internas e os menores blocos de construção de nossos pensamentos.

Substantivação - Termo linguístico que indica o processo de transformar um verbo em substantivo abstrato. Exemplo: pensar - pensamento

Sujeitos não especificados - Sujeitos que não declaram claramente a quem ou a que se referem, por exemplo, "eles".

Terceira posição - Aquela em que se percebe o mundo do ponto de vista de um observador distante e indulgente. Uma das três posições perceptivas.

Transe - Estado alterado de consciência em que a atenção se volta para dentro e se concentra em poucos estímulos.

Universais ou quantificadores universais - Palavras como "todos", "tudo" e "nunca" que não admitem exceção.

Valores - Aquilo que é importante para a pessoa, por exemplo, saúde.

Verbos não especificados - Verbos cujo advérbio foi omitido e, portanto, não expressam a maneira como a ação foi feita. O processo não fica especificado. Por exemplo, "pensar" ou "fazer".

Visual - Relativo ao sentido da visão.

Visualização - O processo de ver imagens mentais.

LIVORS PARA PRACTITIONERS E UPSIDES NESTA OBRA

OS LIVROS ESTÃO EM ORDEM ALFABÉTICA E OS MAIS ACONSELHÁVEIS ESTÃO EM NEGRITO.

A Estrutura da Magia - Um livro sobre Linguagem e Terapia - Richard Bandler - John Grinder - Editora LTC

Aprendizagem Dinâmica - Vol. 1 - Todd A. Epstein & Robert B. Dilts - SUMMUS EDITORIAL

Aprendizagem Dinâmica - Vol. 2 - Todd A. Epstein & Robert B. Dilts - SUMMUS EDITORIAL

Desperte seu Gigante Interior - Anthony Robbins - Editora Record ou Editora Bestseller

Estratégia da Genialidade, A - Aristóteles, Wolfgang Amadeus Mozart, Sherlock Homes e Walt Disney - Robert B. Dilts - SUMMUS EDITORIAL

José, os Carneiros e os Lobos - Luís Octávio, Del Rodrigues e Regina Rodrigues - Editora CONEDI

Modernas Técnicas de Persuasão - A vantagem oculta em vendas - John H. Herd & Donald J. Moine - SUMMUS EDITORIAL

O Macaquinho e o Cavalo - Luís Octávio, Del Rodrigues e Regina Rodrigues - Editora CONEDI

Os Coelhinhos e o Cão de Três Pernas - Luís Octávio, Del Rodrigues e Regina Rodrigues - Editora CONEDI

Pensamento & Mudança: Desmistificando a Programação Neurolinguística (PNL) – Dr. Nelson Spritzer – L&PM.

Poder Ilimitado - uma escolha negra - Anthony Robbins & Joseph McClendon III - Editora Record

Poder Sem Limites - O Caminho do Sucesso Pessoal pela Programação Neurolinguística - Anthony Robbins - Editora Best Seller

Refém Emocional, O - Resgate sua vida afetiva - Michael Lebeau & Leslie Cameron-Bandler - SUMMUS EDITORIAL

Charton Baggio Scheneider

Resignificando - Programação neurolinguística e a transformação do significado - Richard Bandler & John Grinder - SUMMUS EDITORIAL

Sapos em Príncipes - Programação neurolinguística - Richard Bandler & John Grinder - SUMMUS EDITORIAL

Soluções - Antídotos práticos para problemas sexuais e de relacionamento - Leslie Cameron-Blander - SUMMUS EDITORIAL

Terapia Não-Convencional - As técnicas psiquiátricas de Milton H. Erichson - Jay Haley - SUMMUS EDITORIAL

Usando sua Mente - As coisas que você não sabe que não sabe - Richard Bandler - SUMMUS EDITORIAL

Exercícios Round Robin

ROUND ROBIN #1

OBJETIVO: avaliar as habilidades básicas de rapport dos alunos. Comunicação do programador com o Consultante.

1. Acompanhamento da postura corporal

2. Acompanhamento e liderança verbal

3. Acompanhamento dos predicados

ROLE PLAY: Tempo 3' cada posição

FEEDBACK: 1' por pessoa

ROUND ROBIN #2

OBJETIVO: avaliar as habilidades básicas de rapport dos alunos. Comunicação do programador com o Consultante.

1. Predicados

    a. Os mais e os menos usados pelo Consultante

    b. O Programador igualou os sistemas usados pelo Consultante?

2. Padrões Oculares

    a. Que padrão ocular foi consistentemente mostrado?

    b. Como especificamente o Programador usa o padrão ocular do Consultante?

3. Checando Rapport

    a. Que evidência(s) o Programador mostra e que ele(a) esteve acompanhando e liderando o Consultante?

    b. Como checou se estava em rapport?

ROUND ROBIN #3

OBJETIVO: Avaliar as habilidades para OBTER INFORMAÇÃO. Comunicação do programador com o Consultante.

1. **Metamodelo** (Deleções / Distorções / Generalizações)

    a. Que fazia mais frequentemente o Consultante? Deletava? Distorcia? Generalizava?

    b. Que fazia mais frequentemente o Programador? Deletava? Distorcia? Generalizava?

2. **Metamodelo** – Especificamente, qual das seguintes violações ao Metamodelo foi usada mais frequentemente? Use o espaço de qualquer lado para fazer notas dos exemplos específicos.

    a. Deleções _____

    b. Deleções Comparativas _____

    c. Falta de Índice Referencial _____

    d. Verbos Inespecíficos _____

    e. Nominalizações _____

    f. Quantificadores Universais _____

    g. Operadores Modais _____

    h. Causa e Efeito _____

    i. Leitura da Mente _____

    j. Performativo Perdido _____

3. **Padrões de Escolha** - Cheque o modelo específico usado mais frequentemente pelo Consultante dentro de cada categoria abaixo:

    a. Tempo (Pdo/Pte/Fut) _____

    b. In-Time / Trough-Time _____

    c. Self / Outros _____

    d. Gente/Lugar/Coisas/Atividades/Informações

    _____

    e. Externo / Interno _____

    f. Ganhar / Perder _____

    g. Positivo / Negativo _____

    h. Correto / incorreto _____

ROUND ROBIN #4

OBJETIVOS: Avaliar os conhecimentos do Programador dos objetivos e condições de boa forma.

1. **Objetivos Bem Formulados**

   a. Qual das condições Bem Formuladas descobriu o Programador?

      i. Objetivo Expresso em positivo _____

      ii. Dentro do Controle do Cliente _____

      iii. Ecológico _____

      iv. Testável (VAKO/G) _____

2. Estado Atual

   a. Qual foi o estado extraído pelo Programador? (Por favor, seja específico.) Disparador:

      i. Quem? O quê? Onde? Quando? Como?

      _____

      ii. Submodalidades _____

      iii. 4-Tuples _____

3. Estado Desejado

   a. Qual foi a informação do estado desejado obtida pelo Programador?

      i. Quem? O quê? Onde? Quando? Como?

      _____

      ii. Submodalidades _____

      iii. 4-Tuples _____

GABARITO: A HISTÓRIA DA "MÁQUINA REGISTRADORA"

Apenas a quarta e a sexta afirmação são verdadeiras. As demais são falsas premissas ou indefinidas.

1) Desconhecida. **Foi um negociante que acendeu as luzes da loja, mas não há menção se este negociante é o proprietário da loja. Pode ser um funcionário.**

2) Desconhecida. **Não se sabe se houve um roubo, portanto não se pode dizer se houve um ladrão.**

3) Falsa. **Na estória está claro: "quando surge um homem pedindo dinheiro".**

4) Verdadeira. **O texto diz: "O proprietário abre uma máquina registradora".**

5) Desconhecida. **O texto não define quem tirou o dinheiro da máquina registradora, nem mesmo se era dinheiro, apenas diz: o conteúdo foi retirado.**

6) Verdadeira. **Alguém (o proprietário) abriu a máquina registradora.**

7) Desconhecida. **Não há como saber se houve um roubo, nem que o homem fugiu. Só sabemos que ele correu.**

8) Desconhecida. **Não se sabe se havia dinheiro na máquina registradora.**

9) Desconhecida. **Não se sabe se o homem era ladrão ou não.**

10) Desconhecida. **Não se sabe se o negociante é também o proprietário.**

11) Desconhecida. **Não se sabe se havia dinheiro na máquina registradora.**

Contato com o autor:

www.chartonbaggio.com

Made in the USA
Columbia, SC
25 September 2024

43026024R00185